Hermann Benjes

Wer hat Angst vor Silvio Gesell?

Das Ende der Zinswirtschaft bringt Arbeit, Wohlstand und Frieden für alle

7. Auflage

Titelfoto: Silvio Gesell

Herausgeber:
SELBSTVERLAG HERMANN BENJES
Hohenmoorer Straße 61
D-27330 Asendorf
(ca. 30 km südlich von Bremen)
Tel.: (0 42 53) 80 06 43
Fax: (0 42 53) 80 06 44
E-Mail: Hermann.Benjes@t-online.de
Internet: http://www.muslix.de/HB

Entwurf des Umschlags: Hermann Benjes
Titelfoto: Unbekannter Fotograf
Autorenporträt: Hans-Jürgen Krause
Alle übrigen Fotos: Hermann Benjes
Zeichnung *Sechseck*: E. Grimmel · C. Carstens
Zeichnungen *Waage*: Nach L. Stadelmann
Holzschnitt *Silvio Gesell*: Stefan Pokora

Herstellung und Satz: ASKU-PRESSE, Bad Nauheim
Druck und Bindung: KONKORDIA, Bühl

ISBN 3-00-000204-9

1.– 2. Tausend: September 1995
3.– 6. Tausend: Februar 1996
7.–10. Tausend: April 1997
11.–12. Tausend: Januar 2002
13.–14. Tausend: Dezember 2002
15.–17. Tausend: November 2003
18.–20. Tausend: Mai 2005

Inhaltsverzeichnis

Statt einer Widmung

Inmitten aller Geistes- und Wissenssteigerung
leben wir heute in bezug auf das Geld
noch in einem prähistorischen Nebel,
und unsere geistigen und politischen Führer
sind im Bettlergehorsam nach besten Kräften bemüht,
diese Dunkelfelder zu erhalten und zu schützen.
Deshalb gibt es auf der ganzen Erde
kein Schulbuch über das Geld,
und in allen sonstigen Bildungsschichten
werden die zukünftigen Staatsbürger
im Hinblick auf das Geld
bewusst als absolute Analphabeten
in das Leben entlassen,
damit sie in stumpfer Unwissenheit
dem obersten Gesetz der Geldvermehrung dienen
und nicht erkennen,
dass sie damit sich selbst und ihren Kindern
das Grab schaufeln.

Hans Kühn

Vorwort zur 1. Auflage

Käme einer aufs Fundbüro, um einen wertvollen Schatz abzugeben, hätte er bestimmt nicht zu befürchten, als überheblich eingestuft zu werden. Der ehrliche Finder hätte vielmehr ein Lob und eine respektable Belohnung zu erwarten. Er müsste sich auch nicht etwa aufdrängen; das freundliche Personal wäre selbstverständlich sofort bereit, den kostbaren Schatz entgegenzunehmen. Etwas anders verhält es sich bei Schätzen, die so wertvoll sind, dass sie das Vorstellungsvermögen der potentiellen Empfänger überfordern; und von einem solchen Schatz soll hier die Rede sein. Entdeckt wurde er von dem deutsch-argentinischen Unternehmer und Geldreformer Silvio Gesell (1862–1930), der sich als ehrlicher Finder zeit seines Lebens vergeblich darum bemühte, diesen größten Schatz des 20. Jahrhunderts der Menschheit zur Verfügung zu stellen. Silvio Gesell war durch eigene Beobachtungen und Nachforschungen auf vorher nicht bekannte Ursachen von periodisch wiederkehrenden Wirtschaftskrisen und damit auf die Ursachen von Arbeitslosigkeit, Elend und Krieg gestoßen. Er entdeckte einen Webfehler in der Struktur des Geldes! Seit seinem Tode im Jahre 1930 haben sich die Anhänger seiner Natürlichen Wirtschaftsordnung (NWO) redlich darum bemüht, das schier unglaubliche Vermächtnis dieses genialen Entdeckers in den Dienst der ganzen Menschheit zu stellen – bisher jedoch vergeblich. Das ist so ungeheuerlich, als würde ein Museum die dilettantischen Bilder von Hobbykünstlern in klimatisierten Räumen zum Aushang bringen und die Gemälde von Rembrandt im feuchten Keller verrotten lassen. Wie konnte das geschehen? Eine durch Informationsinzucht verblendete Wirtschaftswissenschaft und der vom Zins verwöhnte Geldadel haben nicht ertragen können, dass ein »Seiteneinsteiger« das schöne Lehrgebäude zusammenkrachen ließ. Da in diesen Kreisen nicht wahr sein kann, was nicht wahr sein darf (Geld regiert die Welt), wurde Gesell ignoriert, verleumdet, verhöhnt und schließlich fast vergessen. Massenarbeitslosigkeit, Hunger, Elend, Terror und Krieg waren und sind bis auf

7

den heutigen Tag die vermeidbaren Folgen dieser schäbigen Haltung des sich bedroht fühlenden Kapitals. Weil ich es selbst nicht fassen konnte, vermag ich mir die Skepsis meiner Leser/innen gut vorzustellen, ja ich finde sie natürlich und setze sie sogar voraus, damit der heilsame Schock und die fassungslose Wut durch eigenes Erkennen um so nachhaltiger unter die Haut gehen möge.

Bickenbach, im Juni 1995

Hermann Benjes

Vorwort zur 7. Auflage

Wer hätte gedacht, dass über 5 Millionen Arbeitslose für deutsche Spitzenpolitiker noch immer kein Grund sind, sich mit Silvio Gesell zu befassen? Und wer hätte für möglich gehalten, dass die Bundesregierung der Massenarbeitslosigkeit nun schon seit Jahren völlig ratlos gegenübersteht? Hätte hier nicht schon längst etwas geschehen müssen? Misshandelte Kinder z.B., die werden ihren Eltern doch auch unverzüglich weggenommen. Erst dann befasst sich ein Gericht mit den Tätern. So etwas kann Monate dauern. Darum darf die Reihenfolge amtlicher Maßnahmen zum Schutze missbrauchter Kinder nicht auf den Kopf gestellt werden: Wo kämen wir hin, wenn schwer misshandelte Kinder bis zur endgültigen Verurteilung der Täter ihren Peinigern schutzlos ausgeliefert blieben?

Aus diesem Grunde müssen die Opfer so schnell wie möglich von den Tätern getrennt werden. Eine Selbstverständlichkeit – meinen Sie? Nicht so bei den Opfern der Massenarbeitslosigkeit, die immerhin zu einem Drittel aus Kindern (arbeitsloser Eltern) bestehen! Die so genannte Kinderarmut ist nichts anderes als ein Schatten, den arbeitslose Eltern unfreiwillig und folgenschwer auf ihre eigenen Kinder werfen. Arbeitslose Familien bleiben untauglichen »Experten« und Politikern über Jahre und Jahrzehnte hinweg (»bis zur Rente«) entschädigungslos ausgeliefert, denn – auch das ist bekannt – mit Arbeitslosen kann man es ja machen. Die finden sich damit ab; oder hat man sie in Deutschland schon mal zu Hunderttausenden in Richtung Berlin auf die Straße gehen sehen? Der fünfmillionenfache Leidensdruck scheint noch nicht groß genug zu sein. Fatalismus macht sich breit, und die Fürsorgepflicht des Staates kann aus folgenden Gründen vernachlässigt werden:

1. Die Arbeitslosen wissen mit dem Artikel 1 des deutschen Grundgesetzes *(Die Würde des Menschen ist unantastbar ...)* nicht viel anzufangen, Politiker und »Arbeitsmarktexperten«

um so mehr. Wer z. B. die Fußsohlen eines Arbeitslosen mit einer Taubenfeder kitzelt (seine Würde also nur mal ganz leicht antastet), verstößt gegen das Grundgesetz und hätte bei penetranter Wiederholung mit einer Strafe zu rechnen. Darum entscheiden sich immer mehr Politiker für eine Variante, bei der sie ungeschoren davonkommen, indem sie das Antasten der Würde respektvoll unterlassen, um statt dessen auf der Arbeitslosenwürde desto hemmungsloser herumzutrampeln. Das scheint erlaubt zu sein, zumal es keine Bestrafung der Täter nach sich zieht. Kann man es einer Bundesregierung unter diesen Umständen eigentlich verdenken, wenn sie sich bei der Suche nach einem Ausweg aus der Krise für diesen begehbaren Trampelpfad entscheidet?

2. Die Empörung der Arbeitslosen (über den sozialen Absturz) setzt eine begründete Schuldzuweisung voraus. Die aber unterbleibt, wenn der Arbeitslose nicht in der Lage ist, der Partei seines Vertrauens konkrete Fehler nachzuweisen. Also hält sich seine Empörung in Grenzen und wird durch Resignation und Verzweiflung ersetzt. Im Windschatten dieses immer noch recht gut beherrschbaren Opferverhaltens – und geschützt durch ein Tabu – können sich Regierung und Opposition nach wie vor von einer Wahl zur anderen retten.

3. Bundesregierung, Opposition, Gewerkschaften, Arbeitgeberverbände, Großkapital, Wirtschaftswissenschaft, Banken, Kirchen, Schulen, Universitäten, Rundfunk, Presse und Fernsehen haben sich in seltener Einmütigkeit stillschweigend darauf geeinigt, den zum Greifen nahen (also tatsächlich vorhandenen!) Ausweg aus der Massenarbeitslosigkeit mit unbeugsamer Konsequenz auf dem Altar des Totschweigens zu opfern. Dort ist die Lösung der sozialen Frage »gut aufgehoben« und bleibt der ahnungslosen Bevölkerung »sicher« verborgen.

Oberstes Ziel dieser Verschwörung (oder gibt es eine bessere Bezeichnung für dieses gemeine Verbrechen an 5 Millionen

Arbeitslosen?) ist das geräuschlose Ausblenden der rettenden Erkenntnisse des genialen Land- und Geldreformers Silvio Gesell (1862–1930).

Da jedoch nur bestens informierte Menschen auf den Gedanken kommen können, sich gegen eine derart niederträchtige Informationsunterdrückung zu wehren, kommt es jetzt darauf an, das lichtscheue Kartell der Verschweiger gemeinsam auszuhebeln. Darum habe ich meinen Vorträgen über das großartige Vermächtnis Silvio Gesells dieses Buch zur Seite gestellt.

Asendorf, im April 2005

Hermann Benjes

1 300 Jahre Hochkonjunktur

Nach dem Ende der letzten Eiszeit – vor ca. 12.000 Jahren – wurden die vom Eise befreiten Felsen, Moränen und Sümpfe zunächst von Flechten, Moosen und Gräsern besiedelt. Erst dann rückten Insekten, Vögel, Fische und Steppentiere nach, und mit ihnen dann eines Tages auch der Mensch. Er war vermutlich den großen Rentierherden gefolgt und lebte noch immer – wie vor der Eiszeit – von der Hand in den Mund. Als Nomade durchstreifte er in kleinen Gruppen die Steppen und später dann auch die Buschlandschaften und Wälder; sammelte Früchte, Beeren und Vogeleier, fing Lachse und Forellen, jagte die kleinen und großen Pflanzenfresser und wurde selbst zum Gejagten von Raubtieren, die ihm an Schnelligkeit und Kraft weit überlegen waren. Hunger, Angst und Kälte dürften seine ständigen Begleiter gewesen sein. Sie wurden aber auch zur Triebfeder der Entwicklung von einfachen Waffen, die er geschickt einzusetzen wusste. Knochenfunde in Grotten und Höhlen belegen, dass er sogar dem Höhlenbär gewachsen war und gelegentlich auch mal ein Mammut überwältigen konnte. Ließ sich die Angst auch mit Jagdwaffen überwinden, Hunger und Kälte machten ihm bis weit über die Steinzeit hinaus schwer zu schaffen. Ob es der zufälligen Beobachtung eines erfolglosen Jägers zu verdanken war oder das Resultat verzweifelten Nachdenkens am nächtlichen Lagerfeuer, wird nie geklärt werden können: Fest steht nur, dass irgendwann einmal der Entschluss gefasst worden sein muss, es jenen Tieren gleichzutun, die sich mit Vorratskammern voller Nüsse, Eicheln, Samen, Wurzeln und Heu gegen die winterliche Not zu schützen wussten. Erst damit verließ der Mensch zum ersten Male den lebensgefährlichen Pfad der primitiven Urwirtschaft in Richtung Vorratswirtschaft.

Es war dann immer noch ein weiter Weg, der ihn nach einigen Tausend Jahren erst mit Hilfe von Ackerbau und Viehzucht die dritte Wirtschaftsform erreichen ließ, und zwar die Tauschwirtschaft. Ob diese der Arbeitsteilung vorausging, oder ob es umgekehrt war, ist so schwer zu beantworten wie die Frage, ob das Ei

13

vor der Henne auf die Erde gekommen ist oder umgekehrt. Mit Hilfe der Arbeitsteilung konnten vorher nicht verfügbare Kräfte und Denkleistungen freigesetzt werden, die durch Erfindungseifer und Fleiß den Alltag der Bauern, Fischer und Handwerker revolutionierten: »*Ich beschlage dir dein Pferd, du webst mir das Leinen für die Hose.*« Gefördert wurde der Tauschhandel durch das menschliche Bedürfnis, sich schöne und nützliche Dinge anzueignen. Ausgeschlossen von dieser erregenden Tätigkeit waren immer jene Marktteilnehmer, deren Dienstleistungen oder Waren gerade mal nicht gefragt waren. Das muss bitter gewesen sein. So blieb beispielsweise der Schuhmacher auf seinen Sandalen sitzen, wenn ein Interessent das vom Schuhmacher so dringend benötigte Getreide nicht entbehren konnte, weil er selbst kaum wusste, wie er seine Familie durch den Winter bringen sollte.

Mit der Zeit fanden die Bauern, Fischer und Handwerker aber Mittel und Wege, ein Tauschgeschäft dennoch abzuwickeln: »*Also gut, du kannst die Schuhe haben, wenn du mir die Brosche deiner Frau dafür gibst.*« Mit der Brosche in der Hand war es dem Schuhmacher nun möglich, ein Säckchen Getreide einzutauschen; er musste nur noch einen jungen Bauern finden, der mit der schönen Brosche das Herz eines Mädchens zu gewinnen hoffte. Schöne Dinge, also Schmuck, noch dazu aus dem bedeutungsschweren, unvergänglichen Metalle Gold, machten lebensnotwendige Tauschgeschäfte möglich, die unter den bisherigen Umständen gar nicht durchführbar gewesen wären. Doch erst mit der Einführung des Geldes, das an die Stelle der Übergangslösungen Gold, Muscheln oder Steine trat, kam Schwung in die Handelsbeziehungen der einzelnen Berufe und Völker. Es ist sicher müßig, darüber zu streiten, ob nun die bahnbrechende Erfindung des Rades oder die Erfindung der Schrift die Menschheit am nachhaltigsten beeinflusst haben, stehen doch beide ganz klar im Schatten der großartigen Erfindung des Geldes. Wer in Arabien Kamele kaufen wollte, musste nun nicht länger Olivenöl in zerbrechlichen Amphoren quer durch die Wüste transportieren lassen; ein kleiner Beutel voller Münzen reichte völlig aus, das »Tauschgeschäft« zum beiderseitigen Wohle abzuschließen. Das sofort Vertrauen erweckende hohe Gewicht der kleinen Goldmünzen, die früh erkannte Unvergänglichkeit des Goldes, sein unvergleichlich schöner Glanz, aber auch die praktische Möglichkeit, den wertvollen Besitz leicht verbergen, herumtragen oder vergraben zu können, ihn zu stückeln und zu wiegen, machten das Gold und das Silber über Jahrtausende hinweg zu den begehrtesten Waren. Da sich diese Kostbarkeiten leicht zu Schmuck verarbeiten ließen, konnten Gold und Silber auch besonders gut zur Schau gestellt werden und eigneten sich damit vorzüglich, das Ansehen und den Ruhm ihrer Besitzer zu mehren. Reichliche Gold- und Silberfunde sorgten zunächst auch dafür, dass immer genügend Münzen in Umlauf gebracht werden konnten, eine – wie wir später noch sehen werden – wichtige Voraussetzung für das reibungslose Funktionieren der Wirtschaft.

An die Stelle der schwerfälligen Tauschwirtschaft trat also die Geldwirtschaft, die sich um so blühender entwickelte, je öfter und je schneller das Geld von Hand zu Hand ging. Umgekehrt brachen ganze Kulturen zusammen, wenn durch Gold- und Silbermangel verursachte Stockungen im Kreislauf des Geldes die Menschen auf den primitiven Tauschhandel zurückwarfen. So wird von Ziegenhirten berichtet, die 100 Jahre nach dem Untergang der griechischen Hochkultur fassungslos vor der gewaltigen Akropolis gestanden haben sollen und sich nicht vorstellen konnten, dass diese Herrlichkeit von ganz normalen Menschen und nicht etwa von Göttern erbaut worden war. Der durch Handel und Geldwirtschaft erzielte Reichtum weckte natürlich den Neid benachbarter Völker, die noch nicht so weit waren, oder er ließ die vom Reichtum verblendeten Herrscher immer unersättlicher werden. Also zogen sie in den Krieg oder wurden in den Krieg gezogen, und Kriege kosten bekanntlich viel Geld. Um die Soldatenheere bezahlen zu können, wurde das Geld durch drastische Steuern den Menschen (und damit natürlich auch dem Markt!) entzogen. In dem Maße wie die Soldatenheere das in der Heimat so dringend benötigte Geld außer Landes führten, stand es den heimischen Märkten nicht mehr zur Verfügung. Das unveränderte (!) Warenangebot auf den Märkten stieß somit auf eine durch Geldmangel herbeigeführte Verminderung der Nachfrage. Dass Geld »Nachfrage« ist, wusste oder beachtete man damals noch nicht, man bekam es lediglich zu spüren! Die Warenanbieter blieben also auf einem Teil ihrer Waren sitzen, was schon damals zu der irrigen Annahme geführt haben dürfte, dass eben zuviel produziert worden sei. In Wirklichkeit standen den Waren zu geringe Geldmengen gegenüber, was natürlich dazu führte, dass der Wert des Geldes stieg und die Preise der Waren dem entsprechend sanken. Dies wiederum veranlasste die Menschen dazu, ihr knappes Geld möglichst lange zurückzuhalten, weil sie hoffen konnten, zu einem späteren Zeitpunkt mehr Waren dafür zu erhalten. Dadurch sank die Nachfrage natürlich noch mehr, und für die Handwerker z.B. lohnte es sich kaum noch, neue Waren herzustellen. Verschärft wurde der krisenverursachende Geldmangel durch zwei weitere Faktoren, die der Konjunktur schließlich den Rest gaben:

1. In Erwartung noch günstigerer Preise hamsterten Spekulanten die begehrten Münzen in großen Mengen.

2. Ein nicht unbeträchtlicher Teil des Münzgoldes wurde von Goldschmieden zu Schmuck verarbeitet oder fatalerweise sogar in Trinkbecher verwandelt.

Auch der Untergang Roms soll u.a. die direkte Folge einer durch Gold- und Silbermangel ausgelösten Konjunkturkatastrophe gewesen sein. So mancher Geschichtslehrer sieht das anders: Den Schulkindern wird z.T. heute noch das interessante Märchen aufgetischt, die Römer hätten sich durch die Verwendung von Blei für Geschirr und Wasserrohre bis zur Verblödung vergiftet. Die Geschichte der Menschheit muss also überall dort umgeschrieben werden, wo dem Auf und Ab der geförderten oder zur Verfügung stehenden Edelmetallmengen zu wenig oder gar keine Beachtung geschenkt wurde.

Egal ob die Währung eines Landes aus Gold, Silber, getrockneten Kuhfladen, Muscheln, Nüssen oder Papiergeld besteht, sobald Kräfte am Werk sind, die einen Mangel an Geld oder Kuh-

fladen herbeiführen, bahnt sich unaufhaltsam eine Konjunktur-
krise an. Weil die Bedeutung der Geldmenge (im Verhältnis zu
den Waren und Dienstleistungen) und die Umlaufgeschwindigkeit (!) des Geldes in ihren Auswirkungen auf die Konjunktur in
früheren Zeiten nicht erkannt wurden, waren die Menschen Jahrhunderte lang dem Spiel des Zufalls und der Spekulanten hilflos
ausgeliefert.

Glückliche Umstände sorgten andererseits aber auch dafür,
dass die wohl längste Hochkonjunktur in der Geschichte der
Menschheit (1150–1450), sagenhafte 300 Jahre lang dem damals
gar nicht erkannten Umstand zuzuschreiben war, dass dem Markt
wie durch ein Wunder immer genügend Geld zur Verfügung stand,

das in etwa dem Angebot von Waren und Dienstleistungen entsprach. Auslöser dieser konjunkturpolitischen Glanzleistung war u.a. der Magdeburger Erzbischof Wichmann, der sogenannte Brakteaten prägen ließ, dünne Silberblechmünzen, die nur einseitig geprägt waren und nicht besonders schön sein mussten, da sie – und das ist die Lösung des Rätsels – zweimal im Jahr umgetauscht, also »verrufen« wurden! Dadurch wurde es (den reichen Pfeffersäcken) unmöglich gemacht, das Geld in Erwartung höherer Zinsen oder niedrigerer Preise wie bisher zu hamstern. Wer es dennoch tat, verlor sein ganzes Barvermögen. Ob arm oder reich, alle mussten zweimal im Jahr das für ungültig erklärte Geld zum bischöflichen Münzamt tragen, um es gegen neue, gültige Münzen einzutauschen.

Der Vorgang wurde dazu benutzt, den Leuten die Steuern aufzuerlegen: Für 4 alte gab es 3 neue Münzen. Die Differenz – immerhin 25 % – wurde als »Schlagschatz« einbehalten. So zahlte jeder seine Steuern; Steuerhinterziehung war unter diesen Umständen natürlich nicht mehr möglich. Was hier zunächst wie eine besonders raffinierte Methode zum Eintreiben der Steuern und zur Vermeidung von Steuerhinterziehung aussieht, war in Wirklichkeit viel mehr und verdient gerade aus heutiger Sicht, sorgfältig unter die Lupe genommen zu werden, denn 300 Jahre Hochkonjunktur, Vollbeschäftigung und allgemeiner Wohlstand sind schließlich kein Pappenstiel und – wie man heute weiß – kein Zufall!

In dieser Brakteatenzeit konnte Geld also nur durch ehrliche Arbeit verdient werden. Das heute übliche Profitstreben, nicht etwa durch Arbeit, sondern mit Geld (!) Geld zu verdienen, war nur den Landesfürsten, nicht aber den Spekulanten und Wucherern möglich. Kein Wunder also, dass sich die damals vorhandene Geldmenge viel gleichmäßiger und gerechter auf die ganze Bevölkerung verteilen konnte, zumal Arbeit im Überfluss vorhanden war – und zwar für alle! Doch damit nicht genug: Die Arbeit wurde auch gut bezahlt, andernfalls hätten sich die Lohnabhängigen einfach einen besseren Arbeitgeber gesucht. Schlechte Bezahlung bzw. Hungerlöhne setzen nämlich Elend und Massenarbeitslosigkeit voraus, bei der sich die abhängig Beschäftigten nur noch zwischen dem Kuschen und dem Rausgeschmissenwerden entscheiden können.

In dieser Blütezeit des Hochmittelalters entstanden in Mitteleuropa 3.000 Dörfer, Städte und Kathedralen, die alles bisher Dagewesene an Schönheit und Pracht übertrafen. Kleinode, wie z.B. die Städte Lübeck, Dinkelsbühl oder Rothenburg ob der Tauber, wurden nicht etwa aus Sklaven herausgeprügelt, sondern von gut bezahlten Handwerkern erbaut, die es durch Arbeit und Fleiß zu Wohlstand und Ansehen brachten. *»Die unter solchen Umständen unmögliche Schatzbildung wurde ständig umgewandelt in eine pulsierende Nachfrage nach Erzeugnissen des Gewerbefleißes«*, schreibt Karl Walker in seinem lesenswerten Buch *»Das Geld in der Geschichte«*. Noch 1450 – die 300 fetten Jahre neigten sich bereits dem Ende zu – konnte der Erzbischof Antonin von Florenz schreiben, dass für die Gewinnung des Lebensunterhaltes selbstverständlich (!) nur eine kurze Arbeitszeit genüge und dass nur derjenige viel und lange arbeiten müsse, der nach Reichtümern und Überfluss strebe! Als Studenten der Harvard Universität vor einigen Jahren die Aufgabe gestellt bekamen, herauszufinden, welche Zeiträume in der Geschichte der Menschheit wohl zu den glücklichsten gezählt werden können, kamen sie mit Unterstützung namhafter Historiker und der Welt größten Hochschulbibliothek (8 Millionen Bände) zu der eindeutigen Aussage, dass dies die 300-jährige Hochkonjunktur der Brakteatenzeit gewesen sei!

Nach dieser Blütezeit des gerechten (!) Geldes mussten z.B. englische und deutsche Bergarbeiterfamilien bis in das 20. Jahrhundert hinein hungern, obwohl sie zusammen mit ihren Kindern 12 Stunden am Tag unter unwürdigsten Bedingungen geschuftet haben. Auch dafür gibt es heute eine plausible Erklärung: Der Segen des Geldes hatte sich in einen Fluch verwandelt! Der dünne Brakteat war nämlich durch den »Dickpfennig« ersetzt worden, einem hortbaren Geld, das nicht mehr verrufen wurde und somit bestens geeignet war, je nach Bedarf konjunkturgefährdend gehamstert oder zu horrenden Zinsen gnädig wieder in den

Geldkreislauf entlassen zu werden. Das Ende der Brakteatenzeit soll durch geldgierige Fürsten herbeigeführt worden sein, die das Geld einfach zu oft verriefen, die Geduld der Steuerzahler also schamlos missbrauchten. Darum wundert es auch nicht, dass der Dickpfennig zunächst mit großer Erleichterung begrüßt wurde, ahnte doch niemand, dass die seit drei Jahrhunderten vom Wohlstand verwöhnte Gesellschaft schon bald das Opfer eines herrschenden Geldes sein würde, das sich nur durch gewaltige Zinsgeschenke aus den Schatztruhen der Schmarotzer herauslocken ließ. So verdankten die Fugger in Augsburg ihren unbeschreiblichen Reichtum der natürlich gern genutzten Möglichkeit, von König und Kaiser Wucherzinsen von über 60 % erzwingen zu können. Sofort einsetzender Geldmangel reduzierte die Nachfrage und brachte die Händler zur Verzweiflung. Bei sinkenden Preisen fanden auch die Handwerksmeister plötzlich kein Auskommen mehr und mussten ihre Gesellen und Lehrlinge wohl oder übel entlassen.

Die Folgen dieser »Geldreform« waren furchtbarer als es Menschen beschreiben oder sich vorstellen können: Frieden, Wohlstand und Toleranz der letzten drei Jahrhunderte verwandelten sich – den Menschen damals völlig unerklärlich – in Hunger, Rebellion und Krieg. Da für das nicht enden wollende Unglück eine Ursache gefunden werden musste, verschafften sich religiöse Fanatiker und gewissenlose Amtspersonen durch Hexenverbrennungen ein grausames Ventil. Da das Eigentum der gemarterten und anschließend hingerichteten Frauen eingezogen wurde, den Geldmangel also wenigstens punktuell »lindern« half, kam es nur noch darauf an, möglichst viele – und vor allem reiche – »Hexen« zu verbrennen! Das nicht klein zu kriegende Märchen, die »Hexen« wären überwiegend rothaarig gewesen, lenkt bis auf den heutigen Tag von der Tatsache ab, dass diese schändlichen Verbrechen an völlig unschuldigen Frauen die tragischen Auswirkungen einer gescheiterten Geldreform gewesen sind!

Es versteht sich fast von selbst, dass die monetären Zusammenhänge dieser Menschheitskatastrophe von der heutigen Wirtschaftswissenschaft ganz anders oder überhaupt nicht (!) interpretiert werden, wäre man doch sonst gezwungen, etwas lauter als bisher über das klägliche Versagen bei der Erklärung und Überwindung gegenwärtiger Wirtschaftskrisen selbstkritisch nachzudenken.

Fassen wir das 1. Kapitel noch mal zusammen:

a) Das Geld ist eine der bedeutendsten Erfindungen der Menschheit.

b) Geld ist für das reibungslose Zustandekommen von Tauschvorgängen unersetzlich. Das Prinzip »Ware gegen Ware« oder »Ware gegen Arbeit« ist heute nur noch ausnahmsweise sinnvoll und durchführbar (Tauschringe). Besser und reibungsloser funktioniert das Prinzip: »Ware für Geld und Geld für Arbeit«.

c) Nur gleichmäßig umlaufendes Geld führt zu Vollbeschäftigung und allgemeinem Wohlstand; und das sind weltweit immerhin zwei der wichtigsten Voraussetzungen für den Bürger- und für den Völkerfrieden!

d) Den professoralen Wirtschaftswissenschaftlern und »Kanzlerberatern« sind diese Tatsachen und Zusammenhänge durchaus bekannt, doch ziehen sie aus diesen Erkenntnissen – wie wir im weiteren Verlauf dieses Buches noch sehen werden – keine nennenswerten Konsequenzen und verschweigen z.B. ihren eigenen Studenten den freiwirtschaftlichen Ausweg aus der von Massenarbeitslosigkeit und sozialer Ungerechtigkeit geprägten Krise.

Mond ja – Erde nein

Dass Menschen auf den Mond fliegen können und sogar in der Lage sind, von dort aus wieder heil auf die Erde zurückzukehren, das wird heute für möglich gehalten. Aber dass der Mensch auch das Wissen und die Fähigkeiten besitzt, das Elend auf der Erde zu beenden, wird zur Utopie erklärt und als lästig empfunden, weil der Schlüssel, den Silvio Gesell zur Lösung dieses Problems fand, alles, nur eben keinen Profit für Kapitalisten verspricht und darum von den gelenkten Medien nicht erwähnt werden kann. Noch darf diese glänzend funktionierende Kumpanei zwischen Presse, Politik und Hochfinanz nicht als Verbrechen bezeichnet werden. Aber wäre es nicht langsam an der Zeit, dieses Thema auf die Tagesordnung aller Menschen guten Willens zu setzen?

2 Geld macht Geld

Nur ungestört und gleichmäßig umlaufendes Geld schafft Arbeit, Wohlstand und Gerechtigkeit für alle. Anhaltende (!) Verteilungsungerechtigkeit lässt Langzeit- und Massenarbeitslosigkeit entstehen, unter der wir heute nicht nur in Deutschland und Europa, sondern weltweit zu leiden haben. Aber bleiben wir zunächst in Deutschland. Ist es denn wirklich so schlimm – hier bei uns – mit der ungerechten Verteilung des Geldes? Schlimm ist doch überhaupt kein Ausdruck! Oder ist es etwa akzeptabel, wenn knapp 10 % der Bevölkerung inzwischen die Hälfte aller Geldvermögen an sich gerafft haben? Die »restlichen« 90 % der Bevölkerung teilen sich die andere Hälfte des Kuchens, aber keineswegs gerecht, sondern so, dass einer wachsenden Zahl von Ausgegrenzten nicht viel mehr als das nackte Überleben bleibt. Alleinerziehende sind beispielsweise oft nicht mehr in der Lage, ihre Kinder und sich selbst gesund (vitamin- und vitalstoffreich) zu ernähren. Arm sein bedeutet daher auch in Deutschland, dass vermeidbare (!) Krankheiten den Start ins Leben erschweren und diese Kinder von vornherein ins Hintertreffen geraten lassen; von den alleinerziehenden Müttern und Vätern einmal ganz zu schweigen!

Eine Gesellschaft, die das unnötigerweise zulässt, ist entweder hilflos oder kriminell. Ich schlage vor, wir einigen uns zunächst auf hilflos. Wenn – wie in der Bild-Zeitung stand – die Frau Kladden (eine Tochter der Milliardärsfamilie Quandt) jeden Morgen beim Aufwachen schon wieder um 300.000,– Euro reicher geworden ist, Tag für Tag wohlgemerkt, dann sollte das dem Bundeskanzler doch zu denken geben, der sich von sechs oder sieben (da kommt es auf den einen mehr oder weniger wirklich nicht an) Wirtschaftsprofessoren zum Thema Wachstum und Arbeitslosigkeit beraten lässt. Die hochbezahlten Kanzlerberater sind aber offenbar ihr Geld nicht wert, denn alles, was der Bundeskanzler den Arbeitslosen nach der Beratung anschließend im Fernsehen zu bieten hat, sind markige Sprüche und ein besonders treuherziger Augenaufschlag. Also wieder einmal heiße Luft, und das war's dann. Da fehlt dann eigentlich nur noch das inzwischen geflügelte Kanzlerwort: *»Und das ist auch gut so!«*

Wer schiebt dieser netten Frau Kladden jeden Morgen weitere 300.000,– Euro auf die ohnehin schon arg hohe Kante, und woher kommt das viele Geld eigentlich? Bankdirektoren und Kanzlerberater können diesen erstaunlichen Vorgang mit einem extrem kurzen Satz erklären: Rendite und Zins! Folgerichtig behauptete eine Bank vor Jahren in ganzseitigen Anzeigen: *»Geld macht Geld«*. Wohlgemerkt, es stand dort nicht etwa zu lesen *»Bügeleisen machen Bügeleisen«* oder *»Hosen machen Hosen«,* denn so dumm sind die Menschen ja nun auch wieder nicht. Nein, dort stand dick und deutlich: *»Geld macht Geld«,* und für derartige Behauptungen sind die Menschen nach Einschätzung der Banken heute gerade noch dumm genug. Dem Freiwirt Hans Kühn war das neu (mir übrigens auch). Was also lag näher, als diese dreiste Behauptung der Bank in einem streng wissenschaftlichen Versuch auf ihre Hieb- und Stichfestigkeit hin zu überprüfen. Dazu legte ich (noch zu DM-Zeiten) einen taufrischen Hundertmarkschein mit der wirklich bildhübschen Clara Schumann so in ein Federbett, dass sie direkt unter dem noch zeugungsfähigen Balthasar Neumann vom Fünfzigmarkschein zu liegen kam – siehe Foto.

Geldscheine im Ehebett

24

Haben die beiden Scheine anschließend Junge gekriegt? Nein, es ist nichts dabei herausgekommen! Eine Anzeige der Deutschen Bank, in der sie potentielle Kunden ihres Hauses mit der Behauptung überraschte, sie könne das ihr anvertraute Geld sogar wachsen lassen, machte einen weiteren Versuch notwendig, für den ich als gelernter Gärtner geradezu prädestiniert zu sein schien: Verschiedene Geldscheine wurden mit guter holländischer Blumenerde in Tontöpfe eingetopft und in ein wohltemperiertes Gewächshaus gestellt. Jeden Tag gegossen, einmal in der Woche gedüngt. Nach ca. acht Wochen stellte sich heraus: Es stimmt gar nicht, was die Deutsche Bank da behauptet, Geld kann überhaupt nicht wachsen, nicht einen einzigen Millimeter! Man fühlt sich an Münchhausen oder an den angeblich sprechen könnenden Hund von Loriot erinnert. Wenn aber Hunde nicht sprechen können und Geld weder arbeiten oder wachsen noch sich vermehren kann, die Konten der Reichen aber trotzdem ständig wachsen lässt, dann stimmt da doch etwas nicht. Doch, es hat alles seine »Ordnung«. Die märchenhafte Geldvermehrung kommt dadurch zustande, dass durch eine Umverteilung der Einkommen die Gelder von Bedürftigen völlig legal in die Tresore der Wohlhabenden geschaufelt werden. Die Gewerkschaften haben das mal eine Umverteilung von unten nach oben genannt und damit den Nagel auf den Kopf getroffen. Aber damit war für sie der Fall auch erledigt, denn erstens kann eine Gewerkschaft nicht ständig mit der gleichen Schlagzeile hausieren gehen, und zweitens haben die Gewerkschaften in dieser Hinsicht selber reichlich »Kacke« am Bein, denn auch die Streikkassen der Gewerkschaften schwellen durch diese unsoziale Umverteilung des Geldes von den Arbeitenden zu den Geldbesitzenden mächtig an. Hochbezahlte Gewerkschaftsbosse, die sich auf Betriebsversammlungen so gern als Bollwerk gegen die Ausbeutung der Arbeitnehmerschaft verkaufen, sind also selbst ein Teil dieser geradezu perversen Umschichtung und Ausplünderung, die sich wie selbstverständlich im Rahmen demokratischer Spielregeln bewegt und sich unbeanstandet noch immer den schönen Namen »soziale Marktwirtschaft« zulegen darf.

25

Erinnern wir uns: Nur ein gleichmäßig umlaufendes Geld schafft Arbeit und Verteilungsgerechtigkeit. Nicht genug damit, dass Gewerkschaften dem Problem Arbeitslosigkeit traditionell ohnehin hilflos gegenüberstehen; sie fördern auch noch nach Kräften ein System, das die Arbeitslosigkeit mit einer – wie wir noch sehen werden – geradezu naturgesetzlichen Gewissheit in einen Dauerzustand verwandelt! Mag sein, dass Gewerkschaften in Zeiten der Hochkonjunktur und Vollbeschäftigung nötig und erfolgreich waren; in Zeiten mit hoher Arbeitslosigkeit stehen sie heute mit unbrauchbaren Waffen den Kapitalbesitzern gegenüber. Um hier nicht missverstanden zu werden: Nicht die Gewerkschaften sind das Problem und das Übel, sondern ein Geld- und Wirtschaftssystem, das den Gewerkschaften gerade dann die Zähne zieht und ihre Krallen stumpf werden lässt, wenn wir sie bitter nötig hätten.

Ersetzen wir nun das Wort Umverteilung durch das Wort Ausplünderung, kommen wir der Sache schon etwas näher. Ausplünderung, auch Ausbeutung genannt, kommt auf leisen Sohlen daher, wird also als solche zunächst gar nicht wahrgenommen. Man hat sich das also nicht etwa wie einen Überfall von Wegelagerern auf eine Postkutsche vorzustellen, deren Insassen hinterher nur noch im Hemd dastehen. Das Opfer wird auch keineswegs vom Ausbeuter auf- oder heimgesucht, es ist eher umgekehrt! Das Opfer geht zu seiner Hausbank und verschuldet sich beispielsweise mit 5.000,– Euro, indem es einen Überziehungskredit in Anspruch nimmt, den die Banken ohne Formalitäten und peinliche Fragen sofort auszahlen. Da die Zinsen erst viel später fällig werden, schrecken die zwischen 13 und 17 % schwankenden Zinsen nicht sonderlich ab und sind nach zwei drei Tagen vergessen. Nehmen wir mal an, dass es dem Bankkunden erst nach fünf Jahren gelingt, das Konto wieder auszugleichen. Er ist in der Zwischenzeit übrigens nicht ein einziges Mal von der Bank gemahnt worden. Die Bank verhält sich mucksmäuschenstill. Was könnte die Ursache für dieses »kundenfreundliche« Verhalten der Bank gewesen sein? Das dicke Ende natürlich! Das junge, in Bankgeschäften noch ganz unbedarfte Opfer, wird jetzt nämlich nach fünf

Jahren mit genau 5.000,– Euro zur Kasse gebeten, obwohl ihm im Laufe der letzten fünf Jahre schon satte 4.000,– Euro an Zinsen vom Konto abgezwackt worden sind! So ähnlich ergeht es den Häuslebauern. Wer nach Jahren und Jahrzehnten seinen Traum von einem eigenen Haus endlich bezahlt hat, stellt bei sorgfältiger Überprüfung aller Belege fest, dass er ja nicht ein Haus, sondern zwei oder sogar drei Häuser bezahlt hat (je nachdem wie groß der aufzunehmende Kredit war, sind tatsächlich zwischen zwei und drei Häuser zu bezahlen; im Hochzinsland Schweden jahrzehntelang sogar bis zu vier Häuser). Haben die Banken also doch Recht? Kann sich Geld tatsächlich vermehren und die Tresore der Kreditgeber zum Platzen bringen? Ja, aber erst muss es denen genommen werden, die so arm sind, dass sie es nötig haben, sich das Geld »vorübergehend« zu leihen.

Wer ohnehin schon viel Geld hat, braucht sich natürlich auch kein Geld zu leihen. Im Gegenteil, er verleiht einen Teil seines Überflusses an Leute, die es echt nötig haben, also schon arm dran sind und nun auch noch das sauer verdiente Geld in Form von Zinsen und möglicherweise auch noch Zinseszinsen zahlen müssen. Das ist Kapitalismus in seiner »schönsten« Form. Arme Menschen sind damit aber noch lange nicht aus dem Schneider, denn sie zahlen ja nicht etwa nur die eigenen Schuldzinsen, was schon schlimm genug ist, sondern werden darüber hinaus dazu gezwungen, sich an den Zinszahlungen anderer Leute zu beteiligen. Wenn mir früher jemand mit einer solchen Behauptung gekommen wäre, ich hätte ihn glatt für verrückt gehalten. Inzwischen bin ich aber kleinlaut zu der Erkenntnis gekommen, dass wir tatsächlich Tag für Tag für die Schuldzinsen anderer Leute gerade stehen müssen – ob wir es wollen oder nicht. Diese Schattenseite der »sozialen« Marktwirtschaft wird an den Schulen und Hochschulen sowie in Presse und Fernsehen einfach ausgeblendet. Raten Sie mal weshalb!

So gut wie alle Firmen finanzieren ihren Fuhrpark, die Gebäude und Maschinen mit Krediten, die natürlich »bedient« werden müssen. Die enormen Zinskosten sind für den Unternehmer aber kein Problem, solange er sie auf die Preise seiner Waren einfach abwälzen kann. Ein Kühlschrank, der eigentlich für 400,– Euro angeboten werden könnte, kostet dann eben »einschließlich Zinsen« 560,– Euro. Da die Zinskosten im Preis versteckt sind und mit keinem Wort erwähnt werden, auch nicht im Kleingedruckten, merkt der Käufer überhaupt nicht, wie elegant er (von den unsichtbaren Kreditgebern des Kühlschrankherstellers) über den Tisch gezogen wird! Mit anderen Worten: Bei jedem (!) Einkauf und bei jeder (!) Inanspruchnahme von Dienstleistungen zahlen wir im Preis versteckte Zinsen auf das Konto der wohlhabenden Kreditgeber, die sich natürlich eins ins Fäustchen lachen. Von der breiten Bevölkerung wird diese Ausbeutung durch den Zins klaglos hingenommen, weil man sie einfach nicht für möglich hält und weil sich Schulen und Medien – wie gerade erwähnt – am Vertuschen dieser modernen Form der Zinsknechtschaft beteiligen. Besonders ungeniert kann den Mietern in die Tasche gegriffen werden. Bei den Wohnungsmieten belaufen sich die Kosten für Zinsen auf sage und schreibe 70 % (bei Neubauten liegt der Zinskostenanteil inzwischen bei unfassbaren 80 %). Wer also heute mit einer Altbauwohnungsmiete von 800,– Euro gequält wird, könnte dort eigentlich in aller Ruhe für schlappe 240,– Euro im Monat leben, wenn diese schamlose Ausplünderung durch den *»Anspruch auf Zins« (!!!)* unmöglich gemacht würde (wir werden weiter hinten noch sehen, dass dieser gnadenlose Anspruch zum Abschmelzen gebracht werden kann). Hinzu kommen als weitere Ausbeutungskomponente Steuern und Abgaben, die wesentlich geringer ausfallen könnten, wenn sich der Staat bei den Nutznießern der Zinswirtschaft nicht so maßlos verschuldet hätte. Im Jahre 2004 zahlten der Bund, die Länder und Kommunen (also der Steuerzahler!) diesen Nutznießern ca. 70 Milliarden Euro auf die Hand – und zwar pünktlich! Tendenz: Steigend. Ansonsten lässt sich die öffentliche Hand mit der Bezahlung von z.B. Handwerkerrechnungen immer viel Zeit und hat damit schon viele Unternehmer in die Existenzvernichtung getrieben. Nicht so bei der »Kapitalbedienung«; die geht grundsätzlich immer vor. Die zahlt der Staat sogar bei totaler Zahlungsunfähigkeit, indem er ganz einfach »Neuschulden« macht. Bezeichnenderweise richten sich die

Maßhalteappelle der Regierung, der Wirtschaft und der Kirchen besonders gern an die abhängig Beschäftigten, jedoch niemals an die »Blutsauger« der Nation, die den Staat mit ihrem satanischen Anspruch auf Zins so fest im Griff haben wie die Fugger den jeweils regierenden Kaiser. Auch seitens der Gewerkschaften und Kirchen hat man seltsamerweise noch nie den Vorschlag gehört, dem Staat bei den Zinsforderungen durch Verzicht, Abstriche oder wenigstens durch einen Zahlungsaufschub entgegen zu kommen. Auch diese von vielen nicht für möglich gehaltene Kumpanei mit den Finanzgewaltigen wirft die Frage auf: Warum tun die das? Weil auch Gewerkschaften und Kirchen als Großunternehmer schon lange nicht mehr mit der Hand melken, sondern den »Zinskühen« der Nation mit modernen und besonders leistungsfähigen Melkmaschinen zu Leibe rücken. Oder anders ausgedrückt: Auch von dieser Seite wird der einfache Steuerzahler gnadenlos untergebuttert. Da mag der Staat also noch so sehr in der Patsche sitzen; die Zinsen werden immer pünktlich und »korrekt« überwiesen. Was die meisten Leute nicht wissen (weil es die gelenkten Medien weisungsgemäß verschweigen): Die in den Wohnungsmieten, Waren, Dienstleistungen und Steuern versteckten Zinskosten übertreffen die mickrigen Zinseinnahmen, die sich z. B. auf Sparkonten ansammeln, um ein Hundertfaches! Nun wird natürlich auch verständlich, wie es dazu kommen konnte, dass die Hälfte aller Geldvermögen bei nur 10 % der Bevölkerung angekommen sind. Wenn sich die restlichen 90 % der Bevölkerung auch weiterhin widerstandslos ausplündern lassen, und das ist in der gegenwärtigen Medienlandschaft ja zu erwarten, ist eine noch extremere Kapitalkonzentration auf nur noch wenige Prozent der Bevölkerung nur eine Frage der Zeit.

Überhaupt die Zeit; sie spielt neben dem Zinssatz und der Schuldenhöhe eine von vielen Menschen nicht für möglich gehaltene Hauptrolle. Dazu ein Beispiel: Hätte Jesus seinerzeit einen einzigen Pfennig auf die Bank gebracht, um mit dieser »Geldanlage« die Menschen späterer Jahrhunderte aller Geldsorgen zu entheben, er wäre damals wie heute ausgelacht worden. Wir können von Glück reden, dass Jesus der Menschheit diese vorausschauende Geldanlage erspart hat, denn bei nur 5 % Zinsen hätte sich dieser eine Jesuspfennig durch den Zinseszinseffekt derart vermehrt, dass die Summe in Geld schon nicht mehr vorstellbar ist! Nehmen wir daher das Gold zu Hilfe und versuchen wir uns vorzustellen, der ganze Planet Erde bestünde aus purem Gold. Damit ist der heutige Wert dieser Ein-Pfennig-Geldanlage aber bei weitem noch nicht erreicht, denn der unscheinbare Jesuspfennig wäre bis zum Jahre 2005 auf über 50 Milliarden Erdkugeln aus purem Gold angewachsen! Die Zahl der goldenen Erdgloben wird von verschiedenen Autoren unterschiedlich angegeben, da der eine vom Gewicht der Erde, andere wiederum vom Volumen der Erde ausgehen und der zu Grunde gelegte Goldpreis pro kg sich nicht exakt über eine Zeit von 2000 Jahren zurückverfolgen lässt. Ob nun aber 50 oder 150 Milliarden Erdkugeln aus purem Gold angenommen werden; es bleibt die Tatsache bestehen, dass der Zinseszinseffekt und das damit gekoppelte exponentielle Wachstum (das von Politikern und Kanzlerberatern noch immer verharmlost, verherrlicht (!) und pausenlos gefordert wird) nicht etwa nur verantwortungslos, sondern in höchstem Maße kriminell ist. Die Beantwortung der Frage, ob Politiker, die sich auch wider besseres Wissen noch immer für ein exponentielles Wirtschaftswachstum einsetzen, nun Kriminelle sind oder einfach nur ein Brett vor dem Kopf haben, bleibt der Leserschaft zunächst selbst überlassen, da meine ungeschminkte Antwort auf diese Frage die Herausgabe und Verbreitung dieses Buches gefährden könnte.

Nun wird man sicher einwenden, dass bei den heutigen Kreditgeschäften des Staates und der Wirtschaft viel kürzere Laufzeiten als die 2000 Jahre mit dem Jesuspfennig zur Diskussion stehen, und das ist zweifellos richtig – aber keineswegs beruhigend, denn dem einen Jesuspfennig von damals stehen heute Schulden der öffentlichen Hand in Höhe von über 1400 Milliarden Euro gegenüber, die vom Steuerzahler mit 70 Milliarden Euro pro Jahr »bedient« werden müssen, von den Zinszahlungen der Wirtschaft und Privathaushalte ganz zu schweigen (diese betragen ein Vielfaches der genannten Summe). Kein Wunder also, dass sich die Empfänger dieser gewaltigen Zinsgeschenke weinend und fassungslos vor Glück in den Armen liegen. Die Armen liegen derweil dem Steuerzahler auf der Tasche. Armut liegt zwingend im Trend, weil man die soziale Marktwirtschaft zu einer brutalen Zinsknechtschaft verkommen ließ.

Aus dem Gesagten wird nun auch deutlich, dass die durch Zinsausbeutung angehäuften Vermögen nicht etwa linear, sondern exponentiell wachsen – und ständig weiterwachsen! Die »arme« Tochter der Milliardärsfamilie Quandt, die schon vor Jahren täglich um 650.000,– DM reicher wurde, wird also inzwischen bei 650.000,– Euro pro Tag angekommen sein, obwohl ihre Leistung vermutlich nur darin besteht, sich die Kontoauszüge leise vorlegen oder laut vorlesen zu lassen.

Was machen die Reichen und Superreichen mit dem vielen Geld, das sie der Bevölkerung über den Schleichweg Zins entzogen haben? Otto Normalverbraucher und Lieschen Müller liegen übrigens völlig richtig, wenn sie annehmen, dass sich diese Leute praktisch jeden Wunsch erfüllen und zunächst einmal so richtig einkaufen gehen; es handelt sich schließlich um ganz normale Menschen. Eine goldene Uhr, zwei goldene Uhren, eine dritte, die aber jetzt mit 62 Brillanten besetzt, dann reicht es erst einmal. Ein Haus, zwei Häuser, drei Häuser (man muss doch auch an die Kinder und Enkel denken!), ein kleines Schloss, ein großes, ein paar Urlaubsdomizile mit Segelyacht, Bugatti und Personal; das – und vieles mehr – ist im Laufe eines Lebens spielend zu schaffen. Und trotzdem: Das viele Geld ist einfach nicht kaputt zu kriegen, weil es hinten schneller nachwächst als es vorne wieder ausgegeben werden kann. Doch eines Tages macht das plötzlich keinen Spaß mehr. Vom Luxus überfressen, werden diese Menschen, die mit den Jahren ja auch nicht jünger und gesünder werden, auf einmal weise; leben »ein ganz normales Leben«, spielen sich eines Tages sogar als Wohltäter und Mäzene auf und vermeiden aus Sicherheitsgründen das protzige zur Schau stellen ihres ohne nennenswerte Arbeit erlangten Reichtums. So lange sie das Geld mit beiden Händen ausgeben, tragen sie zweifellos mit dazu bei, dass Arbeitsplätze geschaffen oder zumindest gesichert werden. Neureiche gehören zu dieser Kategorie. Multimillionäre und

Milliardäre sind dagegen nicht mehr in der Lage, das der übrigen Bevölkerung durch Zinsen und Renditen entzogene Geld sinnvoll wieder auszugeben. Sie legen es daher mit Hilfe von Fachleuten wieder an, selbstverständlich nur, wenn erneut hohe Zinsen und Renditen dabei herausspringen; die angeheuerten Finanz- und Fluchtgeldberater müssen schließlich beweisen, dass sie ihr Geld auch wert sind!

Wie das Beispiel mit den Brakteaten aus dem Hochmittelalter zeigt, ist ein Zustand der Vollbeschäftigung und das Fehlen jeglicher Armut ein völlig normaler Dauerzustand, wenn – und jetzt kommt der Haken – die vorhandene Geldmenge eines Staates an eine Umlaufsicherung (!) gekoppelt wird, die das Geld der zinserpressenden Hortbarkeit und anderen Zweckentfremdungen (Spekulationen) entzieht und statt dessen ohne Unterbrechung von Hand zu Hand gehen lässt. Obwohl so gut wie alle Mitglieder der Bundesregierung und des Bundestages über diese alles entscheidenden Zusammenhänge inzwischen informiert wurden (durch Multiplikatoren der Freiwirtschaft, die weiter hinten vorgestellt werden) schenken sie lieber den »Experten« der Wirtschaftsinstitute ihr Ohr, die sich nicht schämen, der krankhaften Forderung nach ständigem Wachstum Vorschub zu leisten (Wachstumswahn). Die Kanzlerberatung dieser »Wirtschaftsweisen« kostete uns laut Süddeutscher Zeitung bisher 90.000.000 DM (in Worten: neunzig Millionen DM) pro Jahr und ist durch die Umstellung auf den Euro natürlich nicht günstiger geworden, weil ein Gesetz aus den sechziger Jahren dafür sorgt, dass diese Berater mitsamt ihren überflüssigen Denkfabriken an den Fleischtöpfen der Steuerzahler kleben bleiben dürfen und dies sogar müssen! Dank dieser merkwürdigen Ignoranz (und der Unkündbarkeit verbeamteter Professoren) können die unausbleiblichen Folgen der monetären Verteilungsungerechtigkeit auf der einen Seite und die schamlose Geldanhäufung auf der anderen Seite seelenruhig auf die Spitze getrieben werden. Der frühere Chef des Weltwirtschaftsinstitutes in Kiel, Professor Harms, besaß sogar die Frechheit, seine Haltung – und die seiner Kollegen – völlig ungeniert zum Ausdruck zu bringen, indem er auf Anfrage zugab: *»Silvio Gesell kann man nicht* *widerlegen, aber man kann ihn ablehnen.*« Kommentar überflüssig? Dann hätten wir uns dieses Buch auch schenken können!

Man tut in Regierungs- und in Wirtschaftskreisen so, als wäre der auch von ihnen beklagte Zustand unserer von Massenarbeitslosigkeit geprägten Gesellschaft nur ein vorübergehender und redet sich gegenseitig ein, dass mit ständigem Wirtschaftswachstum, Lohnzurückhaltung bzw. Lohnverzicht, Globalisierung und Gentechnik »der Standort Deutschland« wieder attraktiv gemacht werden könnte. Attraktiv für wen denn? Vorsorglich wird jedoch schon mal darauf hingewiesen, dass ein relativ hoher Sockel Arbeitslosigkeit noch auf Jahre hinaus (vielleicht für immer?) hinzunehmen ist. Sehenden Auges gehen diese Ignoranten und Trittbrettfahrer des herrschenden Kapitals einer absehbaren Katastrophe entgegen und tun so, als wüssten sie nicht, woran die Weimarer Republik zugrunde gegangen ist:

Sechs bis sieben Millionen Arbeitslose haben 1933 Adolf Hitler ganz legal an die Macht gebracht. Die Opfer des Zweiten Weltkrieges haben also dafür büßen müssen, dass in den zwanziger und dreißiger Jahren der größte Wirtschafts- und Geldreformer des 20. Jahrhunderts wie Dreck behandelt worden ist. Mit unverminderter Sturheit soll offenbar auch weiterhin an der Ablehnung der bahnbrechenden Erkenntnisse Silvio Gesells festgehalten werden, obwohl »diese Kreise« nachweislich nicht in der Lage sind, die soziale Frage zu lösen. Dadurch setzen sich Regierung, Wirtschaftswissenschaft und Presse einem Anfangsverdacht aus, dem es nachzugehen gilt! Darum also dieses Buch.

Fassen wir das zweite Kapitel noch mal zusammen:

a) 10 % der Bevölkerung verfügen inzwischen über die Hälfte aller Geldvermögen. Die »restlichen« 90 % müssen sich die andere Hälfte teilen. Dieser Trend hält an, und das bedeutet: Wenn diesem Wahnsinn nicht bald ein Ende bereitet wird, werden die Superreichen eines Tages 60, 70 oder sogar 80 % des Geldes für sich allein beanspruchen.

b) Versteckte und verschwiegene Zinskosten belasten die Preise aller Waren und Dienstleistungen mit ca. 35–45 %.

c) Bei den Wohnungsmieten liegt der Zinskostenanteil zwischen 70 und 80 %. Kreditfinanzierte Häuser sind doppelt und dreifach (in Schweden bis zum Vierfachen) zu bezahlen – je nach Laufzeit und Eigenkapital bei Vertragsabschluss.

d) Geld kann nicht »wachsen« wie immer wieder behauptet wird. Man hat Geld auch noch nie arbeiten sehen. Die wundersame Geldvermehrung der Reichen und Superreichen wird auch nicht etwa durch Tüchtigkeit und Fleiß erzielt, sondern durch eine systembedingte Umverteilung des Geldes von den Arbeitenden zu den Geldbesitzenden.

e) Exponentielles Wachstum wird durch das Zins- und Zinseszinssystem erzwungen und nicht etwa durch den wachsenden Bedarf der Menschheit.

f) Massen- und Dauerarbeitslosigkeit haben infolge politischer Ratlosigkeit die Naziherrschaft erst möglich gemacht. Von entscheidender Bedeutung war dabei die Rolle der Presse und der Wirtschaftswissenschaft.

Geld macht Geld
Geld macht Geld
Geld macht Geld
Geld macht Geld
Geld macht Geld
Geld macht Geld

Helfer der Menschheit: Silvio Gesell

3

Silvio Gesell wurde am 17. März 1862 in St. Vith, einem idyllischen Städtchen im Osten Belgiens geboren, das damals noch zum deutschen Reich gehörte. Nach glücklicher Kindheit im Kreise seiner acht Geschwister trat der Sechzehnjährige zunächst in den Dienst der Deutschen Reichspost, ließ sich aber schon bald in der Firma seiner Brüder Paul und Roman Gesell in Berlin zum Kaufmann ausbilden. Wichtige Stationen seiner Aus- und Weiterbildung waren u.a. das spanische Malaga, Hamburg und Braunschweig, ehe er 1887 nach Argentinien auswanderte und in Buenos Aires einen Großhandel für Zahnarztbedarf gründete. Es gelang ihm, in bemerkenswert kurzer Zeit ein erfolgreiches Unternehmen auf die Beine zu stellen. Dem sonderbaren Auf und Ab der Konjunkturen jetzt aber hautnah ausgeliefert, begann Gesell über die Ursachen von Wirtschaftsflauten und Arbeitslosigkeit nachzudenken. Unbehelligt von der Scheuklappensicht der Autoritäten und voller Skepsis gegenüber den Theorien und Lösungsansätzen von Karl Marx, suchte Gesell als unvoreingenommener Seiteneinsteiger nach einem Webfehler im Wirtschaftsgefüge. Den fand er auch und zwar in der Struktur des Geldes! Anstatt sich also mit der leidigen »Währungsfrage« zu beschäftigen, die damals von der Wirtschaftswissenschaft geradezu ehrfürchtig als »die verwickeltste Frage der politischen Ökonomie« mehr bestaunt als durchschaut und gelöst wurde, ging Silvio Gesell respektlos und genial zugleich der Frage nach, ob das vorherrschende, ja herrschende Geld auch ein dienendes Geld sein könne. Ja, war seine frappierende Antwort, doch nur, wenn dem Gelde eine seiner Eigenschaften genommen würde.

Geld wurde vor dem 1. Weltkrieg noch mit Gold gleichgesetzt, das in den Kellergewölben der Notenbanken vieler Länder bis zur Decke gestapelt wurde, um den Wert des zirkulierenden Papiergeldes durch eine angeblich notwendige »Golddeckung« zu sichern. Als Erster erkannt zu haben, dass die Golddeckung einer Landeswährung nicht nur völlig überflüssig, sondern in hohem

Maße gefährlich ist, zählt zu den herausragenden Erkenntnissen des jungen Geldreformers Silvio Gesell, der damit der Fachwelt um mehrere Jahrzehnte vorausgeeilt war und in Argentinien eine Wirtschaftskrise überwinden half. Bankiers und Nationalökonomen versuchten damals auch der deutschen Bevölkerung und Politik einzureden, dass 40–60 % des umlaufenden Papier- und Münzgeldes in Form von Goldbarren zu hinterlegen seien, um dem Geld durch ein Umtauschversprechen der Notenbank (Papiergeld gegen Gold) einen »inneren Wert« geben bzw. vortäuschen zu können. Die nach der Hyperinflation 1923 in Deutschland eingeführte Rentenmark war dagegen »stofflos«, also ohne Golddeckung. Trotzdem – oder gerade deswegen – bewährte sich die Rentenmark, die »nur« durch den Boden und die Bodenschätze des Deutschen Reiches gedeckt war. Der internationalen Goldlobby in London und New York war dieser Alleingang des Deutschen Reiches natürlich ein Dorn im Auge, ging ihr doch dadurch eine gewaltige Einnahmequelle verloren. Sie hielt eisern daran fest, dass eine Golddeckung unverzichtbar sei. In dieser – aus heutiger Sicht – dümmlichen Einschätzung wurden die Bankiers von den meisten Wirtschaftswissenschaftlern der damaligen Zeit bestätigt und von Politikern unterstützt, die in Wirtschaftsfragen auch damals schon ihre traditionelle Inkompetenz hinter »Fachleuten« zu verschleiern wussten. Wer wie England und die USA die Goldbergwerke oder Schürfrechte fast der ganzen Welt besaß, konnte sich durch dieses konkurrenzlose Geschäft mit den Notenbanken der einzelnen Nationen nicht nur eine goldene Nase verdienen, sondern gewann vor allem auch Einfluss auf die Politik und damit natürlich auch auf die Wirtschaft der am Goldtropf hängenden Nationen. Also setzten die Bankiers dieser Länder alles daran, den damaligen Reichsbankpräsidenten Hjalmar Schacht zur Wiedereinführung der Golddeckung in Deutschland zu bewegen, und sie hatten schließlich auch Erfolg damit. Als Hochgrad-Freimaurer blieb dem Reichsbankpräsidenten auch gar nichts anderes übrig, als die Interessen des eigenen Vaterlandes denen der weltweit operierenden Logen (heimlich!) unterzuordnen. Dadurch wurden aber die Regierungen der Weimarer

Republik zu einem erpressbaren Spielball vor allem der amerikanischen Geldmagnaten, die dem geschwächten Deutschen Reich zunächst großzügig Kredite für den Wirtschaftsaufschwung (und zur Bezahlung der in Versailles vereinbarten Reparationen) eingeräumt hatten, um die Interessen amerikanischer Konzerne in Deutschland besser wahrnehmen zu können (und nicht etwa aus humanitären Gründen). Nach dem 25. Oktober 1929, dem Schwarzen Freitag, brach an der New Yorker Börse bekanntlich das Kartenhaus einer zweijährigen Aktienspekulationsphase nie gesehenen Ausmaßes zusammen und riss die ganze Welt in den Strudel der Rezession. Daraufhin kündigten die amerikanischen Banken schlagartig die dem Deutschen Reich gewährten Kredite und forderten diese in Form von Goldbarren zurück. Musste die deutsche Wirtschaft deshalb in ein unvorstellbares Chaos gestürzt werden? Natürlich nicht, denn die Amerikaner wollten doch nur ihr Gold zurück haben, das bei hohen Lagerkosten und noch höheren Bewachungskosten völlig nutzlos im Berliner Notenbankkeller herumgelegen hatte. Jetzt zeigte sich erneut, wie groß der Schaden für ein Land sein kann, wenn Wirtschaftswissenschaftler, Notenbankdirektoren und Politiker in gemeinsamer Ratlosigkeit aktiv werden und den rettenden Ausweg Silvio Gesells ignorieren. Bei der Hyperinflation von 1920 bis 1923 hatten sie dieses spezielle »Können« bereits unter Beweis gestellt, indem sie alle (!) Deutschen zu Milliardären machten; aber jetzt sollte es noch schlimmer kommen:

Das Gold hatte, wie Silvio Gesell schon um 1890 erkannte, dort völlig unnütz herumgelegen; und ein Umzug der Goldbarren von der einen Ecke des Notenbankkellers mit dem aufwändigen Emailleschild »Deutschland« in die andere Ecke des Kellers mit dem nicht ganz so schönen Schild »USA« hätte die Konjunktur und Wirtschaft in Deutschland selbstverständlich nicht mehr beeinträchtigen dürfen als etwa ein kräftiger Furz in der Abendstille. Das vermögen heutzutage sogar Drittklässler schon einzusehen, nicht aber die Wirtschaftsprofessoren jener Zeit. Nichts Böses ahnend (?) hatten diese sich mit dem Segen der Reichsbank darauf eingelassen, gesetzlich (also zwingend!) festzule-

38

gen, dass bei einer Goldentnahme aus dem Notenbankkeller – egal in welcher Menge – entsprechende Mengen Papiergeld aus dem Verkehr zu ziehen waren! Nahezu eine Milliarde Reichsmark mussten damals – und zwar schlagartig – dem Markt entzogen werden; und der brach natürlich sofort zusammen, weil einfach nicht mehr genügend Bargeld übrig geblieben war, um z.B. Waren kaufen oder Löhne und Gehälter ausbezahlen zu können. Deutsche Beamtenmentalität, deutsche Gründlichkeit, deutsche Nibelungentreue, deutsche Unterwürfigkeit und deutscher Kadavergehorsam haben also dafür gesorgt, dass die mit der Goldlobby ausgehandelten Schand-Verträge – buchstäblich über Leichen gehend – bis auf Punkt und Komma erfüllt wurden: Mehrere Tausend Arbeitslose haben sich seinerzeit aus Verzweiflung und Not das Leben genommen. Mein Großvater Emil Uhlig aus Hameln überlebte, weil er von meiner Großmutter – nichts Gutes ahnend – vermisst wurde und auf dem Dachboden von ihr gerade noch rechtzeitig »vom Strick genommen« werden konnte. Geld ist bekanntlich das Blut im Kreislauf der Wirtschaft. Wer diesen Kreislauf stocken lässt oder auch nur leicht aus dem Rhythmus bringt, gefährdet die Konjunktur. Würde man beispielsweise beim Roten Kreuz einem Blutspender versehentlich statt der üblichen 300 bis 400 ml auf einen Schlag drei bis vier Liter Blut abzapfen, wären ja auch nur noch zwei Fragen zu klären: Entweder den Notarztwagen oder einen Bestatter kommen lassen! In der Weimarer Republik versuchte man das selbst angerichtete Unheil an der Geldwirtschaft noch schnell durch eine Reihe von Notstandsverordnungen (Notarztwagen) in den Griff zu kriegen; sah sich dann aber doch gezwungen, ein leistungsfähiges Beerdigungsinstitut (Hitlerregime) mit dem Wegschaffen der völlig zu Unrecht als untauglich eingestuften Demokratie zu beauftragen. Heute wissen wir, dass nicht die Demokratie und die Demokraten in der Weimarer Republik versagt haben, sondern Finanz- und Wirtschaftswissenschaftler, die von allen guten Geistern verlassen waren. Anstatt mit Silvio Gesell einzusehen, dass die Golddeckung der Währung eines Landes ein nicht nur alberner, sondern gefährlicher und verheerender Unfug ist, ließ man den Dingen einfach ihren Lauf.

39

Silvio Gesell hat das von ihm vorausgesehene und vorausgesagte Fiasko der Wirtschaft nicht mehr erlebt, aber sein großes Vermächtnis – *Die Natürliche Wirtschaftsordnung* – hätte die Massenarbeitslosigkeit und mit ihr die Nutznießerposition der Nazis leicht beenden können. Die Weimarer Republik ist also am völlig unsinnigen Golddeckungswahn der Nationalökonomen, Bankiers und anderer Krisengewinnler gescheitert und nicht etwa daran, dass sechs bis sieben Millionen Arbeitslose Sehnsucht nach den Nazis hatten oder die Freiräume der Demokratie nicht zu schätzen gewusst hätten! In einem letzten verzweifelten Appell (Mitte 1932) haben der Freiwirt Johannes Schumann und der Reichstagsabgeordnete Erich Mäder (SPD) – unterstützt von 10.000 Thüringer SPD-Genossen – Einfluss auf die damalige SPD-Führung zu nehmen versucht; doch es war zwecklos, denn sie fanden dort kein Gehör. Die damalige SPD-Führung ließ sich statt dessen von Prof. Dr. Nölting (M.d.R.) beraten, der folgende Ansicht vertrat: *»Die Geldkrisen sind im wesentlichen interne Vorgänge im Bereich des Kapitals, häuslicher Hader der Bourgeoisie, ein sich in einer höheren Region vollziehendes und sich selbst aufhebendes Kampfspiel.«* Dieses »Kampfspiel« hat nach vorsichtigen Schätzungen über 50 Millionen Menschen im zweiten Weltkrieg das Leben gekostet, während der Urheber dieser dümmlichen Einschätzung den Krieg komfortabel in der Emigration überlebte, nach 1945 in Nordrhein-Westfalen sogar zum Wirtschaftsminister (!) aufsteigen konnte und damit fortfuhr, die Anhänger Silvio Gesells zu bekämpfen. Er sorgte dafür, dass freiwirtschaftliche Parteien, die in Westdeutschland gleich nach dem Krieg recht erfolgreich waren, mit Hilfe der damals eingeführten 5%-Klausel um die Chance gebracht wurden, das Vermächtnis Silvio Gesells in die Parlamente zu tragen! Die 5%-Klausel wurde absurderweise mit dem Argument eingeführt, die Weimarer Republik sei letztlich auch im Gewirr zu vieler Kleinparteien zugrunde gegangen! Besser hätte die SPD von ihrem Anteil am Erfolg der Nazis kaum ablenken können. In seinem erschütternden Buch »Gegen den Strom« dokumentiert der Freiwirt und Zeitzeuge Johannes Schumann das ganze Ausmaß des Versagens und der Mitschuld der damaligen SPD-Führung am Zusammenbruch der Weimarer Republik und am Hochkommen der Nazidiktatur.

Es blieb Silvio Gesell erspart, den totalen Zusammenbruch der deutschen Wirtschaft und das vermeidbare Ende der Weimarer

Silvio Gesell · Holzschnitt von Stefan Pokora

Republik zu erleben, denn er starb am 11. März 1930 an einer Lungenentzündung (die seinerzeit noch nicht medikamentös behandelt werden konnte), aber alles, was dann geschah, ist von diesem genialen Entdecker und Warner bereits 1918 (!) geradezu prophetisch vorhergesagt worden:

»Trotz dem heiligen Versprechen der Völker, den Krieg für alle Zeiten zu ächten, trotz der Rufe der Millionen: ›Nie wieder Krieg‹, entgegen all den Hoffnungen auf eine schönere Zukunft muss ich sagen: Wenn das heutige Geldsystem, die Zinswirtschaft, beibehalten wird, so wage ich es, heute schon zu behaupten, dass es keine 25 Jahre dauern wird, bis wir vor einem neuen, noch furchtbareren Krieg stehen. Ich sehe die kommende Entwicklung klar vor mir. Der heutige Stand der Technik lässt die Wirtschaft rasch zu einer Höchstleistung steigern. Die Kapitalbildung wird trotz der großen Kriegsverluste rasch erfolgen und durch ein Überangebot den Zins drücken. Das Geld wird dann gehamstert werden. Der Wirtschaftsraum wird einschrumpfen, und große Heere von Arbeitslosen werden auf der Straße stehen. An vielen Grenzpfählen wird man dann eine Tafel mit der Aufschrift lesen können: ›Arbeitsuchende haben keinen Zutritt ins Land, nur die Faulenzer mit vollgestopftem Geldbeutel sind willkommen.‹ Wie zu alten Zeiten wird man dann nach dem Länderraub trachten und wird dazu wieder Kanonen fabrizieren müssen, man hat dann wenigstens für die Arbeitslosen wieder Arbeit. In den unzufriedenen Massen werden wilde, revolutionäre Strömungen wach werden, und auch die Giftpflanze Übernationalismus wird wieder wuchern. Kein Land wird das andere mehr verstehen, und das Ende kann nur wieder Krieg sein«. Auch diese – an eine Berliner Zeitung gerichtete Denkschrift – ist wie so viele Aufrufe Silvio Gesells in den Papierkörben der Zeitungsredaktionen gelandet, also nie zum Abdruck gekommen.

Gesell hatte erkannt, dass die Überlegenheit des Geldes gegenüber den Waren und Dienstleistungen eine Eigenschaft ist, die sich in periodisch wiederkehrenden Schüben verheerend auswirken muss. Der französische Sozialist Pierre Joseph Proudhon (1809–1865) hatte ihn auf die richtige Spur gebracht. Während Proudhon das Ziel (soziale Gerechtigkeit für alle) jedoch knapp verfehlte, weil er versuchte, den Wert der verderblichen Waren auf das Niveau des Geldes zu heben, ging Silvio Gesell den umgekehrten Weg, indem er das Geld vom Sockel der Überlegenheit auf den Teppich der Waren und Dienstleistungen herunterholte.

Die Genialität dieses scheinbar so einfachen Gedankens erschließt sich dem Skeptiker nicht sofort, aber dann um so nachhaltiger. Gesell entwarf ein »Freigeld«, dem er die satanische Eigenschaft nahm, ganz nach Belieben unter der Matratze oder im Tresor gehortet oder etwa spekulativ zweckentfremdet und außer Landes gebracht werden zu können. Zum Verständnis: Kein vernünftiger Mensch würde doch auf den Gedanken kommen, frische Erdbeeren, Kopfsalat, Hühnereier oder Tageszeitungen in einem Tresor zu horten, da alle diese Produkte schon nach wenigen Stunden oder Tagen völlig wertlos sind. Beim Geld sieht das anders aus: Wer Geld übrig hat, kann es beliebig lange lagern, ohne ein Verschimmeln, Verfaulen oder Verrosten befürchten zu müssen, denn Geld ist haltbar, viel haltbarer auch als z.B. Kleider, die schnell aus der Mode kommen oder Computer, die von der rasanten Entwicklung überholt werden und schon nach wenigen Monaten oder Jahren die Rolle eines hoffnungslosen Ladenhüters spielen. Wie wäre es denn, so wird sich Silvio Gesell gefragt haben, wenn man ein Geld in Umlauf brächte, das wie ein Stück Eis mit Wärme bedroht werden könnte und pro Monat etwa ein halbes bis ein Prozent seines Wertes verlustig ginge? Das schadlose Zurückhalten großer Geldbeträge wäre von Stund an nicht mehr möglich! Das Geld müsste dann – zur Vermeidung von Abschmelzverlusten – dem Markt so schnell wie möglich wieder zur Verfügung gestellt werden. Aus dem herrschenden Geld wäre über Nacht ein dienendes Geld geworden, das eigenartigerweise zinslos angeboten werden müsste, weil es nicht mehr dazu taugt, Zinsen erpressen zu können! Es stünde plötzlich der ganzen Bevölkerung zur Verfügung (wie in der Brakteatenzeit!) und nicht nur denen, die mit Geld Geld verdienen oder denen, die den Zins an wehrlose Konsumenten über die zinsgeschwängerten Preise einfach weiterreichen.

Den Kapitalisten wäre also das Handwerk gelegt, ohne Arbeit, nur durch Ausbeutung der Arbeit anderer, immer reicher werden zu können. Gesell hat in seinem System die Möglichkeit offengelassen, den Abschmelzverlust des Geldes durch Wohlverhalten vermeiden zu können und zwar so: Entweder wir geben das durch ehrliche Arbeit verdiente Geld gleich wieder aus, oder wir stellen es anderen über Banken und Sparkassen – zinslos (!) wieder zur Verfügung. Die dritte Möglichkeit, das Geld wie bisher – dem Umlauf ganz nach Belieben zu entziehen, bis der Zins endlich wieder die gewünschte Höhe erreicht hat, wäre dann nicht mehr möglich, da die Kapitalbesitzer am Ende des Jahres durch Abschmelzverluste von 6 % bis 12 % ärmer geworden wären. Also, zur Bank damit! Nun liegt der Schwarze Peter natürlich bei der Bank, die versuchen muss, die ihr zinslos anvertrauten Geldbeträge zur Vermeidung eigener (!) Abschmelzverluste so schnell wie möglich wieder loszuwerden. Dem Geld werden also Beine gemacht, indem es unter Wettbewerb (Umlaufzwang) gestellt wird – wie frische Erdbeeren, die ja auch gar nicht schnell genug beim Konsumenten oder in der Marmeladenfabrik landen können. Das »dem Geld Beine machen« könnte so geschehen (aber auch andere Varianten sind möglich und werden diskutiert): Die Bevölkerung wird morgens beim Frühstück in großen Zeitungsanzeigen darüber informiert, dass spottbilliges Geld für Hausbau, Modernisierung, Solaranlagen, Brauchwassernutzung, Urlaub, Hobbys oder was auch immer gegen die üblichen Sicherheiten (!) am Bankschalter abgeholt werden kann. Da die Bank den Wohlhabenden nun keine hohen Zinsen und eines Tages überhaupt keine Zinsen mehr erwirtschaften muss, kann sie das ihr anvertraute Geld sensationell günstig, praktisch zinslos, weiterreichen. Lediglich zur Deckung ihrer eigenen Kosten wird die Bank den Kredit mit schlappen 1–1,5 % belasten müssen (Bankmarge). Die Banken werden dann allerdings nicht mehr so viel Marmor und Chrom verbauen können, sondern in schlichten Bürobauten ihren einzig noch verbliebenen Aufgaben nachgehen als da wären: Diebstahlsichere Verwahrung des Geldes, Buchführung, Austausch beschädigter Banknoten und schließlich die zinslose Weitergabe des Geldes an Unternehmer und Privatpersonen gegen die üblichen Sicherheiten. Man muss kein Prophet sein, um folgende Voraussage machen zu können: Auf Industrie, Handwerk und Handel rollt eine Auftragswelle zu. Arbeitskräfte werden plötzlich mit der Lupe gesucht, und bei den Arbeitsagenturen können ganze Abteilungen und Etagen geschlossen und einer sinnvolleren Nutzung (z.B. Pilze züchten) zugeführt werden. Das Geld wird also von seiner heutigen Aufgabe befreit, unbedingt rentabel (= zinstragend!) sein zu müssen. Als Freigeld muss es jetzt nur noch lohnend sein, ein gewaltiger Unterschied, wie wir weiter hinten noch sehen werden.

Das an dieser Stelle gern vorgebrachte Argument, ein solches System würde der Umwelt durch zuviel Wachstum schaden, oder die Konjunktur müsse nach einer Phase der Überhitzung in das andere Extrem umkippen, kann leicht widerlegt werden: Sobald dem Geld die Streikfähigkeit genommen wird, es sich dem Markt also auch ohne Zins anbieten muss, wird eine »umlaufgesicherte Indexwährung« – im Gegensatz zu heute – für ein ausgeglichenes Verhältnis zwischen Angebot (Ware) und Nachfrage (Geld) sorgen. Die Europäische Zentralbank (EZB), die den gesetzlichen Auftrag hat, für Geldwertstabilität zu sorgen, wäre wahrscheinlich froh, das Verhältnis zwischen Angebot und Nachfrage so exakt und wirkungsvoll steuern zu können, wie es die Natürliche Wirtschaftsordnung Silvio Gesells ermöglichen würde. Statt dessen macht sich die EZB (wie früher die Bundesbank) zum Hampelmann der Zinserpresser und sieht sich gezwungen, einen allmählichen Geldwertverfall (Inflation) zu verursachen, um der viel größeren Gefahr einer Rezession (sinkende Preise, Firmenzusammenbrüche, noch mehr Arbeitslosigkeit) zu entgehen. Gemessen an den Vorzügen einer umlaufgesicherten Indexwährung, die dem Wert des Geldes dauerhafte Stabilität verleiht (darum brauchen die Sparer dann auch keine Zinsen mehr, die heute Inflationsverluste ausgleichen helfen) sind die währungspolitischen Klimmzüge der Europäischen Zentralbank geradezu tollpatschig und primitiv. Wenn ausgerechnet Funktionäre der Naturschutzverbände uns den Vorwurf machen, die Natürliche Wirtschaftsordnung Silvio

Gesells würde durch zu viel Konsum zusätzliches Wachstum bringen und damit zu Umweltschäden führen, muss man sich fragen, ob diese Leute noch alle Tassen im Schrank haben. Seit wann ist Verteilungsgerechtigkeit in der Bevölkerung mit unsinnigem Konsum verbunden? Seit wann können Arbeiter mehr Geld ausgeben als sie verdient haben? Natürlich wird es vorübergehend einen Wachstumsschub geben, z.B. in der alternativen Stromwirtschaft, weil den Menschen zinsloses Geld für Solaranlagen auf Millionen Hausdächern zur Verfügung stehen wird. Was die Gefahr der ungebremsten Umweltzerstörung durch exponentielles Wachstums betrifft, so ist doch gerade dieses Phänomen ein Markenzeichen und die unvermeidbare (!) Folge der heutigen Zinswirtschaft, die von der Umweltbewegung leider immer noch ausgeblendet oder in unverantwortlicher Weise verharmlost wird! Natürlich sah Silvio Gesell voraus, dass der Geldadel und das Weltspekulantentum Himmel und Hölle in Bewegung setzen werden, um eine Geldreform zu verhindern; und er sah auch voraus, dass die Kapitalisten in sogenannte »feste Werte« ausweichen werden, um sich beispielsweise über die Bodenspekulation und durch ein Bodenmonopol das zurückzuholen, was ihnen an Zinsgeschenken künftig verloren gehen wird. Daher sei schon an dieser Stelle gesagt, dass die Natürliche Wirtschaftsordnung gerade diesem Aspekt einer drohenden Ausbeutung die ihm gebührende Beachtung schenkt und zur Lösung dieses Problems einen Schlüssel präsentiert, der den Besonderheiten gegenwärtiger und zukünftiger Situationen problemlos angepasst werden kann (siehe dazu das Kapitel *Ohne Landreform keine Geldreform*). Uns steht also eine Reform bevor, die sich von einer Revolution dadurch unterscheidet, dass sie völlig unblutig, wenn auch mit ein paar Krokodilstränen behaftet über die Bühne gehen wird. Die Tragik eines zweifachen Milliardärs wird dann beispielsweise darin liegen, dass er nach sieben oder acht Jahren immer noch »nur« zweifacher Milliardär sein wird, während er von der heutigen Zinswirtschaft doch längst zum drei- bis vierfachen Milliardär herangemästet worden wäre – auf Kosten der breiten Bevölkerung versteht sich und zwar ohne nennenswerte Eigenleistung. Irgendwie – glaube ich werden diese Multimillionäre und Milliardäre mitsamt ihren Familien schon darüber hinwegkommen und unser aufrichtiges Mitgefühl entbehren können. Wenden wir uns darum lieber den bisherigen Verlierern der Zinswirtschaft zu, die immerhin 90 % der Bevölkerung ausmachen.

Man versuche, sich das einmal auf der Zunge zergehen zu lassen: Arbeit für alle! Nicht etwa nur in Europa – weltweit! Wer unbedingt überdurchschnittlich wohlhabend werden will, soll das ruhig versuchen, hat dann aber zu bedenken, dass dies nur über Arbeit, Fleiß, Ausdauer, Tüchtigkeit und Erfindergeist zu schaffen ist, nicht jedoch durch das arbeitsfreie Kassieren von Zinsen, die aus den Leistungen anderer Menschen herausgepresst werden. Alle Warenpreise, Dienstleistungen, Wohnungsmieten und Steuern werden allmählich von darin versteckten Zinsanteilen befreit. Diese Maßnahmen werden vom Einkommen so viel Geld übrig lassen, dass wir dann erstmalig (und zwar für immer!) vor der angenehmen Wahl stehen werden: Entweder ich arbeite bei gleichem Einkommen viel weniger (z.B. vier bis fünf Stunden am Tag), oder ich kann bei gleicher Arbeitsleistung wesentlich mehr verdienen; oder ich arbeite ab sofort etwas weniger (z.B. sechs Stunden pro Tag) und verdiene trotzdem deutlich mehr. Die absehbaren Auswirkungen einer derartigen Reform werden zwar unterschiedlich, aber immer äußerst vielversprechend eingeschätzt. Der bekannte Autor, Vortragsreferent und Wirtschaftsanalytiker Helmut Creutz (Das Geldsyndrom), den ich um einen Beitrag zum Thema Zins gebeten hatte, schrieb mir vor einigen Jahren:

1. *»Mit sinkenden Zinsen wird die Kaufkraft von den Zinsbeziehern zu den Arbeitleistenden zurückverlagert. Damit wird es diesen bei gleichbleibendem materiellem Wohlstand möglich, Ihre Arbeitszeiten zugunsten der Arbeitsuchenden zu reduzieren.*

2. *Mit sinkenden Zinsen erhalten umweltfreundliche und oft arbeitsintensivere Produktionsweisen größere Chancen. Damit werden vor allem Wind- und Solarenergie wirtschaftlich und wettbewerbsfähig, trotz ihrer höheren Investitionskosten.*

3. *Mit sinkenden Zinsen lässt das automatische Überwachstum der Geldvermögen nach. Damit entfällt auch der Zwang zu immer höheren Verschuldungen und kapitalintensiven Investitionen, die meist mit Einsparungen von Arbeitskräften einhergehen.*

4. *Mit sinkenden Zinsen geht die Umschichtung der Einkommen von der Arbeit zum Besitz zurück. Damit verringern sich die zunehmenden sozialen Spannungen zwischen Arm und Reich, die mit Gefahren für den inneren und äußeren Frieden verbunden sind.*

5. *Mit sinkenden Zinsen geht auch der Wachstumszwang zurück, der sich heute durch die kreditfinanzierten Investitionen und ihrer Zinsbedienung ergibt. Damit können Ökosteuern erst wirksam und ökologische Kreislaufwirtschaften erst möglich werden.«*

Wer die angenehme Aussicht, mit deutlich weniger Arbeit pro Tag seinen Lebensunterhalt bestreiten zu können, für eine Utopie hält, sei hier noch einmal an den Erzbischof Antonin von Florenz erinnert, der genau diesen Sachverhalt vor 540 Jahren (!) nicht etwa gefordert hat, sondern als selbstverständliche Errungenschaft der Menschen seiner Zeit erwähnen konnte. Aber offenbar hat uns der Zinswahnsinn geistig schon so deformiert (verblödet), dass nicht einmal mehr das Selbstverständliche, wie z.B. eine reine Atemluft, sauberes Trinkwasser oder Arbeit für alle mit Nachdruck gefordert und vor allem auch für möglich gehalten werden kann! Sehr viel glaubhafter erscheint den Menschen unserer Zeit, dass alles nur noch schlimmer kommen wird. Wie das unendliche Beispiel der kriegerischen Auseinandersetzung zwischen Israel und Palästina zeigt, »*sind wir alle stark genug, das Unglück anderer zu ertragen*« (La Rochefoucauld), aber unfähig, es beenden zu helfen, weil wir die einfache Tatsache nicht an uns herankommen lassen, dass Frieden von Zufriedenheit kommt!

Dieses merkwürdige Sichfügen in sogenannte Sachzwänge hat Tradition und hat die Frage nach der Daseinsberechtigung des Zinses und des arbeitsfreien Einkommens nie zu einer Gefahr für die Maden im Speck werden lassen. Da die Medien von der Zeitung bis zum Fernsehen ausnahmslos von Finanzkreisen beherrscht werden, die ihre Strohmänner – wie es das Gesetz nun einmal vorsieht – in die Aufsichtsgremien sickern lassen (alles natürlich ganz »demokratisch«), kann das Vermächtnis Silvio Gesells völlig legal unterdrückt werden. Der in meinen Vorträgen regelmäßig kommende Einwand, »*wenn dieses Konzept wirklich so gut wäre, dann würde doch der Bundeskanzler wenigstens die Massenarbeitslosigkeit längst abgeschafft haben*«, ist aus der Sicht jener Leser/innen, die den Namen Silvio Gesell hier vielleicht zum ersten Male hören, zweifellos verständlich. Aber darin liegt doch die Tragik unserer Zeit, dass ein schlüssiges Konzept zur Beseitigung der Ursachen aller Wirtschaftskrisen und voraussichtlich auch der Kriege (!) gerade von denen nicht gewollt sein kann, die aus Krisen und Kriegen grundsätzlich finanziell gestärkt hervorzugehen pflegen.

Das muss mir die Leserschaft schon abnehmen, dass ein Schatz, von dem über 98 % der Bevölkerung nichts ahnen, weil seine Existenz mit Medienmacht totgeschwiegen wird, bei den Ahnungslosen dann auch keine Goldgräberstimmung aufkommen lassen kann. Wenn selbst die Kirchen den krisen- und kriegsverursachenden Pferdefuß des Zinses tolerieren und daran mitverdienen, obwohl doch die Propheten mit erstaunlicher Weitsicht und Deutlichkeit den Zins als den Inbegriff des Bösen an den Pranger gestellt haben, darf man sich da noch wundern, wenn Silvio Gesell, der Prophet des dienenden Geldes, von den Vertretern des herrschenden Geldes verbissen und »erfolgreich« zur Unperson gemacht werden konnte und noch immer gemacht werden kann? Muss die Welt wirklich erst von Terror und Krieg erschüttert werden, bevor über einen rettenden Ausweg aus dem weltweiten Terror der Zinswirtschaft öffentlich nachgedacht werden darf?

Fassen wir das 3. Kapitel noch mal zusammen:

a) Silvio Gesell erkannte als Erster die verhängnisvollen Auswirkungen und Nachteile einer an das Gold gebundenen Währung. Doch seine Erkenntnisse und Warnungen stießen in der Fachwelt auf taube Ohren. Nach seinem Tode wurden einige seiner Forderungen ohne Nennung der geistigen Urheberschaft realisiert.

b) Das Deutsche Reich war durch das Diktat von Versailles nicht nur der Willkür und Dummheit rachsüchtiger Regierungen ausgesetzt, sondern auch zum Spielball der Wall-Street-Bankiers geworden.

c) Die Freiwirtschaftsbewegung hat in der Weimarer Republik nichts unversucht gelassen, vor den beiden großen Gefahren Nationalsozialismus und Kommunismus zu warnen, fand aber keinen Rückhalt in der SPD.

d) Anstatt zu erkennen, dass sieben Millionen Arbeitslose keine Parolen, sondern Arbeit brauchten, verschlief die SPD den rettenden Ausweg der Natürlichen Wirtschaftsordnung Silvio Gesells, indem sie die von führenden Freiwirten angebotene Beratung stolz zurückwies. Damit war der Weg in die Naziherrschaft frei.

e) Freigeld, also Geld, das mit Hilfe einer treibenden Umlaufgebühr aus den Rattenlöchern der Spekulanten und Schmarotzer gelockt wird, hat es besonders eilig, sich vor dem »Abschmelzen« noch schnell dem Markt anzubieten – und zwar zinslos!

f) Massenarbeitslosigkeit lässt sich nicht mit Sprüchen »bekämpfen«, sondern nur mit umlaufgesichertem Geld, das sich bei der Schaffung von Arbeitsplätzen »brav« (zinslos) zur Verfügung stellt.

g) Große, mehr oder weniger schamlos zusammengeraffte Geld-vermögen wachsen in der Natürlichen Wirtschaftsordnung (NWO) nicht weiter – wie bisher. Sie bleiben den Besitzern jedoch erhalten, falls sie es dem Markt zinslos (brav!) zur Ver-fügung stellen.

h) Sparkonten werfen in der NWO zwar keine Zinsen mehr ab, bleiben jedoch von Inflationsverlusten verschont und sind damit absolut wertbeständig. Sparen lohnt sich also, denn den entgangenen Sparzinsen stehen die hundertfach größeren Ein-sparungen bei Mieten, Waren und Steuern gegenüber! Darum wird sich das »Sparen für später« nicht nur lohnen, sondern in viel höherem Maße als heute auch stattfinden!

i) Eine Goldgräberstimmung bleibt natürlich aus, wenn der Bevölkerung mit Medienmacht verschwiegen wird, dass ein Schatz gefunden wurde, der nur noch auszugraben ist.

Muss das so sein? Nein.

Wenn wir zulassen, dass mit Geld mehr Geld verdient werden kann als durch ehrliche Arbeit, zieht sich das Kapital aus der Wirtschaft zurück und fließt unbehelligt in die Aktien- und Währungsspekulation. Zurück bleiben »fusionierte« Konzerne, »stillgelegte« Fabriken, ein wachsendes Heer von Arbeitslosen und ein paar mit sich und der Welt zufriedene Großaktionäre. Die Arbeiter und Angestellten lassen es mit sich geschehen, weil ihnen der Unterschied zwischen »lohnend« und »profitabel« nie erklärt wurde. Ob sie wohl auch dann noch stillhalten, wenn ihnen dieser entscheidende Unterschied klar geworden ist?

Lagermeister im Urlaub

4 Niemand wird bestreiten, dass Banknoten eine offizielle Zahlungseinrichtung sind, die ausschließlich vom Staat herausgegeben und von der Europäischen Zentralbank (EZB) (früher von der Deutschen Bundesbank) in Umlauf gebracht werden dürfen. Private Geldfälschungen werden bekanntlich mit hohen Strafen geahndet. Somit ist das offizielle Geld – so sollte man meinen – ein Zahlungsmittel, das wie eine Bundesstraße oder Autobahn dem Staat gehört. Sobald wir diese begehrten Scheine aber in unsere Finger kriegen, hört das staatliche Brimborium schlagartig auf: Wir können damit machen was wir wollen; plötzlich ist es unser ganz privates Eigentum. Wir dürfen das Geld beispielsweise zu nächtlicher Stunde im Garten verbuddeln, im Kamin oder über einer Kerze – von klassischer Musik untermalt – andächtig verbrennen, mit Hilfe eines Aktenvernichters in lauter schmale Streifen verwandeln, zum Staunen unserer Kinder und Gäste als Tapete verwenden, nach erfolgreichem Abschluss eines Hobbykurses an der örtlichen Volkshochschule in kostbare Lampenschirme verwandeln oder in einem stockdunklen Tresor beliebig lange einsperren.

Damit ist aber immer noch nicht die Frage beantwortet, ob das Geld – so wie die Autobahn – nun eine öffentliche oder eine private Einrichtung ist, denn beides zugleich kann es ja wohl nicht sein, oder etwa doch? Tatsächlich hat unser heutiges Geld eine Doppelnatur. Es ist sowohl offizielles als auch privates Zahlungsmittel. *»Mein Gott, ist denn das so schlimm? Mich stört das überhaupt nicht«*, wird sich manch einer sagen und vielleicht sogar vermuten, hier solle ein Scheinproblem konstruiert werden, um von einem wichtigeren Thema abzulenken. Wenden wir uns daher zunächst vom üblichen Zahlungsverkehr dem Personenverkehr auf der Straße zu. Wie bereits gesagt, sind Bundesstraßen öffentliche Verkehrswege des Staates, die aber auch von Privatleuten genutzt werden können. Das Auto, in dem z.B. Herr Flachmann sitzt, gehört ihm, die Straße unter den Rädern seines hochwertigen Mittelklassewagens gehört dem Staat. Da sich alle Autofahrer so schön an die Verkehrsregeln halten, fließt der Verkehr so ruhig wie schon lange nicht mehr. Heute also mal keine Raser und keine nervtötenden Langsamfahrer; alles fließt. Plötzlich fällt Herrn Flachmann ein, dass er mit dem Verkehrsmittel Geld in seiner Tasche ja auch machen kann, was er will. Warum, so sagt er sich, sollte das beim Benutzen einer Bundesstraße anders sein? Entschlossen, doch behutsam tritt er auf die Bremse und kommt nach ein paar hundert Metern zum Stehen. Da er nun in einer unübersichtlichen Kurve steht und bei regem Gegenverkehr nicht überholt werden kann, bildet sich natürlich ein Stau. Ruhig, wie das seine Art ist, verlässt er seinen Wagen, um hinter einem Busch erst mal sein Wasser abzuschlagen. Anschließend kehrt er zu seinem Wagen zurück und zieht mit einem Stück Kreide rings um sein geparktes Auto einen weißen Strich, wie es die Polizei bei Verkehrsunfällen zu tun pflegt, und erklärt den herbeigeeilten Staukollegen: »*Dieses Stück Straße gehört – wenn auch nur vorübergehend – mir!*« Es kommt natürlich sofort zu Handgreiflichkeiten uneinsichtiger Verkehrsteilnehmer und – viel schlimmer – zu einem Auffahrunfall. Darum hat die kurzzeitige Straßenabschnitt-Privatisierung des Herrn Flachmann polizeiliche Konsequenzen und ein gerichtliches Nachspiel: »*Aber Herr Richter, wenn ich durch die Zweckentfremdung von Geld straflos schlimmste Stauungen und Stockungen im Wirtschaftsgefüge verursachen darf und dadurch die Zahl der Arbeitslosen und Konkurse weiter anschwellen lassen kann, ohne dafür belangt zu werden, dann kann doch das vorübergehende Parken im fließenden Verkehr kein strafbares Delikt sein!*« Ja, das begreife einer.

Zweiter Versuch, den von Silvio Gesell 1889 entdeckten Webfehler in der Struktur unseres Geldes an einem weiteren Beispiel zu verdeutlichen: Die Deutsche Bahn AG verfügt erfreulicherweise über eine große Anzahl von Güterwaggons, die sich ein Unternehmer – falls ihm ein eigener Gleisanschluss zur Verfügung steht – direkt vor die Lagerhallen seiner Fabrik rollen lassen kann. Der Waggon ist natürlich nur geliehen, muss also der Bahn AG zurückgegeben werden. Nun könnte ein Unternehmer auf den unschönen Gedanken kommen, die Rückgabe des Waggons bis zum Sankt-Nimmerleins-Tag hinauszuschieben, um dieses regendichte Gerät als billige Lagerhalle nutzen zu können. In den Anfängen der Eisenbahn und in den Wirrnissen der Nachkriegszeit ist das auch vorgekommen, doch heutzutage kaum noch möglich. Die Bahn kennt bei Rückgabemuffeln nämlich kein Pardon und erhebt ganz einfach »Standgeld«. Ohne Standgeld, das die Unternehmen dazu zwingt, sich mit dem Ausladen der Waggons und mit der Rückgabe zu beeilen, würden die Waggons zu Tausenden überall im Lande auf den Fabrikhöfen herumstehen und mit den dümmsten Ausreden, z. B. »*Lagermeister im Urlaub*« verspätet oder gar nicht mehr zurückgegeben werden. Klar, dass der Güterverkehr darunter zu leiden hätte und schließlich sogar zusammenbrechen würde.

Herr Flachmann, den wir ja schon kennen gelernt haben, hat sich als Unternehmer etwas Neues einfallen lassen. Er behält den Waggon, bleibt der Bahn AG das von Tag zu Tag höher steigende Standgeld schuldig und riskiert wieder einen Prozess, in dessen Verlauf er das Verkehrsmittel Waggon erneut mit dem Verkehrsmittel Geld vergleicht. Beide, so behauptet er völlig richtig, sind ein Teil des öffentlichen Verkehrs, und beide können – wenn auch nur vorübergehend – privater Natur sein. »*Ich bin doch nicht blöd, Herr Richter, und zahle der Deutschen Bahn AG auch noch Standgeld! Sehen Sie denn nicht, dass es genau umgekehrt sein müsste? Die Bahn brauchte mir doch nur einen finanziellen Anreiz zu bieten, der so verlockend sein müsste, dass ich den Waggon gegen eine anständige Prämie – nennen Sie es meinetwegen auch Waggon-Zins – freiwillig und herzlich gern wieder herausrücke*«.

Der Richter muss jetzt aufpassen. Er kann Herrn Flachmann nicht einfach verurteilen, denn was dieser da zu seiner Verteidigung sagt, ist ja wie aus dem Leben gegriffen, also eigentlich ganz normal, denn wer das vom Staat herausgegebene Geld in seiner Brieftasche oder im Tresor »geparkt« hat, der zahlt dem Staat doch auch kein Standgeld, obwohl es anderen Wirtschaftsteilnehmern fehlt und dieses Fehlen der Wirtschaft schließlich Geldkreislaufschäden zufügt. Der Geldzurückhalter zahlt nicht nur kein

Standgeld, er lässt sich die Herausgabe des frech zurückgehalte-
nen Geldes ggf. auch noch mit Zinsgeschenken versüßen!

Erinnern wir uns der ersten Verrücktheit des Herrn Flachmann: Sein ruhendes Auto bringt den Verkehr, sein im Tresor
ruhendes Geld bringt die Wirtschaft zum Erliegen oder zumindest ins Stocken. Denkbar wäre nun, er würde mit einer Sammel-
büchse in der Hand die im Stau stehenden Autofahrer der Reihe
nach höflich um eine kleine Straßenfreigabegebühr bitten, so nach
dem Motto: Sobald das Geld im Kasten klingt, Herr Flachmann
in den Wagen springt. Verkehrsteilnehmer, die es eilig haben, z.B.
termingestresste Handelsvertreter, sind sicher bereit, zwei bis drei
Euro springen zu lassen. Andererseits, wenn sich das herumspricht
und immer mehr Studenten, Arbeitslose und rüstige Rentner dazu
übergehen, ein kleines Stück Straße vorübergehend zu privatisie-
ren, um die schnell verdiente Straßenfreigabegebühr kassieren zu
können, wird es mit dem Frieden auf der Straße wohl bald vorbei
sein. Verkehrsteilnehmer, die ja heute schon den Stinkefinger zeigen, wenn ein Rentner auf der Autobahn mal nicht schnell genug
die Herrenfahrerspur räumt, würden sich vermutlich mit Hand-
feuerwaffen versehen und den vielen Verkehrstoten sicher noch
die eine oder andere Stauleiche hinzufügen.

Man muss kein ADAC-Mitglied sein, um zusammenfassend
sagen zu können: Verrücktheiten, die den Verkehrsfluss behindern, sind gesetzlich zu unterbinden, egal ob auf der Straße oder
im Tresor. Haben wir erst mal erkannt, dass der heute ganz normale Vorgang einer Zinsforderung sich bei kritischer Hinter-
fragung als überaus dreiste Verrücktheit entpuppt, werden wir
bestimmt auch Mittel und Wege finden, aus dieser Erkenntnis entsprechende Konsequenzen zu ziehen. Der Leserschaft
ist sicher schon in diesem Kapitel klargeworden, weshalb die
das Geld beherrschenden Kreise ein so großes Interesse daran
haben müssen, die Natürliche Wirtschaftsordnung Silvio Gesells
aus Schule, Wissenschaft, Wirtschaft, Kirche, Politik und Presse
herauszuhalten.

Mit dem vorliegenden Buch, dem ich abendfüllende Vorträge und Lesungen (einschließlich Autorenbefragung und Dis-

kussion) zur Seite gestellt habe, wird der Versuch unternommen, mit Hilfe meiner Hörer- und Leserschaft die bisher so »erfolgreiche« Strategie des Verschweigens zu unterlaufen. Ihnen, den Lesern sei darum schon jetzt geraten, über zumutbare Konsequenzen nachzudenken, die der ganz persönlichen Betroffenheit entsprechen. Ich selbst habe es mir nicht nehmen lassen, die folgenden Kapitel mit Denkanstößen zum Aktivwerden zu unterfüttern. Dem Schweizer Psychologen Josef Hirt verdanke ich allerdings die schmerzliche Erkenntnis, dass der Mensch leider nur das tut, *was* er auch tun will. Der Mensch ist jedoch nicht in der Lage, selbst darüber zu entscheiden, *ob* er es will! Ich selbst habe Jahre gebraucht, um diese unglaubliche und merkwürdige Eigenart des Menschen endlich als eine Tatsache zu akzeptieren, mit der man leben kann, wenn es auch schwer fällt. Damit reduzieren sich meine Hoffnungen auf jene Leser/innen, die aus einem inneren Antrieb heraus bereit sind, dem wunderbaren Vermächtnis Silvio Gesells auf den Grund zu gehen. Die Willenskraft, die bei einem Notfall zur Verfügung stehen muss und darum für das kurzzeitige Über-sich-hinaus-Wachsen geschont werden sollte, darf auf keinen Fall den Dauerplatz der inneren Überzeugung einnehmen, weil das einer Vergewaltigung gleichkäme, die unser Denken und Handeln nicht etwa positiv prägen, sondern deformieren würde.

Fassen wir das 4. Kapitel noch mal zusammen:

a) Die Deutsche Bahn AG erhebt grundsätzlich »Standgeld« und erreicht damit, dass ausgeliehene Waggons schnellstmöglich zurückgegeben werden und dadurch anderen Verkehrsteilnehmern bei Bedarf sofort wieder zur Verfügung stehen.

b) Beim Verkehrsmittel Geld ist es zur Zeit noch umgekehrt: Geld kann beliebig lange und oft zurückgehalten oder anderweitig zweckentfremdet werden; selbst dann, wenn der Bedarf an Geld in der Wirtschaft besonders groß ist. Dieser Unfug wird nach Einführung der Natürlichen Wirtschaftsordnung (NWO) nur noch Geschichte sein.

c) Diese Rückgabemuffel zahlen im heutigen Geldsystem nicht nur kein Standgeld (auch keine Strafe) sondern lassen sich die leihweise Hergabe dringend benötigter Gelder auch noch mit Zinsgeschenken versüßen.

d) Der Mensch macht – was er will. Aber ob er es will, das macht **er** nicht!

Finanzieller Anreiz – Frieden!

Wer will denn schon in einem Land leben (z.B. in Israel oder Palästina), das von Krisen, Terror und Krieg erschüttert wird? Völker, die ihren Bürgern Frieden, Freiheit und Wohlstand zu bieten haben, werden daher zu einer ersten Adresse für Anlage suchendes Geld (ich habe nicht Kapital gesagt!). In Deutschland z.B. haben die meisten Konsumenten einen Führerschein. Dass man sich an Regeln zu halten hat, damit der Verkehr reibungslos fließt und alle Verkehrsteilnehmer gesund nach Hause kommen, muss einem Führerscheininhaber also nicht mehr erklärt werden. Darum besteht Grund zu der Annahme, dass zumindest die Inhaber von Führerscheinen auch die einfachen Regeln der Natürlichen Wirtschaftsordnung (NWO) begreifen und begrüßen werden. Was wir allerdings nicht erwarten können, ist die Einhaltung von Regeln, die der Bevölkerung mit Rücksicht auf die Interessen der Hochfinanz verschwiegen werden!

Ich werde dieses Problem nicht mehr aus den Augen verlieren und quer durch das Buch treiben. Ob es dann aber schon am Kragen gepackt und einer endgültigen Lösung zugeführt werden kann (die eines Tages auch dem Nahen Osten ewigen Frieden bringen wird), das hängt natürlich auch von meiner Leserschaft ab. Mit anderen Worten: Sie sollten zumindest darauf gefasst sein, in diesem Buch von den Möglichkeiten Ihrer eigenen Kraftentfaltung überrascht zu werden. Das Gefühl, bisher an der schönsten Blume im Garten Ihrer Möglichkeiten achtlos vorübergegangen zu sein, kann und soll Ihnen dabei nicht erspart werden: *Staunen und Wut sind immer gut, wenn sich im Anschluss daran etwas (Gutes) tut!*

Der Dritte Weg

5

Die Natürliche Wirtschaftsordnung (NWO) wird sich für ca. 90 % der Bevölkerung überaus vorteilhaft auswirken (Arbeit und Wohlstand für alle). Bei den übrigen 10 %, die man als klare Nutznießer der heutigen Zinswirtschaft einstufen könnte (aber statistisch nur schwer erfassen kann), ist eine weitere Differenzierung angebracht, denn in dieser Reichtumsregion vermischen sich harmlose Multimillionäre (z. B. tüchtige und erfolgreiche Sägewerksbesitzer) mit den Finanzgewaltigen, die über Milliarden verfügen und ihren nicht mehr vorstellbaren Reichtum in atemberaubendem Tempo sogar noch steigern können und das ja leider auch tun. Eine solche Lizenz zum Geldscheffeln, wie sie die Zinswirtschaft einer Minderheit bietet, gibt man natürlich nicht gern aus der Hand – und freiwillig schon mal gar nicht. Es ist also damit zu rechnen, dass dieser Personenkreis sich zur Wehr setzen wird, vor allem natürlich mit Medienmacht und Geld, notfalls aber auch mit anderen Mitteln.

Da man sich für Geld buchstäblich alles kaufen kann, sind die ca. 9 % der Reichen und 1 % der Superreichen dem Rest der Bevölkerung haushoch überlegen. Man denke doch nur mal daran, wie leicht es heute ist (und immer war), sich Journalisten, Sachverständige, Gutachter und Professoren für Jubelberichte zu kaufen und wie gern diese »Expertisen« von der schweigenden Mehrheit auch geglaubt werden. Dazu ein Beispiel: Als der Europäischen Kommission klar wurde, dass der Euro von einer satten Mehrheit der deutschen Bevölkerung abgelehnt wird, erinnerte sie sich der Tatsache, dass ihr ja nahezu unbegrenzte Geldmittel zur Verfügung stehen und »kaufte« sich nach Angaben eines grünen Europaabgeordneten (der die Zeitschrift Focus informierte) kurzerhand nicht weniger als 160 Professoren und Journalisten, die vertraglich darauf festgelegt wurden, die Bevölkerung mit der noch fehlenden Eurobegeisterung nachzurüsten. Auffällig viele Zeitungen (praktisch alle!) und Fernsehredaktionen haben diesen »Sachverständigen« Tür und Tor geöffnet, während eurokritische Artikel kaum unterzubringen waren. In den Jahren 1998 und 1999 konnte man schließlich keine Zeitung mehr aufschlagen, ohne über eine dieser frisierten Lobeshymnen zu stolpern. Der größten südhessischen Zeitung, dem Darmstädter Echo, ging das aber noch nicht weit genug. Sie belaberte ihre Leserschaft hart an der Grenze geistiger Körperverletzung ein ganzes Jahr lang: *»Noch 271 Tage bis zur Einführung des Euro, noch 270 Tage bis zur Einführung des Euro, noch 269 Tage ...«* – usw.

In Deutschland – hat eine Untersuchung ergeben – genießen Professoren das höchste Ansehen. Ihnen bringt man das größte Vertrauen entgegen. Wenn man den Professoren nicht mehr vertrauen kann, wem dann? Mit dieser tiefsitzenden Einstellung der Bevölkerung lässt sich natürlich etwas anfangen. Ob noch forschend im Amt, oder professoral nur noch mit der Aufbesserung seiner Beamtenpension beschäftigt, das interessiert kein Mensch. Hinzu kommt, dass wir in dieser fernsehschnellen Zeit denen ausgesprochen dankbar sind, die uns das lästige Nachdenken über schwer durchschaubare Probleme und Zusammenhänge abnehmen. Auf diese Karte setzt die Politik schon lange. Da auf jeden Bundestagsabgeordneten etwa sechs Lobbyisten kommen, die ihnen wie Zecken im Ohr und im Nacken sitzen, gibt es einen großen Dunkelbereich hinter der Berliner Bühne, in dem die eigentlichen Drahtzieher der Nation nahezu unbemerkt, ungestört sowieso, und ganz legal ihr Schattenreich installieren. Bundestagsabgeordnete sind insofern eine leichte Beute, als viele von ihnen so furchtbar gerne wiedergewählt werden möchten, dies in der Regel aber aus eigener Kraft und in Ermangelung nennenswerter Leistungen nicht schaffen. Auch dem dümmsten Wähler fällt schließlich irgendwann einmal auf, dass diese Leute beliebig austauschbar sind. Wenn dann jemand kommt und für den Wahlkampf im heimatlichen Wahlkreis die entsprechenden Banknotenbündel in Aussicht stellt oder sogar schon dabei hat (siehe Parteispendenskandal), fällt eine am nächsten Tag im Bundestag fällige Abstimmung (z.B. über die Besteuerung von Vermögen) gleich etwas freundlicher aus.

Wer will es diesen Familienvätern mit Haus und Schulden denn auch verdenken, wenn sie so lange wie möglich am Ball bleiben möchten? Gerade sie, die der Massenarbeitslosigkeit so gut wie nichts entgegenzusetzen haben, sind bei einer Abwahl größtenteils doch selbst einem leergefegten Arbeitsmarkt ausgesetzt. Also steht für die meisten unter ihnen die Sicherung der eigenen Versorgungsansprüche im Vordergrund. Es heißt zwar so schön, dass jeder Abgeordnete nur seinem eigenen Gewissen verantwortlich ist, aber was will das in einer »Bananenrepublik« (DER SPIEGEL) schon heißen? Wer im Parlament oder auch nur hinter den Kulissen eine eigene Meinung zu haben wagt, wird schnell zurückgepfiffen oder ausgegrenzt und im Wiederholungsfall schließlich kaltgestellt. Der seiner Zeit einmal weit vorausdenkende und bitter notwendige Sozialdemokrat Erhard Eppler ist ein beschämendes Beispiel einer solchen Kaltstellung. So wird politisches Duckmäusertum gezüchtet. Hinterbänkler, die sich in Ausschüssen durch Berge von Papier quälen müssen, werden – unabhängig von ihrer Meinung – in den Plenarsitzungen eigentlich nur noch als Stimmvieh und Zwischenrufer gebraucht. Da ihnen aber von allen Seiten immer wieder bestätigt wird, dass diese Art Demokratie dennoch das Höchste sei, glauben sie vermutlich selbst daran und sind einer Überwindung vorhandener Missstände und Fehlentwicklungen nicht mehr zugänglich. Eines Tages wissen sie sinnvolle Arbeit von Murks nicht mehr zu unterscheiden und bringen es nur noch beim Vertuschen der eigenen Erfolgs- und Bedeutungslosigkeit zur wahren Meisterschaft. Auf einem Wahlplakat der SPD war zu lesen: Arbeit! Arbeit! Arbeit! Also dreimal Arbeit und dann auch noch jedes Mal mit einem Ausrufungszeichen. Wie werden sich die Arbeitslosen da aber gefreut haben! Die plakative Wirkung dieser enorm wichtigen Aussage wäre freilich noch durchschlagender gewesen, wenn man sich zu folgender Steigerung hätte durchdiskutieren können: Arbeit! Arbeit!! Arbeit!!! Da dieser Wahlkampfschwachsinn vom Steuerzahler auch noch fürstlich bezahlt wurde, müsste eigentlich die Frage erlaubt sein, ob durch diesen hilflosen Aufschrei der SPD auch nur ein einziger Arbeitsplatz geschaffen werden konnte.

Ausgerechnet diesen gutwilligen, aber völlig ratlosen und traditionell hilflosen Volksvertretern legt man die Zukunft unseres Landes in die Hände; und für Millionen und Abermillionen Menschen heißt diese Zukunft: Kurzarbeit, Dauerarbeitslosigkeit, ständige Angst um den Arbeitsplatz, Frühpensionierung, Armut, Hoffnungslosigkeit, Verzweiflung und Not. Da die Hauptursache der Arbeitslosigkeit – die ungerechte Verteilung des Volksvermögens – und die Ursache dieser ungerechten Verteilung, die Zinswirtschaft, nicht als Ursache erkannt, geschweige denn anerkannt werden, verkommt auch die gutmütigste Anstrengung unserer mit Papierkram beschäftigten, abgelenkten und »gelenkten« Hinterbänkler zum Theaterdonner, der an den beschämenden Zuständen auf dem Arbeitsmarkt so wenig ändert wie das Zirpen einer Grille bei Westwind. Es kommt verschärfend hinzu, dass schon seit Jahren versucht worden ist, wenigstens die oberen Tausend in der Politik auf die Freiwirtschaftstheorie hinzuweisen. Ungezählte Eingaben, Gespräche unter vier Augen, Ermahnungen, Briefe, Petitionen und Aufrufe haben so gut wie nichts bewirkt. Als ich 1993 die Wirkungslosigkeit der jahrzehntelangen Bemühungen meiner Vorgänger/innen zu untersuchen begann, fiel mir auf, dass z.B. die SPD-Abgeordneten des Deutschen Bundestages ihr Wissen über die NWO Silvio Gesells nicht nach unten weitergereicht hatten. Ob aus Bequemlichkeit oder aus Scham, man hat offenbar keinen Sinn darin gesehen, mit der Basis über einen Ausweg zu diskutieren, an den man sich selbst nicht herantraute. In der Annahme, dass bestens aufgeklärte SPD-Genossen ganz unten an der Parteibasis ihre Landtags- und Bundestagsabgeordneten vielleicht doch mal zur Rede stellen würden, habe ich 1998 einen Brief entwickelt, der in den Jahren 1999 bis 2003 von 116 Mitstreiter/innen immerhin 5600 Kommunalpolitikern der SPD bundesweit zugestellt wurde. Ein schwedischer Jonathan-Apfel wurde zum unübersehbaren Symbol dieser Brief-Aktion (und wird es auch bei allen noch folgenden Apfel-Brief-Aktionen bleiben!). Diese ungewöhnlich schöne Frucht hätte im Juli 1997 eigentlich in den morgendlichen Urlaubs-Frischkornbrei geraspelt werden sollen. Wegen seiner makellosen Schönheit brachte ich es einfach nicht übers Herz, diese betörende Frucht gemeinsam mit meiner Frau zu verspeisen. Statt dessen ging ich in den Garten, legte den Apfel auf einen Baumstumpf und schenkte ihm mit Hilfe meiner Kamera »das ewige Leben«. Der Apfel – und darum muss das hier mit eingeflochten werden – ist inzwischen zu einem neunzigtausendfach verbreiteten Symbol freiwirtschaftlicher Aufklärung geworden: Der nachfolgende Brief war im Original auf seiner Vorderseite mit diesem Blickfang vierfarbig und in 90 % seiner natürlichen Größe bedruckt. Ich habe den Apfel-Brief »SPD« in die vorliegende 7. Auflage dieses Buches noch einmal aufgenommen, um zu dokumentieren, wie eindeutig »Sozial«demokraten von der untersten kommunalpolitischen Ebene bis hinauf zum Bundeskabinett für den Anstieg der Massenarbeitslosigkeit in Deutschland mitverantwortlich zu machen sind – wie in der Weimarer Republik. Diese bundesweite Apfel-Brief-Aktion bleibt bis zur Einführung der Vollbeschäftigung wichtig, weil schon heute abzusehen ist, dass sich die Verantwortlichen der SPD hinter der Ausrede verkriechen werden: »Ja, wenn wir das gewusst hätten …!« Ob aus dem Vorwurf der »unterlassenen Hilfeleistung in einem besonders schweren Fall« (5 Millionen Arbeitslose!) eine Anklage konstruiert werden kann, wird abzuwarten bleiben. Bevorstehende Wahlen werden für die SPD hoffentlich so ausgehen, dass der frech angemaßte Anspruch auf soziale Kompetenz zumindest von den Wahlplakaten verschwindet. Diese Partei braucht jetzt viel Zeit, um über Fragen nachzudenken, die bei der SPD noch nie diskutiert worden sind. Zum Beispiel diese: Werden Arbeitslose eines schönen Tages die Rechnung präsentieren und eine Gleichstellung mit Zwangsarbeitern und unschuldig Verurteilten fordern, um eine angemessene finanzielle Entschädigung einklagen zu können?

Wäre es so, dass den Langzeitarbeitslosen bei Eintritt ins Rentenalter die verlorenen Jahre oder Jahrzehnte (!) vom lieben Gott bei voller Gesundheit hinten drangehängt würden, könnte man es SPD-Politikern durchgehen lassen. Die Wirklichkeit sieht jedoch so aus, dass am Ende der Arbeitslosigkeit, also ab dem 65. Lebensjahr, ein erbärmliches Rentnerdasein folgt, das ich deshalb so empörend finde, weil diesen völlig unschuldigen Menschen ein wesentlich schönerer Lebensabend geboten werden könnte, wenn man die von mir geforderte Volksaufklärung in Presse, Rundfunk und Fernsehen endlich zulassen würde!

Und hier nun der Apfel-Brief »SPD« (1999–2003). Der in den Jahren 2000 bis 2004 in Deutschland, Österreich und der Schweiz zum Einsatz gekommene Apfel-Brief »Kirche«, wird im 11. Kapitel vorgestellt.

An alle Orts- und Kreisverbände der
Sozialdemokratischen Partei
Deutschlands
sowie an alle Mandatsträger/innen
der SPD in den Gemeinden, Kreistagen, Landtagen und im Bundestag

Betrifft:

Hinweis auf eine
bisher nicht genutzte Möglichkeit
zur Überwindung der
Massenarbeitslosigkeit in Deutschland

Sehr geehrte Damen und Herren!

Die Regierung ist neu, aber die Kanzlerberater sind die alten geblieben. Es handelt sich um Professoren angesehener Wirtschaftsinstitute, die schon Helmut Kohl nicht helfen konnten und den Arbeitslosen wie man weiß auch nicht. Jetzt lässt sich Bundeskanzler Gerhard Schröder von diesen »Experten« beraten; und diese Beratung kostet uns Steuerzahler laut Süddeutscher Zeitung immerhin 90 (in Worten: neunzig) Millionen DM pro Jahr. Dürfen wir, die SPD und die Arbeitslosen bei einer derart respektablen Summe nun endlich mit dem Abbau der Arbeitslosigkeit rechnen? Eigentlich – ja. In Wirklichkeit – nein. Hier stimmt doch etwas nicht!

Die entscheidenden Leute der SPD (und der Grünen) sind nicht bereit, offen zuzugeben, dass die »soziale« Marktwirtschaft längst zu einer ausbeuterischen Zinswirtschaft verkommen ist, in der die Reichen immer reicher und die Armen immer zahlreicher werden (Umverteilung des Geldes von den Arbeitenden zu den Geldbesitzenden).

Bundeskanzler Gerhard Schröder hat sein Schicksal als Regierungschef noch vor der Wahl offen und ehrlich mit einem arbeitsmarktpolitischen Erfolg verbunden. Respekt! Mit anderen Worten: Werden bei der Bekämpfung der Arbeitslosigkeit wieder keine nennenswerten Erfolge erzielt, sind bei den kommenden Wahlen voraussichtlich jene Parteien wieder am Drücker, die wir doch gerade erst losgeworden sind!

In dieser Situation haben alle der SPD nahestehenden oder ihr angehörenden Personen ein Recht darauf, von der SPD-Führung zu erfahren, weshalb die rot/grüne Regierung

a) den ihr bekannten (freiwirtschaftlichen) Ausweg aus der Massenarbeitslosigkeit unbeachtet lässt und weshalb sie

b) der SPD-Basis gegenüber noch nicht einmal zugeben will, dass es einen Ausweg gibt, mit dem eine **naturverträgliche Vollbeschäftigung ohne Wachstumszwang** innerhalb von wenigen Jahren herbeigeführt werden könnte.

Dies ist der eigentliche Grund meines Schreibens! Bundestagsabgeordnete und Minister der SPD sind nachweislich schon seit Jahren umfassend über die *»Natürliche Wirtschaftsordnung«* des deutsch-argentinischen Sozialreformers Silvio Gesell informiert; doch sie bleiben dabei, diesen DRITTEN WEG *jenseits von Kommunismus und Kapitalismus* der SPD-Basis zu verschweigen! In den Medien vielversprechend ankündigen, es müsse jetzt aber auch wirklich jede vernünftige Möglichkeit zur Beendigung der Massenarbeitslosigkeit genutzt werden, und diese ja auch tatsächlich vorhandene Möglichkeit der Partei-Basis dann doch wieder zu verschweigen, das wollen wir der SPD-Führung nicht länger durchgehen lassen! Die Parteiführung ist der SPD-Basis und die Regierung ist den Arbeitslosen eine Erklärung dafür schuldig, weshalb sie am Totschweigen der rettenden Erkenntnisse Silvio Gesells festhalten, obwohl dieses Verschweigen nur den Beziehern großer Einkommen zugute kommt, über 90 % der Bevölkerung aber schädigt.

Die SPD ist einmal das soziale Gewissen der Nation gewesen (heute kann man darüber nur noch lachen). Darum hat ja auch niemand für möglich gehalten, dass ausgerechnet die SPD-Führungsriege es wagen würde, derart brisante Informationen vor der eigenen Partei-Basis zu verschweigen. Das Wissen über die **Vermeidbarkeit von Armut und Arbeitslosigkeit** ist also nie nach unten an die SPD-Parteibasis weitergereicht worden. Motto: »*Die schweigende Mehrheit schweigt, weil ihr das Rettende verschwiegen wird.*« (Hermann Benjes)

Darum drehen wir den Spieß jetzt um: Mit einer bundesweiten »Apfel-Brief-Aktion«, die sich vorrangig den unteren Parteiebenen zuwendet, soll der SPD-Führung in Bonn bzw. Berlin auf die Sprünge geholfen werden.

Haben Sie als Empfänger dieses Briefes bitte Verständnis dafür, dass wir zusätzlich alle namhaften Persönlichkeiten, die Amtsleiter und die Vereinsvorsitzenden Ihres Wohnortes – egal welcher Partei – ebenfalls in Kenntnis setzen. Darüber hinaus werden die Arbeitslosen vor den Arbeitsämtern und die Arbeitnehmer vor Bahnhöfen und Werkstoren über das Ziel dieser Aktion aufgeklärt und gebeten, sich mit ihren Fragen ggf. an die örtliche SPD zu wenden (an wen denn auch sonst?).

Ich möchte Ihnen daher dringend empfehlen, das beigefügte Faltblatt »*Die Massenarbeitslosigkeit in Deutschland*« sorgfältig aufzuheben. Sie werden diese Argumentationshilfe sehr gut gebrauchen können, wenn Ratsuchende plötzlich vor Ihrer Haustür stehen.

Mit freundlichen Grüßen

....

P.S.
Was hat der schöne Apfel eigentlich mit diesem Brief zu tun? Nun, er symbolisiert die Vergänglichkeit aller verderblichen Waren. Diese müssen bekanntlich schnell über den Ladentisch gehen, bevor sie durch Fäulnis unverkäuflich werden. Im Gegensatz dazu ist das Geld den verderblichen Waren (und der Arbeitskraft!) haushoch überlegen: Das Geld verfault ja nicht; es verrostet nicht und hat es darum auch nicht eilig. **Geld kann warten; der Apfel und die Arbeitslosen können es nicht!** Auf der Grundlage dieser schmerzlichen Erfahrung entwickelte Silvio Gesell *Die Natürliche Wirtschaftsordnung.* Seine bahnbrechenden Erkenntnisse könnten die **Vollbeschäftigung** zu einer kaum vermeidbaren Selbstverständlichkeit werden lassen. Sicher, ein paar Reiche und Superreiche werden Federn lassen müssen, doch auf ca. 98–99 % der Weltbevölkerung wartet eine Sternstunde der Menschheit!

Mit freundlichen Grüßen

Soweit der Apfel-Brief »SPD«. Wegen ihrer traditionellen Gewerkschaftsnähe ist die SPD ein schwer zu überzeugender Adressat, weil der typische SPD-Genosse beim Thema Wirtschaft zunächst an einen Verteilungskampf denkt und erst in zweiter Linie an das gemeinsam zu rudernde Boot. Die schwedische Sozial- und Geldreformerin Åsa Brandberg, der ich u.a. auch die Informationen über »Das Mirakel von Guernsey« (siehe Kapitel 15) verdanke, ist mir bei diesem Überzeugungsproblem mit dem folgenden Argument zu Hilfe geeilt, an dem sicher auch Silvio Gesell seine Freude gehabt hätte: *»Die Ökonomie ist kein Kuchen, der verteilt wird, sondern ein Fluss, in dem jeder baden*

68

kann.« Auf dem Wege zum Etappenziel, *»Silvio Gesell in aller Munde«*, ist mit dieser Briefaktion auf jeden Fall erreicht worden, dass sich nun auch die SPD nicht länger hinter der faulen Ausrede verbergen kann, von einem dritten Weg jenseits von Kommunismus und Kapitalismus nichts gewusst zu haben.

Da potentielle Mitstreiter/innen zunächst einmal die Rolle der Mitwisserschaft durchlaufen müssen, (bevor sie überzeugt werden können und dann eventuell selbst erkennen, aktiv werden zu müssen) haben die einzelnen Schritte bei dieser schwierigen Aufgabe natürlich noch Experimentcharakter und sind selbstverständlich auch immer mit Arbeit und Versandkosten verbunden. Die in letzter Zeit stark um sich greifende Meinung, es genüge durchaus, sich auf die Schreibtisch- und Bildschirmarbeit zu beschränken, sollte man nur für Regentage, bei Glatteis und Schneetreiben gelten lassen. An der alten Formel, *»Wie kann es gehen, wenn Sie sitzen? Also gehen Sie!«* ist nur schwer vorbeizukommen. Mir ist von vielen Seiten die bittere Erfahrung bestätigt worden, dass es recht mühsam oder sogar unmöglich sei, die eigenen Kinder, Ehepartner, Freunde, Verwandten oder Arbeitskollegen für die Freiwirtschaft zu interessieren. Auch ich bin in meiner Familie von diesem Phänomen überrascht worden. Woran es liegt, dass wir mit wildfremden Menschen oft viel leichter ins Gespräch kommen, als mit den eigenen Kindern, ist noch immer nicht ganz geklärt. Erwachsene Kinder sind beim Thema Geld aber durchaus in der Lage, intensiv zuzuhören, wenn es um die Frage geht, wer erbt denn einmal was und wie viel? Ein mir bekannter und inzwischen verstorbener Freiwirt hat seinen Kindern den folgenden Brief hinterlassen, der seinem Testament beigefügt war: »...*Ihr werdet euch erinnern, dass Mutter und ich nach 1985 nicht mehr versucht haben, euch von Silvio Gesell zu überzeugen. Damals fiel bei uns der Entschluss, euch die Streitereien um das Erbe einmal zu ersparen. Trauert dem Gelde nicht nach. Es ist noch mit warmer Hand an jene gegangen, die uns im Gegensatz zu euch bis zuletzt ernst genommen haben*«. Überraschend viele Menschen, auch solche guten Willens, scheinen beim Thema Geld und Zins nicht in der Lage zu sein, Gold von Kacke zu unterscheiden. Noch während ich an diesem Kapitel arbeitete, musste ich dem *Darmstädter Echo* entnehmen, dass die Landfrauen in Seeheim-Jugenheim nichts Besseres zu tun haben, als einen Aktienclub zu gründen! Geburtshilfe leistet unter dem Beifall der Presse ein Mitarbeiter der Darmstädter Volksbank, der den Damen (überwiegend Großmütter im rüstigen Rentenalter) das Zappen und das Zocken an der Börse beibringen soll. Die Landfrauen werden sich gesagt haben: »Nachdem nun auch schon Schüler mit ihrem Taschengeld, Studenten mit ihren Bafög-Überschüssen und Rentner mit der kargen Rente auf das Aktienkarussell springen, sollte uns auch mal ein bisschen schwindelig werden dürfen.« Landfrauen, die hier schon lange nicht mehr die eigene Milchziege quer durch das Dorf zum Bock treiben und sich von Stadtfrauen eigentlich nur noch dadurch unterscheiden, dass sie für den heimatlichen Weihnachtsbasar immer noch sehr fleißig die nicht mehr wegzudenkenden Topflappen, Klopapierhüllen und andere schöne Dinge basteln, sind als relativ leichte Beute in das Blickfeld von Bankangestellten geraten, die sich durch herausragende Leistungen (z.B. bei Vereinsabenden und Hausbesuchen) mit unbezahlter Arbeit für den innerbetrieblichen Aufstieg in Richtung Chefetage qualifizieren wollen. Noch zögern die Leute, aber schon bald wird die gute Oma zur Taufe, Konfirmation oder Hochzeit ihre Enkel wohl mit Aktien beglücken. Wundern muss man sich darüber nicht, haben doch die Börsenberichte in den täglichen (!) Nachrichtensendungen längst den Stellenwert von Erdbeben, Flutwellen oder Terrorakten erreicht. Es tut offenbar gut, auch als Kleinaktionär Abend für Abend in seiner Geldgeilheit wenigstens vom Fernsehen ernst genommen zu werden und auch mal ein bisschen im Mittelpunkt des allgemeinen Interesses zu stehen. Vor allem aber tut es den Banken gut, die der Presse ja auch lange genug Berichte zugespielt haben, aus denen »in erschreckendem Maße« hervorgeht, was für elende Börsenmuffel wir Deutschen doch im Vergleich zur vorbildlichen USA immer noch sind. Nicht mehr lange, denn inzwischen lassen sogar Raumpflegerinnen und Taxifahrer einen Teil ihres Einkommens direkt von der Hausbank abbuchen und in Aktiensparverträge sickern. In gepflegter Atmosphäre (im Schlosshotel X mit herrlicher Aussicht auf Y) lassen Banken ihre Mitarbeiter/innen stundenlang über Zielgruppen scharf nachdenken, deren Gehirne aus irgend welchen Gründen noch immer nicht vom Geldvermehrungswahn lahmgelegt werden konnten. Kein Wunder also, dass wir mit rendite- und zinskritischen Themen zunächst auf keine Gegenliebe stoßen. Man glaubt uns nicht, und was viel schlimmer ist: Die meisten Leute haben nicht das geringste Interesse daran, von uns informiert oder gar belehrt zu werden.

Dass es der Fachwelt bis heute nicht gelungen ist, die rettenden Erkenntnisse Silvio Gesells in irgendeinem der wesentlichen Punkte seiner Natürlichen Wirtschaftsordnung (NWO) zu widerlegen, lässt den, der das ja gar nicht wissen will, natürlich auch nicht aufhorchen. Niemand ist uns dankbar. Das ist unschön, gewiss, aber leider völlig normal und somit vorerst auch hinzunehmen. Wer also auf Widerstand oder Desinteresse stößt, suche die »Schuld« lieber bei sich selbst. Auf keinen Fall werfe man der wenig interessierten Zuhörerschaft mangelnde Intelligenz, fehlendes Solidargefühl oder egoistische Gleichgültigkeit vor, sondern betrachte auch ein mitleidiges Kopfschütteln, wiederholtes Gähnen und ähnliche Reaktionen als die übliche Quittung für ein taktisch noch nicht ausgereiftes Vorgehen. Andererseits werden selbstverständlich keine Perlen vor die Säue geworfen. Irgendwo hat fast jeder Mensch noch eine offene Seitentür, und sei es die heutzutage übliche Situation, dass verzweifelte Eltern mit ansehen müssen, wie sich Tochter oder Sohn trotz Studium oder Lehre vergeblich um einen angemessenen Arbeitsplatz bemühen. Bei Arbeitern und Angestellten kommen wir schneller voran. Ihnen muss man heute nicht mehr sagen, dass es die so genannte Lebensstellung nicht mehr gibt. Diese Leute sind dem Schicksal schon dankbar, wenn der Arbeitgeber den Betrieb »wenigstens bis zur Rente« über Wasser hält. Was dann aber mit den jüngeren Kollegen und mit den Lehrlingen geschieht, »das ist dann deren Bier«.

Auf dem Arbeitsmarkt ist es offenbar so wie bei der Gesundheit: Erst muss eine schwere Krankheit (Massenarbeitslosigkeit) dafür sorgen, dass z.B. die zuvor noch belächelte vitalstoffreiche

Vollwertkost zum ersten Male richtig ernstgenommen wird. Wer als Beamter »fein raus« ist, wird über die Geißel Arbeitslosigkeit eher selten nachdenken und an die Ursachen der Arbeitslosigkeit kaum einen Gedanken verschwenden. Eine Oberstudienrätin aus München, die mir drei Vorträge organisierte, wusste zu erzählen, dass sich die Pausengespräche im Lehrerzimmer nicht mehr – wie bisher – um schulische Probleme oder exotische Urlaubsziele drehen. Vielmehr rücke jetzt jener Kollege zum Wortführer und Leithammel auf, der dem intensiv lauschenden »Lehrkörper« die besten Anlagetips zu geben vermag. Früher wäre man entnervt ausgewandert, um eine unerträgliche Situation hinter sich zu lassen. Heute gibt es kein Entrinnen mehr. Wohin wir auch fahren oder fliegen, dem Tanz um das goldene Kalb entgehen wir nicht. Wo also bleibt das Positive? Ich sehe es u. a. in der erfreulichen Tatsache, dass wir keine Einzelkämpfer/innen mehr sind, sondern im Strom von Gleichgesinnten schwimmen, die über eigene Zeitschriften, Rundbriefe, Internetseiten und Vereine verfügen. Uns steht darüber hinaus ein Literaturschatz zur Verfügung, dem das herrschende System nichts Gleichwertiges gegenüberstellen kann.

Silvio Gesell sprach schon früh von der Notwendigkeit, die elitäre Volkswirtschaftslehre in eine Volkswissenschaft zu verwandeln, wie es übrigens auch vom Vater des Wirtschaftswunders, Prof. Ludwig Erhard, vorgeschlagen wurde. So lange aber *Schüler und Studenten (!) als totale Analphabeten des Geldes* (Hans Kühn) ins Leben entlassen werden, haben Banken und andere Krisengewinner natürlich ein leichtes Spiel, die Menschen davon abzulenken, über die wahren Aufgaben des Geldes nachzudenken. Vor uns liegt also noch ein gewaltiges Aufklärungsprojekt, das in verkraftbare Teilaufgaben zerlegt werden muss, bevor wir uns an einer zu großen Aufgabe die Zähne ausbeißen. Es kann schon sein, dass wir selbst auf Erfolgserlebnisse nicht zwingend angewiesen sind, andere sind es aber um so mehr! Aus diesem Grunde sind kleine, verkraftbare Schritte einem schmerzhaften Spagat immer vorzuziehen. Oft lassen sich einfach erscheinende Aufgaben noch weiter aufteilen und dadurch schneller lösen. Ob wir es schaffen, die

NWO ins Gespräch zu bringen, oder ob wir uns am Ende doch mit einer pervertierten Zinsknechtschaft abfinden müssen, das ist die Frage, die uns jetzt eingeholt hat und nicht wieder loslassen darf. Wir müssen dem Bundeskanzler – wer immer das gerade ist – die gern genutzte Möglichkeit nehmen, unter Hinweis auf »die schwierige Lage auf dem Weltmarkt« – und ähnlich dummen Sprüchen vom eigenen Versagen abzulenken. Er kann das heute ungestraft tun, weil dem Wähler der freiwirtschaftliche Ausweg von den Medien verschwiegen wird. Der einzelne Bürger ist somit nicht in der Lage, der hohen Politik die Fehler und Versäumnisse nachzuweisen. Er kann sie ihr daher auch nicht ankreiden! Darum finden sich ja auch die Arbeitslosen mit ihrem unverdienten Schicksal ab. Möglicherweise ahnen sie, dass ihnen übel mitgespielt wird, aber sie sind nicht in der Lage, dieses Versagen der politischen Entscheidungsträger mit schlüssigen Beweisen konkret zu belegen. Und so lange sie das nicht können und nicht tun, wird alles beim alten bleiben. Da der deutsche Vorsprung (durch Tüchtigkeit und Tradition) von immer mehr Schwellenländern längst eingeholt worden ist, bahnt sich eine globale Arbeitsplatzvernichtungswelle an, die mit den zur Verfügung stehenden Rezepturen der Volkswirtschaftslehre schon lange nicht mehr aufgehalten werden kann. Die Folge wird sein – von Silvio Gesell vorausgesehen – dass die Masse der Verlierer nur noch mit Notstandsgesetzen davon abgehalten werden kann, das Heft selbst in die Hand zu nehmen. Frieden kommt von Zufriedenheit! So lange man glaubt, sich mit Waffengewalt über diese fundamentale Wahrheit hinwegsetzen zu können, wird es z.B. auch in Nahost, in Afghanistan oder im Irak niemals Frieden geben können!

Darum könnte es nicht schaden, die Studenten der Volkswirtschaftslehre in den Nahen Osten zu schicken, um sie vor Ort erkennen zu lassen, wie zielstrebig man sie in Deutschland an den Ursachen derartiger Katastrophen vorbeistudieren lässt. Ich schlage den Studenten vor, sich schon aus Kostengründen kirchlichen Reisegruppen anzuschließen, damit der üblichen Bewunderung israelischer Aufbauleistungen das fehlende (hartnäckig verschwiegene) Glied in der Begeisterungskette hinzugefügt werden kann. Wenn eine staubige Straße das grüne (israelische) Paradies mit den lieblichen Orangenhainen von der erbärmlichen (palästinensischen) Steinwüste trennt, und eine israelische Reisebegleiterin dann auch noch meint, unbedarfte deutsche Bustouristen auf diesen krassen Unterschied ausdrücklich hinweisen zu müssen, mit einer gewissen Häme versteht sich, dann sind Fragen fällig, die man dort bisher nicht zu stellen wagte. Zum Beispiel die Frage, wann die zur Verfügung stehenden Wasservorräte beider Länder endlich einmal gerecht aufgeteilt werden. Die »Schutzmacht« USA pumpt seit über fünfzig Jahren unaufhörlich Geld und modernste Waffentechnik in das gelobte Land; und Israel pumpt das Wasser – auch das der Palästinenser – mit diesem Geld auf die eigenen Felder. Wie soll sich unter diesen Umständen eine friedliche Koexistenz entwickeln können? Bleibt es bei dieser »Arbeitsteilung«, wird es in dieser Region auch in den nächsten 50 Jahren keinen Frieden geben. Das Beispiel zeigt, wie falsch es wäre, von einer Land- und Geldreform allein die Lösung aller Probleme zu erwarten. Religiöser Fanatismus, Überlegenheitsdünkel (das auserwählte Volk zu sein!), Übervölkerung, Wassermangel, Landschaftsübernutzung bis zur Versteppung und Verwüstung und eine darauf basierende Massenarbeitslosigkeit schließen – jeder Faktor für sich und in der Summe sowieso – eine friedliche Koexistenz völlig aus. Wenn Israel den Frieden also wirklich will, darf die Zufriedenheit der arabischen Bevölkerung nicht länger ausgeklammert werden – und umgekehrt natürlich auch. Allein schon das Nachdenken über die Frage, welche Forderungen der Palästinenser berechtigt sind, würde zu der Schlussfolgerung führen, mit dem aussichtsreichsten Zug sofort zu beginnen! Beide Seiten sollten auch nicht übersehen, dass dieser Konflikt nach über 50 Jahren für uns Europäer langweilig zu werden beginnt! Das Gefährliche an dieser »Weltermüdung« liegt für die betroffenen Länder des Nahen Ostens darin, dass Israel – im Gegensatz zu seinen Nachbarn – als Atommacht in der Lage ist, zwischen dem »Schrecken ohne Ende« und einem »Ende mit Schrecken« wählen zu können. Die Amerikaner sehen inzwischen ein, dass es ein schwerer Fehler war, den Iran und den Irak aufgerüstet und Israel sogar in eine Atommacht verwandelt zu haben. Hoffentlich lässt sich diese späte Einsicht und Reue auch auf die in Israel gebunkerten ABC-Waffen übertragen, die in einem derart kleinen Land doch sowieso nur selbstmörderisch eingesetzt werden könnten, also völlig deplaziert sind und daher sofort in die Wüste von Utah zurückverlagert werden sollten – bevor man sie dort endgültig verschrottet. Wenn dann das norwegische Parlament noch zwei oder meinetwegen auch drei Friedensnobelpreise dazulegen würde und Deutschland der Welt hoch und heilig verspricht, nie wieder U-Boote an Israel zu liefern, dann wäre dem gesunden Menschenverstand doch zumindest schon mal ein roter Teppich ausgerollt. Verzeihung, ich bin vom Thema etwas abgewichen; aber das musste einfach mal sein, weil wir Freiwirte es leid sind, in die Ecke der naiven Weltverbesserer gestellt zu werden, »die sich einbilden, mit ihrer Land- und Geldreform alle Probleme dieser Welt lösen zu können.« So der immer wiederkehrende Vorwurf von Autoren, die einfach nicht wahrhaben wollen, dass es ohne Zufriedenheit keinen dauerhaften Frieden geben kann. Lassen wir uns also nicht davon abbringen, diesem Ariadnefaden auch weiter zu folgen.

Unsere Überzeugungsarbeit sei aber zunächst nur eine reine Informationsarbeit. Oft scheitern Versuche, weil die zu Überzeugenden vorher nicht gut genug informiert wurden. Nicht immer gleich die Zusammenhänge aufzeigen; es macht schließlich viel mehr Spaß, die z.T. wirklich atemberaubenden Zusammenhänge selbst zu erkennen. Abraten möchte ich auch von der zu frühen Behauptung, man wisse genau, wie z.B. Arbeitsplätze aus dem Hut gezaubert werden können. Die Gefahr, dass man uns weder glaubt noch richtig zuhört, ist bei diesem Thema heute so groß wie bei der Vorstellung eines neuen todsicheren Lottosystems. Der Bundeskanzler stellt sich ja auch nicht breitbeinig vor das Millionenheer der Arbeitslosen und verspricht ihnen im Fernsehen: »Kopf hoch, Leute! Gebt mir noch zwei Jahre, dann habt ihr alle einen gutbezahlten Job.« Er tut es nicht, weil er von seinem Kabinett, von den Gewerkschaften und von der Wirtschaft für verrückt erklärt würde. Auch die Arbeitslosen würden ihm nicht glauben. Bevor wir uns selbst der Gefahr aussetzen, von den Menschen nicht ernst genommen zu werden, weil wir das von allen Gewünschte (aber nicht für möglich Gehaltene) zu früh auf den Sockel der Erreichbarkeit stellen, schwenken wir von der unglaublichen Schaffung von Arbeitsplätzen zur täglich praktizierten Vernichtung von Arbeitsplätzen. Und siehe da: auf einmal decken sich unsere Ansichten mit denen unserer Zuhörer. Das glauben sie uns gern, und schon ist das Eis gebrochen. Darum auch hier zunächst das Negative:

Ein Unternehmer beschäftigt 200 Arbeiter und Angestellte. Der Betrieb ist eingeführt, die Auftragslage ist erfreulich. Die Menschen sind froh, einen sicheren Arbeitsplatz zu haben, und der Unternehmer ist froh, so vielen Menschen Arbeit und Lohn bieten zu können. Er ist mit Recht stolz darauf. Sein Unternehmergewinn, also das, was er für sich selbst und den Betrieb abzweigen kann, schwankt seit Jahren zwischen ausreichend und sehr gut. Da keine Erben zur Verfügung stehen, sieht sich der Unternehmer mit 65 Jahren gezwungen, den florierenden Betrieb zu verkaufen. Ein Käufer ist schnell gefunden, der geforderte Preis wird freudig akzeptiert, und auch der Betriebsrat findet kein Haar in der Suppe. Unter dem neuen Besitzer läuft scheinbar alles wie bisher. Es dauert keine zwei Jahre, da wird dem Betriebsrat mitgeteilt, dass das Unternehmen tief in den roten Zahlen stecke und darum zum Jahresende stillgelegt werden müsse. Was war passiert? Der Käufer hatte, um das Unternehmen kaufen zu können, bei seiner Bank einen Kredit über meinetwegen 10 Millionen Euro aufnehmen müssen. Bei 6 % Zinsen müssen jetzt 600.000 Euro allein an Zinskosten pro Jahr zusätzlich (!) erwirtschaftet werden. Die Auftragslage ist zwar unverändert prächtig, aber das nützt den 200 Arbeitern und Angestellten wenig, denn der neue Besitzer hat nicht etwa – wie sein Vorgänger – das Schicksal von 200 Personen und deren Familien im Auge, sondern eine Bank im Nacken, und die will jetzt Zinsen sehen. Groteskerweise würde die Lage der Arbeiter auch dann nicht besser sein, wenn der neue Besitzer die Fabrik mit Hilfe eines steuerfreien Lottogewinns erworben hätte, denn

76

selbst in solchen Fällen setzen Kapitalisten (in der Zinswirtschaft) voraus, dass der Betrieb eine Rendite abwerfen kann, die (zusätzlich zum Lohn, den sich der Unternehmer selbst zahlt) mindestens so groß sein muss wie der auf dem Kapitalmarkt erzielbare Zins! Andernfalls zieht sich das Kapital zurück – ohne Rücksicht auf das Schicksal der davon betroffenen Menschen. Die Natürliche Wirtschaftsordnung (NWO) würde in dieser Standardsituation das Schicksal der 200 Arbeiter selbstverständlich über die Interessen des Kapitals stellen. Da Kapitalgeber in der NWO keine Zinsansprüche stellen könnten, entfiele der Anlass, den Betrieb wegen unbezahlbarer Zinsen stillzulegen, zumal der Unternehmer auch noch froh sein kann, die in das Unternehmen hineingesteckten 10 Millionen Euro vor dem Abschmelzen durch die Umlaufgebühr gerettet zu haben! Wir erinnern uns: Nur stillgelegtes, der Wirtschaft entzogenes Geld wird in der NWO mit einer Umlaufgebühr auf Trab gebracht. Durch Wohlverhalten – und die Erhaltung von Arbeitsplätzen durch die Übernahme einer Fabrik ist weiß Gott ein Wohlverhalten – entgehen wir dieser »Geldsteuer«.

In der heutigen Zinswirtschaft muss ein Betrieb dagegen immer »rentabel« sein, um überleben zu können; und mit rentabel ist nichts anderes gemeint, als den unverschämten »Anspruch auf Zins« bedienen und ertragen zu können! In der NWO muss der gleiche Betrieb nicht mehr rentabel, sondern nur noch lohnend sein, d.h. er muss jetzt – neben den übrigen Kosten – nur noch den Lohn der Arbeiter und den des Unternehmers erwirtschaften können. Die Rentabilität, von der allenthalben so hochtrabend die Rede ist, hängt wie ein Damoklesschwert über den Betrieben und entscheidet über Arbeit oder Arbeitslosigkeit, je nachdem, ob die Renditeerwartungen der Aktionäre oder die Zinserwartungen der Kapitalgeber erfüllt werden können oder nicht. 90 % der davon betroffenen Bevölkerung lassen sich diesen vermeidbaren (!) Unsinn gefallen und fügen sich geradezu sklavisch in dieses Zinsdiktat, als wäre es von Gottvater persönlich erlassen worden. Doch zurück zu den 200 Arbeitern, die jetzt mit schäbigen Sozialplänen abgespeist und anschließend in die Arbeitslosigkeit entlassen werden, obwohl der Betrieb mit vollen Auftragsbüchern floriert, aber eben nicht mehr »rentabel« ist. Vielerorts werden derartige oder ähnliche »Firmenzusammenbrüche« sogar von langer Hand vorbereitet und »klug eingefädelt«, um anschließend auf dem wertvollen Fabrikgelände z.B. Bürohochhäuser hochziehen zu können. Der Staat unterstützt diesen Arbeitsplatzvernichtungswahnsinn u.a. mit lukrativen Abschreibungsmöglichkeiten; und kein Mensch fragt mehr danach, warum die Abgeordneten seinerzeit der gesetzlichen Grundlage dieser Kapitalschweinereien ihre Zustimmung gegeben haben. Das Elend der zu Unrecht in die Arbeitslosigkeit Beförderten ist also in der Regel immer mit satten Gewinnen verbunden, die den Krisengewinnlern zugute kommen und vom Staat hoheitlich gedeckt werden. Besonders brutal tritt dieser Arbeitsplatzvernichtungsmodus bei Fusionen in Erscheinung: Die Aktionäre jubeln, die Arbeiter stehen anschließend zu Tausenden auf der Straße. Die Regierung bedauert es zwar, lässt es aber geschehen und wundert sich dann über die Politik- und Staatsverdrossenheit der Jugend! Für die Daimler-Benz AG z.B. war es vor einigen Jahres »günstiger«, mehrere Tausend Facharbeiter rauszuschmeißen, anstatt dieses kostbare und in Jahrzehnten aufgebaute Fachwissen und Können mit dem reichlich vorhandenen Geld für eine zukunftsorientierte Produktion (z.B. Solartechnik) zu nutzen. Da die Gewinne laufend abgezweigt wurden und sich auf über 10 Milliarden Euro hochgeschaukelt hatten, die weltweit gegen hohe Zinsen ausgeliehen wurden, verdiente die Daimler-Benz AG schließlich mehr Geld mit ihrem Geld als mit dem Bau von Autos der Marke Mercedes! Weil sich Staat und Gesellschaft das so schön gefallen ließen, ist man jetzt noch einen Schritt weiter gegangen. Schon bald nach der Fusion mit Chrysler ist bei DaimlerChrysler, wie der Konzern sich jetzt nennt, der Entschluss gefallen, eine »Vollbank« zu gründen und zwar die DaimlerChrysler Bank. Das sei eine logische Konsequenz aus der verstärkten Konzentration auf das »Finanzdienstleistungsgeschäft«, ließ der Konzern über die Nachrichtenagenturen verbreiten; und ich war immer der Meinung, die wären mit dem Bau von Autos befasst! Bei Siemens und anderen Konzernen sieht es so ähnlich aus. Der

Staat und die Steuerzahler kümmern sich um die arbeitslos geworbenen Facharbeiter, die Aktionäre kümmern sich liebevoll um die stattlichen Gewinne. Die Gewerkschaften haben diese merkwürdige Arbeitsteilung zwar immer wieder lauwarm angeprangert, sind aber weder willens noch in der Lage, den entlassenen oder von der Entlassung bedrohten Facharbeitern einen Ausweg zu beschreiben, der aus dieser typischen Falle der brutalen Zinswirtschaft herausführt.

Es geht mir – wie schon mehrfach angedeutet – nicht um Leser/innen, die den von Silvio Gesell gefundenen (und von seinen Nachfolgern weiterentwickelten) Weg nur zur Kenntnis nehmen, um anschließend zur Tagesordnung überzugehen. Für unser passives Wissen können sich die Ahnungslosen und Ratlosen, die Wehrlosen und Verzweifelten nichts kaufen. Richten wir statt dessen unser neues Wissen gezielt auf den erst noch gemeinsam zu entwickelnden Hohlspiegel, damit dieser Spiegel (und eines Tages hoffentlich auch DER SPIEGEL!) das unübersehbare Licht der Erkenntnis wie ein Brennglas auf die fetten Bäuche der Krisengewinnler konzentriert, bis es diesen Leuten zu ungemütlich wird und sie die Stellung wechseln, bevor es nach gebratenem Bauchfleisch zu riechen beginnt.

Fassen wir das 5. Kapitel noch mal zusammen:

a) Über 90 % der Bevölkerung werden Nutznießer der NWO sein. Weltweit sind es sogar 98–99 %!

b) Laut Focus sind zur Durchsetzung des Euro von der Europäischen Kommission 160 Journalisten und Professoren für eurofreundliche Jubelberichte eingekauft worden.

c) Weite Teile der Bevölkerung scheinen dankbar dafür zu sein, über unser Geldsystem nicht nachdenken zu müssen. So bleibt dieses Thema denen überlassen, die mit dem Geld-Analphabetentum der Bevölkerung etwas anzufangen wissen!

d) Ein Bundestagsabgeordneter wird im Schnitt von sechs Lobby-isten »beraten«, informiert und »bearbeitet«. Abstimmungs-ergebnisse im Bundestag – das belegen die bekannt gewordenen Skandale der Nachkriegszeit eindeutig – sind darum traditio-nell nicht astrein. Da erfahrungsgemäß immer nur Bruchteile der illegalen Machenschaften aufgedeckt werden, ist von einer relativ hohen Dunkelziffer auszugehen. Rechnet man die Kor-ruptionsfälle in deutschen Bauämtern hinzu (allein in Frank-furt am Main sind 2002 über 200 Fälle anhängig gewesen), muss damit gerechnet werden, dass Jurastudenten und Juris-ten aus Mittelamerika (im Gegenzug) demnächst zu Studien-besuchen in die Bananenrepublik Deutschland eingeflogen werden.

e) Von 1999–2003 konnten 5.600 SPD-Mandatsträger/innen mit Hilfe der »Apfel-Brief-Aktion-SPD« erreicht und über die NWO informiert werden. Weitere Zielgruppen, wie z.B. Kir-chen, Universitäten, Naturschutzverbände, Gewerkschaften etc. werden in noch nicht festgelegter Reihenfolge mit spezi-ellen Apfel-Briefen »bedient«. Die Apfel-Brief-Aktionen wer-den erst dann beendet, wenn die Medien ihre ruchlose Taktik des Totschweigens aufgegeben haben.

f) Auch völlig intakte Betriebe mit guter oder sogar sehr guter Auftragslage und internationaler Konkurrenzfähigkeit werden zur Stilllegung »freigegeben«, wenn der Profit nicht mehr das bringt, was auf dem Kapitalmarkt bei geringerem Risiko auch ohne Arbeit zu erzielen wäre.

g) In der heutigen Zinswirtschaft werden also vorhandene Arbeitsplätze »abgebaut« und neue oft gar nicht erst geschaf-fen, weil das Kapital (»scheu wie ein Reh«) die Flucht ergreift. In der NWO stehen diese Schlupflöcher dann nicht mehr zur Verfügung. Nicht die Arbeiter werden in der NWO »freige-stellt«, sondern das Kapital! Betriebe, die heutzutage unbe-dingt profitabel sein müssen, brauchen in der NWO nur noch lohnend sein, um Dauerarbeitsplätze erhalten und schaffen zu können.

h) Sichere Arbeitsplätze und ein gutes Einkommen für alle (!) sind nicht die einzigen Faktoren menschlicher Zufriedenheit, aber zwei besonders wichtige, ohne die es auf Dauer keinen Bürger- und Völkerfrieden geben kann.

Oder auch nicht

Bänke und Banken sind kalt; oder auch nicht.
Er hat die Hypothekenzinsen nicht mehr aufbringen können.
Sogenannter Beratungsfehler der Bank; oder auch nicht.
Hat dann eine passende Wohnung gesucht und Gott sei Dank
auch eine bezahlbare gefunden; oder auch nicht.
Wurde dann auch noch arbeitslos. Wird schon wieder was
finden; oder auch nicht.
Dann kam die Scheidung dazu. Wäre zu verhindern gewesen,
schon wegen der Kinder; oder auch nicht.
Zählt jetzt zu den Nichtsesshaften, die auf den Ämtern immer
so freundlich begrüßt werden; oder auch nicht.
Über seinen Fall sitzen Experten zu Rate, die sich vorstellen
können, wie ausgekühlt und steif der Körper morgens ist;
oder auch nicht.
Aber er versteht es, seine Interessen wahrzunehmen;
oder auch nicht.
Wenigstens ernährt er sich immer noch vernünftig; oder auch nicht.
Dem Alkohol hat er bisher jedenfalls widerstehen können;
oder auch nicht.
Immerhin ist ihm die Gesundheit geblieben; oder auch nicht.
Morgens stehen ihm sanitäre Einrichtungen zur Verfügung;
oder auch nicht.
Hunger und Durst halten sich in Grenzen; oder auch nicht.
Auf dem Marktplatz steht ein Plakatständer,
an dem er achtlos vorüber geht; oder auch nicht.
Da wird ein Vortrag über Silvio Gesell angekündigt;
oder auch nicht.
Der Name Gesell kommt ihm bekannt vor; oder auch nicht.
Er geht da abends einfach mal hin; oder auch nicht.
Die spezielle Begrüßung der Arbeitslosen
findet er lächerlich; oder auch nicht.
Ärgert sich hinterher, einen ganzen Abend seines Lebens
geopfert zu haben;

oder auch nicht!

Das Wunder von Wörgl

6 Edison, einer der größten Erfinder der Menschheit, hat sich nicht vorstellen können, dass es einmal möglich sein wird, drahtlos »durch die Luft« zu telefonieren. Ich selbst habe 1946 als neunjähriger Volksschüler nicht glauben können, dass bewegte Bilder – wie im Kino – über weite Strecken durch die Luft gesendet werden können; und ich erinnere mich noch gut daran, richtig ärgerlich geworden zu sein, als mein Lehrer bei seiner Behauptung blieb. Um so größer ist heute mein Respekt vor Menschen, die zur Abwechslung auch mal an etwas glauben können, was nicht sofort bewiesen werden kann. Dieser vorauseilende Glaube schließt ja den nachgereichten Beweis nicht aus. Wer aber überhaupt nicht glaubt, wird auch nicht die Ausdauer und Kraft aufbringen, den die Beweisführung vorauszusetzen pflegt. Für die österreichische Gemeinde Wörgl (und für die ganze Welt!) wäre es ein großer Verlust gewesen, wenn dem Bürgermeister Michael Unterguggenberger 1932 der rechte Glaube gefehlt hätte, denn er wagte ein Experiment, das als das *Wunder von Wörgl* in die Geschichte des Geldes eingegangen ist. Der schweizer Freiwirt Fritz Schwarz, ein persönlicher Freund und Mitstreiter Silvio Gesells, hat diesem tapferen Mann durch sein Buch »Das Experiment von Wörgl« ein wunderbares Denkmal gesetzt.

Wie so viele Gemeinden und Städte jener Zeit wurde auch Wörgl mit seinen damals 4.216 Einwohnern von der Rezession erfasst und von hoher Arbeitslosigkeit heimgesucht. Der bei der Innsbrucker Sparkasse hochverschuldete Ort war nicht mehr in der Lage, die inzwischen aufgelaufenen Zinsen (50.000 Schilling) zu bezahlen. »Ausgesteuerte« Arbeitslose fielen scharenweise der Armenfürsorge zur Last. In weiten Teilen Österreichs und Deutschlands sah es damals nicht anders aus: Verzweifelte Familienväter sahen oft keinen anderen Ausweg mehr, als sich das Leben zu nehmen. In Wörgl richteten sich die Hoffnungen der Verzweifelten und Gedemütigten auf den tüchtigen Bürgermeister Michael Unterguggenberger, doch der hatte – bis auf die Armenspeisung – schon lange nichts mehr zu verteilen. Ihm ging das heute kaum noch zu beschreibende Elend der Arbeitslosen und deren Familien so zu Herzen, dass er keine Ruhe mehr fand und über einen rettenden Ausweg aus der Not nachzudenken begann. Seine Gedanken kreisten um die Natürliche Wirtschaftsordnung (NWO) Silvio Gesells. Eines Tages fasste er den Entschluss, Gesell beim Wort zu nehmen. Dessen Erkenntnis und Behauptung, dass ständig umlaufendes Geld Arbeit schafft, während eingesperrtes Geld Arbeiter aussperrt, ließ ihn nicht mehr los, denn genau da lag auch in Wörgl der Hase im Pfeffer: Wie in Zeiten der Rezession üblich, verlangsamte sich der Geldumlauf in Wörgl zusehends, weil mit dem Hinauszögern von Einkäufen für die Konsumenten leider auch Vorteile (sinkende Preise) verbunden waren. In ihrer Ahnungslosigkeit sägten die Leute also ausgerechnet den Ast ab, auf dem sie selbst saßen, indem sie den Metzger auf seiner Wurst und den Gärtner auf seinen Gurken sitzen ließen. Damals (wie heute!) fehlte den Menschen die Einsicht, dass der Segen des eigentlich »umlaufpflichtigen« Geldes durch ängstliche Kaufzurückhaltung ganz schnell in einen Fluch umschlagen kann. Michael Unterguggenberger war einer der Wenigen, denen dieser Zusammenhang bewusst war. Somit erkannte er natürlich auch die Gefahr, die durch das schädliche Verhalten der Bürger von Wörgl weiteren Auftrieb erhielt. Im Gegensatz zu den Bürgermeistern heutiger Zeit, die auch bei extrem hoher Arbeitslosigkeit in ihrem Amtsbezirk (Bremerhaven z. B. 20 %) gesetzestreu und »brav« ihren Vorschriften allererste Priorität einräumen, seelenruhig in den Urlaub fahren und eine stille Weihnacht zu genießen wissen, trat Unterguggenberger, nachdem seine Entscheidung gefallen war, unverzüglich und mit atemberaubender Konsequenz in Aktion. Um den Gemeinderat, die örtlichen Geschäftsleute, Handwerker, Bauern, kurz die ganze Gemeinde von der Notwendigkeit seiner Idee zu überzeugen, sprach er mit vielen zunächst unter vier Augen, dann in den Vereinen und schließlich auf Versammlungen vor der ganzen Bevölkerung über diesen einen rettenden Ausweg. Unterguggenberger schlug vor, den Wohlfahrtsausschuss der Gemeinde damit zu beauftragen, eine »Nothilfe Wörgl« ins Leben zu rufen. Bangenden Herzens, doch ohne zu zögern, stimmte die ganze Gemeinde – über alle Parteigrenzen hinweg – diesem mutigen Vorschlag zu. Die Nothilfe bestand »ganz einfach« darin, dass der Wohlfahrtsausschuss unter Mitwirkung und Leitung vertrauenswürdiger Persönlichkeiten aus Wörgl so genannte »Arbeitsbestätigungen« drucken ließ, die in Wirklichkeit aber reine Zahlungsmittel, also praktisch richtiges »Geld« waren. Sie wurden in folgenden Stückelungen herausgegeben: 2000 gelbe Arbeitsbestätigungen zu je 1 Schilling, 2.000 blaue zu je 5 Schilling und 2.000 rote zu je 10 Schilling. Mit nominal also nur 32.000 Schilling glaubte der Bürgermeister allen Ernstes die 4.216 Einwohner von Wörgl aus der Krise herausführen zu können. Mit nur 7,59 Schilling pro Person wollte dieser Mann allen Ernstes seine Stadt retten, so gründlich hatte er »Die Natürliche Wirtschaftsordung« Silvio Gesells gelesen und – viel wichtiger – auch verstanden! Die Nationalbank in Wien hatte jedoch Wind davon bekommen und behauptete völlig zu Recht, es handele sich bei den Scheinen um Geld und verwies unter Strafandrohung auf ihr Monopol. Dazu muss man wissen, dass die Nationalbank in Wien nicht etwa eine Bank des Staates Österreich war, wie der hochtrabende Name suggeriert, sondern eine ganz gewöhnliche Aktiengesellschaft, die von Privatbankiers kontrolliert wurde – wie übrigens fast alle Notenbanken auf der Welt – einschließlich der mächtigen amerikanischen Notenbank »Federal Reserve System«! Die Wiener Bankiers gerieten natürlich in helle Aufregung, weil sie ihre Zinseinnahmen den Bach hinuntergehen sahen und sich gesagt haben werden: »Wehret den Anfängen!« Aber davon ließ sich der Bürgermeister zum Glück nicht beeindrucken. Er schrieb nach Wien, dass man sich lediglich mit Arbeitsbestätigungsscheinen, also Quittungen für geleistete Arbreit versorgt habe, um wichtige Arbeiten in der Stadt endlich durchführen zu können und brachte das Experiment wie geplant auf den Weg.

Die Geldausgabe an die Bevölkerung erfolgte im Gemeindeamt, die Einlösung der Scheine wie bisher in den Geschäften oder bei der örtlichen Sparkasse. Die Besonderheiten dieses

Notgeldes waren natürlich erklärungsbedürftig und mussten der ganzen Bevölkerung vorher genau erläutert werden. Diese Aufgabe wurde damals von der Lokalzeitung »Wörgler Nachrichten« übernommen, und auch das ist aus heutiger Sicht eine kaum noch nachvollziehbare Sensation, denn welche Zeitung in Österreich oder Deutschland würde es heute wohl wagen, in täglichen Fortsetzungen die NWO Silvio Gesells und die Überlegenheit eines vom Zinsterror befreiten Geldes zu schildern? Weder regionale noch überregionale Zeitungen würden es heute riskieren, durch eine fundierte Zinskritik das gewaltige Anzeigengeschäft mit den Banken und Konzernen zu gefährden. Die großen Zeitungen und Zeitschriften müssen dem herrschenden Geld heute schon aus wirtschaftlichen Gründen Tribut zahlen, also so tief hinten reinkriechen, dass der Anspruch und die Behauptung vieler Zeitungen, unabhängig zu sein, nicht nur verlogen und frech, sondern einfach nur lächerlich ist. Auch in dieser Hinsicht stellte Wörgl eine bemerkenswerte Ausnahme dar, die man sich wohl nur aus der Not erklären kann.

Wichtigster Unterschied zum normalen Schilling, der in Wörgl selbstverständlich seine Gültigkeit behielt (also auch weiterhin genutzt werden konnte), war die von Silvio Gesell vorgeschlagene Gleichstellung des Geldes mit den verderblichen Waren. Es

verlor also langsam an Wert und zwar genau 1% pro Monat. Wer
den Arbeitswertschein länger als einen Monat ungenutzt bei sich
herumliegen ließ, musste ihn auf einem der zwölf aufgedruckten
Monatsfelder mit einer Wertmarke bekleben, die es im Gemeindeamt zu kaufen gab. Wer es unterließ, fand keinen Abnehmer
für sein »Geld«. Die Batterie eines jeden Arbeitswertscheines
war sozusagen immer wieder aufzuladen und zwar spätestens
am letzten Tag eines Monats. Klar, dass alle bemüht waren, die
Scheine noch vor den monatlichen Stichtagen wieder loszuwerden, um dadurch dieser kostenpflichtigen und lästigen Prozedur
zu entgehen.

Man weiß heute nicht, wen man mehr bewundern soll, Silvio
Gesell, der genau diese Reaktion der Geldbesitzer vorausgesehen hatte oder Michael Unterguggenberger, dem dieses sozial-
politische Meisterstück in Zeiten schwerster Not gelang, denn der
Freigeldversuch funktionierte auf Anhieb – allen Unkenrufen aus
Wien zum Trotz! Um das Experiment in Gang zu setzen und gleich
mit gutem Beispiel voranzugehen, kaufte die Gemeinde Wörgl
dem Wohlfahrtsausschuß (also sich selbst!) mit ganz normalen
österreichischen 1.000 Schilling die ersten Wörgler Arbeitswertscheine im Nominalwert von 1.000 Schilling ab, um damit die ersten Löhne jener Arbeiter zu bezahlen, die jetzt im Auftrage der
Stadt bei verschiedenen Projekten der Stadterneuerung endlich
eingesetzt werden konnten.

Dank der vorbildlichen Aufklärung durch die Wörgler Nachrichten wurden die Arbeitswertscheine überall in den Geschäften
der Stadt wie normales Geld akzeptiert, von den Geschäftsleu-
ten allerdings überraschend schnell zum Bezahlen rückständiger
Steuern verwendet, so dass die Gemeinde weitere Aufträge an
Handwerksbetriebe vergeben konnte. Als jedoch nach nur drei
Tagen von den erst 1.000 ausgegebenen Schilling der Gemeinde
bereits 5.100 Schilling an bezahlten Steuern zurückgeflossen
waren, wurde der Bürgermeister alarmiert, da sich der Buchhal-
ter diese wunderbare Geldvermehrung nur so erklären konnte:
»Da müssen bereits Geldfälscher am Werk sein!« Unterguggenberger soll darüber schallend gelacht haben. Vermutlich wird er

sich damals auch die Zeit genommen haben, seinen Mitarbeitern den Zusammenhang zwischen der Geldmenge und der Umlaufgeschwindigkeit des Geldes zu erklären (beides ist mit einander zu multiplizieren!). Da diese 1.000 Schilling, die innerhalb weniger Tage fünf Mal den Besitzer wechselten, einer Wirtschaftskraft von 5 x 1.000 Schilling entsprachen – und somit auch 5.000 Schilling Steuerschulden begleichen konnten, waren diese »schnellen« 1.000 Schilling in Arbeitswertscheinen für die Wörgler Wirtschaft so wertvoll wie 5.000 Original-Schilling, die im gleichen Zeitraum nur einmal kaufend in Aktion traten! Das lästige Aufkleben der Wertausgleichsmarken verführte die Bürger von Wörgl dazu, das Notgeld immer gleich zum Einkaufen zu verwenden oder zur Sparkasse zu bringen. Der störungsfreie und kontinuierliche Umlauf der Arbeitswertscheine ermöglichte es der Gemeinde Wörgl, mit der lächerlich klein anmutenden Summe von 32.000 Schilling im Laufe von nur dreizehn Monaten enorme Aufträge an die heimische Wirtschaft zu vergeben und die Arbeitslosigkeit sensationell um 25 % zu senken, während sie im übrigen Lande (und in Europa) um weitere 10 % stieg. Die Aufzählung dessen, was durch die mutige und ungesetzliche (!) Eigenmächtigkeit des Bürgermeisters geschaffen werden konnte, macht auch heute noch sprachlos: Bau einer Skischanze (bauen Sie heute mal eine Skischanze!) Asphaltierung mehrerer Straßen, Bau einer Betonbrücke, Kanalisation des Gemeinde- und Schulhauses, Einrichtung einer weiteren Notstandsküche, Umgestaltung eines Parks am Bahnhof, Modernisierung der Straßenbeleuchtung usw. Wörgl verwandelte sich in einem Meer der Verzweiflung zu einer Insel der Hoffnung in Europa. Kein Wunder also, dass Journalisten, Gewerkschaftler, Unternehmer, Professoren, und Minister (u.a. der spätere französische Ministerpräsident Edouard Daladier) aus aller Welt nach Wörgl kamen, um durch eigene Untersuchungen vor Ort eine Erklärung für dieses Wunder oder doch wenigstens ein Haar in der Suppe zu finden. Der Bürgermeister ging aber auch selbst über das Land, um in Vorträgen vor Amtskollegen aus ganz Österreich zu sprechen und trat damit eine Lawine los, die bei der Nationalbank in Wien nun endgültig die Alarmglocken schrillen ließ: 178 österreichische Gemeinden fassten den Entschluss, dem Beispiel von Wörgl zu folgen! Die Gemeinden Kirchbichl und Kitzbühl hatten bereits eigene und ebenso erfolgreiche Freigeld-experimente anlaufen lassen; in Brixen und Westendorf warte-ten die nicht ganz so mutigen Bürgermeister nur noch auf den Ausgang eines laufenden Gerichtsverfahrens, das Michael Unter-guggenberer trotz seiner Gespräche mit dem Bundeskanzler in Wien und mit der Tiroler Landesregierung nicht hatte abwenden können.

Es wäre damals natürlich ein Leichtes gewesen, der Notlage gehorchend entsprechende Ausnahmeregeln gesetzlich zu veran-kern. Das wäre der Durchbruch gewesen und ohne jeden Zwei-fel eine Sternstunde in der Geschichte der Menschheit. Aber die Österreichische Nationalbank in Wien fand in der Tiroler Lan-desregierung genug Dumme, die sich vor den Karren der Wiener Privatbankiers (!) spannen ließen. Wörgl wurde wider jede Ver-nunft und unter Androhung von Polizeigewalt und gerichtlichen Konsequenzen gezwungen, das segensreich zirkulierende Frei-geld wieder einzusammeln und zum leicht hortbaren Schilling zurückzukehren. Die Folgen ließen natürlich nicht lange auf sich warten: Arbeitslosigkeit und Not kehrten schlagartig in die Fami-lien zurück. So mächtig wie heute war also auch damals schon das herrschende Kapital. Österreich verschlief eine der größten Chancen des 20. Jahrhunderts und bezahlte die von der Presse z.T. auch noch beklatschte Dummheit schon wenige Jahre später mit dem »Anschluss« an Nazideutschland, mit Terror, Judenmord und Krieg. Wer heute durch Wörgl schlendert und die Leute fragt, ob ihnen der Name Michael Unterguggenberger etwas sagt, wird selten fündig. Die Finanzgewaltigen verfolgen ihn – wie sein gro-ßes Vorbild Silvio Gesell – bis über den Tod hinaus durch wohl kalkuliertes Verschweigen und verhindern so ein allgegenwärti-ges Andenken, das den Menschen in Wörgl, in Österreich und in aller Welt Hoffnung machen könnte und Verpflichtung sein würde. Es hat aus diesen Kreisen heraus auch nicht an Versuchen gefehlt, das Wunder von Wörgl nachträglich in einem etwas klei-neren Licht erscheinen zu lassen. So wird beispielsweise behauptet, dass die vom Freigeld (frei, weil zinsbefreit) erzeugte Hochkonjunktur früher oder später an ihre Grenzen gestoßen und schließlich zusammengebrochen wäre. Dem steht das bis heute unwiderlegte Vermächtnis Silvio Gesells gegenüber und die Aussage des amerikanischen Ökonomen Prof. Irving Fisher, der seinen Assistenten extra nach Wörgl geschickt hatte: »*Freigeld, richtig angewendet, würde die Vereinigten Staaten in drei Wochen aus der Krise herausbringen.*« Seine an Franklin Roosevelt gerichtete Empfehlung wurde von diesem strikt abgelehnt, obwohl die USA seinerzeit von schwerer Rezession und Massenarbeitslosigkeit gebeutelt wurden und verzweifelt nach einem Ausweg aus der Krise suchten. Doch Roosevelt, der als neugewählter Präsident der USA gerade in den 33. Grad der größten amerikanischen Freimaurerloge aufgerückt war, fühlte sich dieser höheren Macht verpflichtet und veranlasste, dass ein paar hundert über das ganze Land verteilte Freigeldexperimente schon im Keim erstickt wurden, obwohl (oder gerade weil!) sich die ersten Erfolge dieser Versuche bereits abzuzeichnen begannen!

In Wörgl hatte Gesell mit Unterguggenberger seinen Meister gefunden, dem es gegeben war, die Funktionstauglichkeit der Natürlichen Wirtschaftsordnung (NWO) erstmalig vor den Augen der ganzen Welt selbst unter schwierigsten Umständen zu beweisen. Erst die geballte Macht des tief erschrockenen Großkapitals hat den Freiwirt Michael Unterguggenberger gestoppt und diesen Pionier der Freiwirtschaft um die zum Greifen nahen Früchte seines Mutes gebracht. Möge uns schon bald sein ehrlicher Blick von Banknoten und Briefmarken entgegenleuchten; er – wie kaum ein anderer – hätte es verdient!

Einer, der den Sprung auf eine Banknote und die Briefmarken seines Landes längst geschafft hat, ist der ehemalige österreichische Finanzminister, Nationalökonom und Zinsforscher Prof. Dr. Eugen von Böhm-Bawerk, der den Zins u.a. mit der Differenz zwischen dem heutigen und späteren Wert der Güter erklärte und verteidigte. Silvio Gesell hat ihn zwar schon 1913 widerlegt (siehe Band 7 und 8 der gesammelten Werke Gesells), aber mit seinem Hauptwerk »Geschichte und Kritik der Kapitalzins-Theorien«

war der Zinsverharmloser und Zinsverherrlicher Böhm-Bawerk längst zu einer uneinnehmbaren Festung der Kapitalisten aller Länder (vereinigt euch) geworden. In der Frankfurter Allgemeinen, dem kapitalsten aller deutschen Blätter für das ungenierte Zinsnehmen, wurde vor einigen Jahren in großen Anzeigen jener Zinseszinsler gedacht, die das ominöse Werk von Böhm-Bawerk bisher nur in der leinengebundenen Ausgabe in der staubgeschützten Vitrine stehen hatten. All denen kann jetzt aber geholfen werden, weil das für die Rechtfertigung des Zinses offenbar immer noch unverzichtbare Werk nun endlich auch in einer repräsentativen schweinsledernen Luxusausgabe mit Goldschnitt, Schuber und Echtheitszertifikat zu haben ist. Ich bin ja kein Psychologe, leider; aber wenn ich einer wäre, würde ich mir diese Schweinelederpracht wie das Pfeifen im Walde erklären. Hat nicht auch die DDR zum 40. Jahrestag ihrer Staatsgründung (und kurz vor ihrem Untergang) noch einmal besonders tief empfundene Jubelfeiern arrangiert und Briefmarken herausgegeben, die in ihrer Prächtigkeit für die Ewigkeit gemacht zu sein schienen?

Fassen wir das 6. Kapitel noch mal zusammen:

a) Obwohl sich der große Erfinder Edison eine drahtlose Telegraphie nicht vorstellen konnte, feierte diese Technik schon kurz darauf Triumphe.

b) Das Experiment von Wörgl konnte vorbereitet, gestartet und erfolgreich durchgeführt werden, weil der Bürgermeister Unterguggenberger zuvor Silvio Gesell gelesen hatte und von der Wirksamkeit der NWO nicht nur selbst überzeugt war, sondern auch andere davon überzeugen konnte. Was für ein Vorbild!

c) Ohne den Mut und die Risikobereitschaft des Bürgermeisters Unterguggenberger hätte »das Wunder von Wörgl« nicht stattfinden können. Normalerweise neigen Bürgermeister dazu,

sich vor dem Geßlerhut *Dienst nach Vorschrift* bis zum Band-
scheibenvorfall zu verneigen.

d) Obwohl die DDR ihren 40. Jahrestag besonders feierlich und
   pompös zelebrierte, war sie schon kurz darauf für immer von
   der Bildfläche verschwunden. Daran denke, wer sich das Ende
   der Zinsknechtschaft nicht oder noch nicht vorzustellen vermag!

Pilze auf den Fluren der Arbeitsagenturen?

Die Frage, was mit den Arbeitsämtern geschehen soll, die sich inzwischen Arbeitsagenturen nennen, stellt sich natürlich erst bei Eintritt der Dauervollbeschäftigung. Aber – es könnte nicht schaden, auf den Ernstfall vorbereitet zu sein: Abriss oder Umbau in Studentenwohnheime; das ist die Frage. Stehen wasserdichte Fußböden und erstklassige Verdunkelungsmöglichkeiten zur Verfügung, könnte ich mir als gelernter Gärtner auch vorstellen, auf den Fluren der Arbeitsagenturen hochwertige Pilze zu züchten. Die bei der Umschulung des überflüssig gewordenen Personals entstehenden Probleme sollten nicht übertrieben werden, denn immerhin können wir auf Erfahrungen zurückgreifen, die seinerzeit mit den Hufschmieden gemacht wurden, als Millionen Pferdegespanne innerhalb weniger Jahre durch Traktoren ersetzt werden mussten.

Warum Wachstum?

7 Wenn sich ein deutscher Bundeskanzler im Fernsehen zur Lage der Nation oder zur Wirtschaft äußert, fallen schon nach wenigen Sekunden die Worte Wachstum und Wirtschaftswachstum. Und dann geht es plötzlich Schlag auf Schlag: Wachstum, Wirtschaftswachstum, Wachstum usw. Ich wollte mal mitzählen; aber das hätte mir ja doch keiner geglaubt, also unterblieb es; und so weiß man bis auf den heutigen Tag nicht genau, wie oft sich das magische Wort Wachstum in der Rede eines Kanzlers der Bundesrepublik Deutschland unterbringen lässt. Die Interviewpartner des Kanzlers, in der Regel handverlesene TV-Journalisten der Kopfnickerklasse, unterstreichen die Bedeutung der Wachstumsprognosen des Regierungschefs noch zusätzlich durch eine in Falten gelegte Stirn, die der überaus gelassen vorgetragenen Sachkompetenz des Kanzlers das journalistische Staunen fernsehgerecht gegenüberstellt. Um auch nicht die kleinste Nuance in der Mimik des Kanzlers zu verpassen, halten Arbeitslose beim Stichwort Wachstum den Atem an. Darum darf dieses Wort auch nicht zu oft fallen, denn die Leute müssen zwischendurch ja auch mal ausatmen können. Der Kanzler sagt es nicht rundheraus *(und das ist auch gut so)*, denn die Arbeitslosen haben es schon schwer genug, aber er fragt sie – zwischen den Zeilen versteht sich – ganz keck und ungeniert: Habt ihr nun endlich kapiert, dass euch nur noch mit Wirtschaftswachstum zu helfen ist? Das ist ein Wort! Und hochinteressant obendrein: Gebt mir den Zauberstab »Wirtschaftswachstum«, und ich werde euch Arbeitsplätze aus dem Hut zaubern, dass es nur so kracht! Hätten wir nur etwas mehr davon, und zwar Jahr für Jahr versteht sich, dann wären alle arbeitsmarktpolitischen Probleme gelöst. Das ist jedenfalls die einhellige Meinung der »Experten«, die den Kanzler mit dieser dürftigen Marschverpflegung in die Fernsehstudios und in den Wahlkampf schicken. Wie gern würde man diesen Experten Vertrauen schenken, ihnen alles aufs Wort glauben und hemmungslos dankbar sein dafür, dass sie sich dermaßen intensiv um all die Dinge kümmern, von denen wir – einschließlich Kanzler –

95

ja auch wirklich keine Ahnung haben. Was diesen »Fachleuten«
vorschwebt ist also ein Wirtschaftswachstum, das von keiner
Unterbrechung getrübt wird: Also, Wachstum in den Jahren 2005
und 2006, dann noch einmal Wachstum, und zwar in den Jahren
2007 und 2008. Ab 2009 dann interessanterweise nur noch Wachstum! Also Wachstum auf Wachstum, oder anders ausgedrückt:
Ewiges, exponentielles Wachstum! Ein solches Wachstum, das
wie beim Jesuspfennig durch den Verdoppelungs- bzw. Zinseszinseffekt die Umwelt zerstört, und zwar schon lange, bevor es
absurde Ausmaße angenommen hat, entzieht sich der menschlichen Vernunft und kann daher die instinktive Gefahrenerken-
nung, also den genetisch angelegten Selbsterhaltungstrieb des
Menschen, heimtückisch unterlaufen. Durchaus vergleichbar mit
einem tödlichen Krankheitserreger, dem es gelingt, das darauf
nicht oder noch nicht eingestellte menschliche Immunsystem zu
überlisten.

Seit Donella und Dennis Meadows 1972 in ihrem Buch *»Die
Grenzen des Wachstums«* die Ahnungslosen mit diesem Schlag-
wort konfrontierten, haben Politiker und Wirtschaftswissenschaftler (insbesondere letztere in ihrer Eigenschaft als »Kanzlerberater«) nicht aufgehört, eben diese Grenzen zu verschweigen, zu
verharmlosen und die pausenlose Grenzüberschreitung zu fordern. Haarsträubende Beispiele wie der Jesuspfennig oder die
bekannte indische Geschichte mit dem Schachbrett und den
Weizenkörnern haben eben den Nachteil, dass charakterlich
entsprechend positionierte Politiker und Wissenschaftler zu der
beruhigenden Einsicht gelangen, das sei doch alles nur ein Gedan-
kenspiel, das mit der Wirklichkeit wenig zu tun habe. Sie sehen
nicht, dass wir von dieser Wirklichkeit längst eingeholt worden
sind: Schon lange, bevor der Jesuspfennig durch den Zinseszinseffekt die nicht mehr vorstellbare Größe in Gold erreicht hat.
(über 50 Milliarden Goldklumpen von der Größe der Erde), zerstört er »natürlich« die Lebensgrundlagen auf unserem Planeten wie ein Krebsgeschwür, das ja auch nur deshalb nicht weiter-
wuchert, weil es sich durch den Krebstod des Patienten die eigene
Grube gräbt. Eine weitere Gefahr liegt darin, dass der Mensch

von Natur aus ein lineares Denken bevorzugt und – wie schon gesagt – über keinen Instinkt verfügt, der ihn vor den Gefahren exponentiellen Wachstums warnen könnte. *»Immer schön der Reihe nach«.* Wer kennt ihn nicht, diesen treudeutschen und gar nicht mal so unsympathischen Spruch. Wir lernen in der Schule: eins, zwei, drei, vier und wir können damit im Leben ja auch tatsächlich etwas anfangen. Was wir dagegen nicht lernen, ist, vor der folgenden Zahlenreihe einen Heidenrespekt zu haben; sie beginnt übrigens genau so harmlos wie die erste Zahlenreihe: Eins, zwei (aber dann!) vier, acht, sechzehn, zweiunddreißig, vierundsechzig, hundertachtundzwanzig usw. Schon nach wenigen weiteren Verdoppelungsschritten befinden wir uns im Millionenbereich. Mit dieser – nach hinten offenen – Zahlenreihe haben es jene zu tun, die sich – wie unsere »Wirtschaftsweisen« – ein ständiges Wirtschaftswachstum mit gleich bleibenden und möglichst auch noch ansteigenden Prozentsätzen wünschen. Wirtschaftswissenschaftler, die so wenig Verstand oder Verantwortungsbewusstsein haben, dass sie die tödlichen Gefahren des exponentiellen Wachstums in der Wirtschaft nicht erkennen und berücksichtigen, sollten je nach Eignung besser mit Gartenarbeit, Geigenunterricht oder Bienenzucht beschäftigt werden, aber auf gar keinen Fall mit der Beratung eines maximal vier Jahre vorausdenkenden Bundeskanzlers! Noch in der 3. Auflage dieses Buches habe ich für möglich gehalten, dass unsere Wirtschaftsweisen, die dem Kanzler für schlappe 45 Millionen Euro beratend zur Seite stehen, möglicherweise ja gar nicht wissen, was sie tun, und darum vorgeschlagen, für diesen erlauchten Personenkreis einschließlich Kanzler eventuell mildernde Umstände bis hin zur Narrenfreiheit gelten zu lassen. Inzwischen neige ich eher zu der Annahme, dass diese Krisenverursacher sehr wohl wissen, was sie da tun und darum vermutlich schon von der nächsten Generation als Wirtschaftskriminelle bezeichnet und zur Rechenschaft gezogen werden. Sie selbst rechnen eher mit Freispruch und geben sich der Hoffnung hin, obendrein auch noch mit einer fürstlichen Pension und einem Bundesverdienstkreuz am Hals in den Ruhestand geschickt zu werden. Nur mal angenommen, man würde dieser arroganten Truppe schon jetzt in Aussicht stellen, den Lebensabend zur Strafe mit einer Arbeiterwitwenrente zu bestreiten; ob das wohl helfen würde? So wie Schulkinder heute nach einem Holocaust-Film ihre Großeltern schon mal fragen:»Habt ihr das mit den Juden etwa auch gewusst und dennoch nichts unternommen?« werden wir selbst (!) uns schon in absehbarer Zeit die Frage gefallen lassen müssen:»*Warum seid ihr dem Wachstumswahn der Wirtschaftskriminellen nicht energischer entgegengetreten?*« Zweifellos werden sich die meisten hinter der Behauptung verschanzen können, das mit dem exponentiellen Wachstum gar nicht so richtig geschnallt zu haben. Spricht das – bei großzügiger Auslegung der Tatsachen und Umstände – nicht auch für eine Entlastung aller bisherigen Bundeskanzler und deren Berater?

Bevor wir uns zu dieser Frage eine passende Antwort erarbeiten oder zurechtlegen, sollte zunächst einmal die Frage geklärt werden, weshalb der Kanzler und die ihn umgebende Lobby eigentlich so scharf auf Wirtschaftswachstum sind. Wer Kinder heranwachsen sieht, macht normalerweise eine beglückende Erfahrung: Sie hören mit etwa 20 Jahren endlich auf zu wachsen. Selbst wenn man sie mit Steaks, Bratkartoffeln oder Mohnkuchen mästen würde, mit dem Längenwachstum wäre es ab zwanzig vorbei. Weder Hormonpillen noch Streckübungen würden daran etwas ändern. Selbst der Bundeskanzler wird mir in diesem Punkt zustimmen. Spezielle Gene sorgen dafür, dass uns dreieinhalb bis vier Meter hohe Kinder erspart bleiben, für die es vielleicht noch im Zirkus Sarasani, nicht aber bei der Bundeswehr oder bei Werder Bremen eine sinnvolle Verwendung gäbe. Auch Bäume hören irgendwann einmal damit auf, in die Höhe zu wachsen. Bäume – das ist schon aus der Bibel bekannt – wachsen eben nicht in den Himmel.

Das Wachstum ist ohne jeden Zweifel ein wunderbarer Teil der Schöpfung. Wunderbarerweise sind diesem Wachstum aber auch Grenzen gesetzt, die uns jedoch nicht weiter stören, die wir ganz im Gegenteil begrüßen und sehr erfolgreich zu nutzen wissen. Zwar ist es denkbar, dass Genforschern eines Tages doch mal Versuchsratten durch die Lappen gehen, die beim Wiedereinfan-

Wachstum muss sein

Kinder, Hühner, die Wirtschaft und Bäume müssen wachsen. Aber plötzlich ein Stillstand; alle haben irgendwann einmal ihren höchsten Punkt erreicht. Kirchturmhohe Hühner, die uns die Kinder in der großen Pause wie leckere Körner vom Schulhof wegpicken, bleiben uns erspart.
Gott sei Dank!

Nur die Wirtschaft soll angeblich immer weiterwachsen können. Erst bis zu den Wolken, dann bis zum Mond. Und das funktioniert? Nein; aber so lange die Bevölkerung dumm genug ist, an diesen perversen Unsinn zu glauben, können Wachstumsfanatiker in der Politik ihre Wahlchancen wachsen lassen: Je dümmer desto schlümmer!

gen die beachtliche Größe einer Wildsau erreicht haben, aber schön und erstrebenswert ist diese Vorstellung nicht. Nur wenn eine Stadt durch ein Erdbeben oder ein Land durch einen Krieg völlig zerstört wurde, ist Wachstum vorübergehend (!) wünschenswert und auch notwendig. Ganz ohne Zweifel war es angebracht, den Wiederaufbau Deutschlands nach dem zweiten Weltkrieg durch das berühmte Wirtschaftswunder, also durch Wirtschaftswachstum beschleunigt zu haben. Doch wie ein Baum, der nach 30 bis 50 Metern sein Längenwachstum einstellt und dann nur noch etwas in die Breite geht, hätte das Wirtschaftswachstum Mitte der sechziger Jahre einem »qualitativen Wachstum« weichen müssen. *(Qualitatives Wachstum liegt vor, wenn z. B. Eltern mit ihren Kindern nie oder nur einmal im Jahr ins Theater gehen*

und diese Frequenz auf einen Theaterbesuch pro Monat erhöhen.
Nennenswerte Umweltschäden sind mit der Überwindung des Kul-
turbanausentums nicht verbunden.) Statt dessen geriet die damalige Bundesregierung in Panik. Sie erlebte und durchlitt ihre erste
Wirtschaftskrise, versuchte, sich mit einer großen Koalition (die
uns demnächst wohl wieder blüht) Luft zu verschaffen und spendierte sich in einem Anfall naiver Verzweiflung das ulkige »Gesetz
zur Förderung des Wachstums und der Stabilität der Wirtschaft«,
auch Stabilitätsgesetz genannt. Was war geschehen? Eigentlich
nichts Ernstes. Die Bundesbürger hatten sich nach entbehrungs-
reichen Jahren mit einer Fresswelle getröstet und anschließend
Polstermöbel angeschafft, um das mit großem Fleiß Erreichte
auch bequem sitzend genießen zu können. Die Einrichtungswelle
bescherte der Möbelindustrie märchenhafte Zuwachsraten. Das
war übrigens auch die Zeit der Partykeller. Die Jüngeren wissen
mit dieser Bezeichnung vermutlich schon nichts mehr anzufangen und haben jedenfalls keine Ahnung davon, wie motiviert und
aktiv die Bundesbürger im Nachkriegsdeutschland gewesen sind.
Während die junge Frau oben im Haus die neuen Möbel einölte
und stundenlang (der Maserung folgend) polierte und die ganze
Wohnung mit einer Gründlichkeit putzte, wie sich die heutige
Handy-Jugend das nicht einmal vorstellen kann, verwandelte der
unermüdliche Ehemann nach Feierabend den ehemaligen Kar-
toffelkeller in monatelanger Heimarbeit geradezu verbissen in
einen holzgetäfelten fensterlosen Partykeller mit Hausbar, »Eis-
schrank« (heute sagt man Kühlschrank), richtigen Barhockern
und einem geschwungenen Tresen, mit dem jeder Tischlerlehrling
– wenn auch nur knapp – durch die Gesellenprüfung gekommen
wäre. Mit speziellen Liegen, weichen Teppichen, Haremskissen
aus Kunstleder, Schummerlicht und einem Vorrat an bezahlbarem
Weinbrand (Chantré) wurde damals versucht, eine Hemmschwel-
len herabsetzende Atmosphäre zu schaffen, die den Muff der
Kriegs- und Nachkriegsjahre endgültig vergessen ließ. Anfänger
tasteten sich zunächst nur hinter einer Spanischen Wand an neue
Erfahrungen heran; Fortgeschrittene amüsierten sich vor großen
Spiegeln. Mit lauter Hawaiimusik wurde den Kindern das Hor-

chen an der gesteppten Schallschutztür ausgetrieben und der neugierigen Nachbarschaft ein Strich durch die Rechnung gemacht. Das steigerte sich von Mal zu Mal bis hin zum Partnertausch beim Gruppensex im Licht einer Kerze. Das war übrigens auch die Zeit, als die nach neuen Freiheiten gierenden Bundesbürger beim Film »Sie tanzte nur einen Sommer« den Verkehr vor den Kinos zusammenbrechen ließen und katholische Pfarrer die nach Eintrittskarten anstehenden Besucher auf dem Bürgersteig händeringend und unter Androhung des Fegefeuers davon abzubringen versuchten, sich etwa drei Sekunden lang die wirklich wunderschönen Brüste der schwedischen Filmschauspielerin Ulla Jacobsen anzusehen. Dieses heute kaum noch fassbare Bemühen der schwarz gekleideten Kuttenträger damals nicht mit gestochen scharfen Fotos dokumentiert zu haben, das ärgert mich heute noch. Aber ich hatte einfach noch nicht das Geld für meine erste Kamera zusammen (Voigtländer Vito B). Des plumpen Konsumierens müde, hatten sich die Menschen jener Tage umorientiert und es zur Abwechslung mal etwas langsamer und genusserpichter angehen lassen. Eigentlich eine sehr vernünftige Reaktion, wie sie beispielsweise auch ärztlicherseits nach einem allzu üppigen Essen gern empfohlen wird, damit der Patient so schnell wie möglich über die Phase andauernden Rülpsens hinwegkommt oder zumindest das unkontrollierte Furzen in den Griff kriegt. Die Leute hatten sich endlich mit dem Allernötigsten versorgt und begannen sich darauf einzurichten, vor dem Radio, später vor dem ersten Fernsehapparat, den plüschigen Wohlstand zu genießen. Das hatten sich die Wirtschaftsbosse natürlich ganz anders vorgestellt. Industrie und Werbung mussten damals zur Kenntnis nehmen, dass der Grundbedarf nun gedeckt war. Eine halbe Million Arbeitslose (eine Zahl, die man heute als niedlich bezeichnen und mit Vollbeschäftigung gleichsetzen würde) ließen es der auf ewiges Wachstum programmierten Wirtschaft und Politik geraten erscheinen, ganz schnell einen einzigen Buchstaben auszuwechseln, um von der Bedarfsdeckung zur Bedarfsweckung übergehen zu können. Und tatsächlich: Von Stund an wurden – am Bedarf vorbei – auch völlig überflüssige, unsinnige und sogar schädliche Produkte auf den Markt gebracht. Was in den sechziger und siebziger Jahren des vorigen Jahrhunderts mit Hilfe der Reklame – heute heißt es ja Werbung – für ein Ramsch produziert wurde und den Leuten auch wirklich angedreht werden konnte, ist heute noch auf Flohmärkten und an Sperrmülltagen auf deutschen Gehsteigen zu bestaunen. Durch künstliche Bedarfsweckung – und das war neu – konnte also eine zweite Kaufrauschwelle ausgelöst werden, die aber schon bald an ihre Grenzen stieß, da den Konsumenten nun das nötige Kleingeld ausging und der Einkauf auf Pump noch nicht so gesellschaftsfähig war, wie er es heute ist. Die Industrie blieb also erneut auf einem Teil ihrer Waren sitzen und baute nun erstmalig nach dem Krieg Arbeitsplätze in größerem Umfang wieder ab. Vom bisherigen Wachstum verwöhnt – und davon ausgehend, dass dies auch immer so weitergehen müsse, standen Industrie, Gewerkschaften und Regierung dem wachsenden Heer der Arbeitslosen so ratlos gegenüber wie die jetzige Bundesregierung in Berlin. Dass sich die Zahl der Arbeitslosen bis 2005 nahezu verzehnfachen würde, ahnte damals noch keiner. Da es sich jetzt für das große Kapital plötzlich nicht mehr lohnte, in eine stagnierende Industrie zu investieren, wurden die überflüssig gewordenen Geldmengen auf den Kapitalmarkt geschwemmt, was natürlich die Zinsen nach unten drückte (der Zins ist bekanntlich der Knappheitspreis des Geldes).

In einer derartigen Situation greifen Kapitalisten zum bewährten Mittel der Geldhortung, um die Wirtschaft und den Staat durch eine Strategie des knappen Geldes zu zwingen, das zweckentfremdete Geld mit hohen Zinsgeschenken wieder aus den Rattenlöchern der Spekulanten herauszulocken. Kommen Wirtschaft und Staat dieser Erpressung der Kapitalisten nicht oder nicht schnell genug nach, gerät das Land durch Geldmangel an den Rand der Rezession, denn wie der Leserschaft schon mehrfach geschildert wurde, bringen schon kleinste Stockungen im Geldumlauf den Kreislauf der Wirtschaft ins Trudeln. Mit dem Stabilitätsgesetz zur Ankurbelung des Wachstums wurde 1967 eine vom großen Kapital begeistert gefeierte Möglichkeit geschaffen, Milliardenbeträge (gegen hohe Zinsen versteht sich) von den Tresoren der Zinserpresser praktisch ohne Risiko auf das Schuldenkonto des Staates zu lenken. In der Stunde der Not und zur Abwehr einer Katastrophe kann eine vorübergehende (!) Staatsverschuldung durchaus sinnvoll sein; doch hier ging es zum ersten Male in der Geschichte der Bundesrepublik Deutschland um den perversen Plan, ohne Rücksicht auf natürliche Sättigungstendenzen für unaufhörliches, exponentielles Wachstum zu sorgen! Der Staat spielte sich – von Zinsschmarotzern dazu angestachelt – zum Arbeitgeber auf, indem er das geliehene Geld der Reichen in Großprojekte fließen ließ und damit, wenn auch nur vorübergehend, neue Arbeitsplätze schuf. Atomkraftwerke, Autobahnen, sinnlose Kanalbauten (Rhein-Main-Donaukanal), Weltraumforschung und der Aufbau einer nach zwei verlorenen Weltkriegen nicht für möglich gehaltenen Rüstungsindustrie konnten ohne Rücksicht auf das Gesetz von Angebot und Nachfrage mit gepumptem Geld aus dem Boden gestampft werden. Da alle diese Projekte so gut wie keinen Gewinn abwarfen, andererseits aber mit gewaltigen Zinsforderungen der Kapitalgeber belastet waren (zeitweise zahlte ihnen der Staat über 8 % Zinsen!), blieb dem Staat nur der Ausweg, diesen Zuschussbetrieb durch Steuererhöhungen zu finanzieren. An dieses »Wachstum« hatten Arbeitnehmer und Gewerkschaften natürlich nicht gedacht, und so forderten diese als Ausgleich entsprechende Lohnerhöhungen, die nun ihrerseits die Arbeitgeber zwangen, die Preise zu erhöhen und/oder das Exportgeschäft gewaltig auszuweiten. Deutschland wurde Exportweltmeister aller Staaten dieser Erde! Jahr für Jahr konnten neue Rekorde aufgestellt werden – ohne Rücksicht auf Mensch und Natur; aber auch ohne Rücksicht auf jene Länder, die unsere Exportüberschüsse mit entsprechenden Importüberschüssen zu bezahlen hatten; d.h. wir verkauften auf Deubel komm raus, ohne diesen Ländern entsprechende Mengen von ihren eigenen Erzeugnissen abgekauft zu haben. Motto: Unsere Maschinen so teuer wie möglich verkaufen, die Rohstoffe der Entwicklungsländer zu Schandpreisen »übernehmen«. Von der Bevölkerung zunächst gar nicht bemerkt, unterließ es der Staat, in Zeiten der Hochkonjunktur die Schulden wieder abzutragen, was in den ersten Jahren durchaus noch möglich gewesen wäre und vom Erfinder der staatlichen Konjunkturankurbelung, dem englischen Ökonomieprofessor John Maynard Keynes, auch ausdrücklich vorgesehen war. Keynes, einer der bedeutendsten Nationalökonomen des 20. Jahrhunderts, war übrigens auch einer der wenigen Ökonomen von Weltrang, die sich der Bedeutung Silvio Gesells bewusst waren. Er schreibt in seinem Hauptwerk (siehe Literatur) sinngemäß, dass die Welt von Silvio Gesell mehr lernen kann als von Karl Marx. Ungeachtet der Empfehlungen von Prof. Keynes, ignorierte der Staat den Schuldenabbau, bagatellisierte die dramatisch zunehmende Staatsverschuldung und beschränkte sich darauf, den Geldgebern die Zinsgeschenke immer pünktlich und korrekt zu überweisen. Als die milliardenschwere Zinslast eines Tages die Zahlungsfähigkeit des Staates überforderte, dieser also weder die Schulden abbauen, noch die Zinslast in voller Höhe tragen konnte, wurden einfach neue Schulden aufgenommen, um wenigstens die Zinskassierer immer pünktlich bedienen zu können. Das nannte man dann »Neuverschuldung«. Diese lag zeitweise bei über 35 Milliarden Euro pro Jahr und muss natürlich Jahr für Jahr neben den inzwischen auf über 1400 Milliarden Euro angewachsenen Altschulden ebenfalls verzinst werden, weil sie den kaum noch vorstellbaren Altschulden selbstverständlich »zinsheckend« draufgesattelt werden! Hier kann man nun wirklich von einem Zinseszinseffekt der Verschuldungsspirale und von einer Zinsknechtschaft sprechen. Wenn also der Staat dazu übergeht, selbst in guten Zeiten ständig neue Schulden aufzunehmen, anstatt die Altschulden erst mal abzubauen, dann wird damit auch zum Ausdruck gebracht, dass die ungeheuerliche Absicht besteht, diese Schulden der nächsten Generation ins Nest zu legen! Der Staat sitzt mit anderen Worten in der Zinsfalle (weil er den rettenden Ausweg Silvio Gesells mit Rücksicht auf die Finanzgewaltigen ignoriert). Privatleute oder Firmen, die sich in einer ähnlichen Lage derart verantwortungslos verhalten (kommt ziemlich oft vor), indem sie beispielsweise der Bank X verschweigen, dass sie von der Bank Y bereits zum Offenbarungseid gezwungen wurden, werden als ganz gewöhnliche Wirtschaftskriminelle behandelt und einer gerechten Strafe zugeführt. Wie rettet sich die Bundesregierung vor dem Vorwurf der allmählichen Herbeiführung eines betrügerischen Konkurses, und wie ist es möglich, dass der von Schulden gelähmte und nach Luft schnappende Staat dem Staatsbankrott bisher entgangen ist?

Unsere Wirtschafts- und Finanzpolitiker haben die Gefahr, in der wir jetzt alle miteinander schweben, durchaus erkannt. Also haben sie nach einem Ausweg gesucht und dabei die entsetzliche Entdeckung machen müssen, dass es in der Zinswirtschaft (und an der wollen sie ja unbedingt festhalten!) nur zwei Möglichkeiten gibt, dem eigentlich schon längst fälligen Staatsbankrott doch noch zu entkommen:

1. Entweder sie nehmen ständig weitere Schulden auf und schieben damit den Zeitpunkt des Zusammenbruchs noch etwas hinaus, oder

2. sie halsen den kleinen Leuten (also vornehmlich Arbeitslosen, Sozialhilfeempfängern, Rentnern und Werktätigen) über drakonische Sparmaßnahmen den größten Teil der Zeche auf. Weil dann aber doch wohl zu befürchten wäre, dass Millionen wütender Menschen endlich mal in Richtung Berlin marschieren oder die Partei wechseln, hat man sich auf einen interessanten Kompromiss geeinigt, der z. B. die Renten »nur« bis zur Armutsgrenze absenkt, die Steuern und Abgaben der abhängig Beschäftigten »nur« bis zur Schmerzgrenze erhöht und den gewaltigen Rest im Haushaltsloch mit neuen Schulden noch einmal ausgleicht. Das und nichts anderes ist die Staatskunst unserer Wirtschafts- und Finanzpolitiker in Berlin!

Da diesen Staatsschulden die Guthaben der Zinskassierer (und zwar in gleicher Höhe, das muss man sich mal vorstellen!) zinsheckend gegenüberstehen, befinden sich die Empfänger dieser leistungslosen Einkommen wie gehabt auf der Sonnenseite des Lebens. Noch einmal: Der Staatsbankrott lässt sich nicht mehr vermeiden, aber durch die Aufnahme weiterer Schulden hinausschieben. Den Verantwortlichen ist möglicherweise nicht ganz klar, dass der schon in absehbarer Zeit zu befürchtende Staats-bankrott für die Bevölkerung um so schlimmer sein wird, je län-ger er durch »Neuverschuldung« immer wieder hinausgezögert wird. Das ist wie beim Bergsteigen mit dilettantischer Seilsiche-rung und fehlender Erfahrung: Je höher der Leichtsinnige steigt, desto tiefer und katastrophaler der Absturz. Man muss dem Möchtegernbergsteiger also allen Ernstes einen möglichst frü-hen Absturz wünschen, da er bei einem späteren Absturz (aus zu großer Höhe) keine Überlebenschance mehr hätte. Nachdem die etablierten Parteien und die jeweiligen Regierungen nun Jahrzehnte lang gezeigt haben, dass sie dieses Problem nicht in den Griff kriegen, ihre Seilschaften aber trotzdem munter wei-terklettern lassen, die Warnungen der Freiwirtschaftler in den Wind schlagen und die von uns angebotene Hilfestellung (Bera-tung) hochmütig ablehnen, bleibt uns also nur noch zu wünschen, dass diese »Bergsteiger« möglichst bald auf die Nase fallen, je frü-her desto besser für uns alle. Was sind das für Menschen, die das Dynamit der Wachstumsspirale mit brennenden Streichhölzern beleuchten? Der Wirtschaftsanalytiker Helmut Creutz schreibt dazu u. a.: »*Hinter vorgehaltener Hand wird einem häufig bestä-tigt, dass ein solches ständiges Wachstum ›natürlich‹ nicht fortzu-setzen sei. Aber heute – heißt es im gleichen Atemzug – könne man darauf noch nicht verzichten.*« Was sind das für Gründe, die fort-gesetztes Wachstum und die damit einhergehende Verschuldung und Gefahr scheinbar erzwingen? Aus der Sicht der verantwort-lichen Politiker und ihrer Berater ist Wachstum mit Wohlstand gleichzusetzen! Dass dieser Wachstumszwang aber in Wirklich-keit eine Zwillingsschwester des Vermögenswachstums durch Zinsen ist und den Lebensstandard von über 90 % der Bevölke-rung bedroht, wird uns verschwiegen. Vor Jahren hieß es, Wachs-tum sei die Voraussetzung dafür, dass wir der Dritten Welt besser beistehen können. Heute wissen wir, dass die Entwicklungshilfe nicht einmal zum Bezahlen der Zinsen reicht, die unsere Kapi-talexporte aus diesen armen Ländern herauspressen. Im Klar-text: Die Entwicklungshilfe kommt dort gar nicht mehr an, weil sie schon vorher mit den Zinsverpflichtungen dieser bedauernswerten Länder banktechnisch verrechnet wird! Als diese Masche nicht mehr zog, hieß es plötzlich: Wir brauchen Wachstum, um die durch das Wachstum angerichteten schweren Umweltschäden wieder beseitigen zu können. Das ist ungefähr so, als würde man den Mörder, der das Opfer gerade niedergestochen hat, an Ort und Stelle feierlich zum Notarzt befördern. Kann es noch dümmer kommen? Da kam der frühere Bundesminister Volker Hauff der Sache schon etwas näher, als er wenigstens zugab, dass sich das kapitalistische Wirtschaftssystem (gemeint war natürlich die Zinswirtschaft!) ständig ausweiten müsse, wenn es funktionieren solle. Aber damit ist immer noch nicht gesagt, weshalb es denn – zum Donnerwetter noch mal – ständig wachsen muss! Es ist der Zins; das muss man sich mal vorstellen! Der unscheinbare, von Menschen erdachte und von uns als völlig überflüssig erkannte Zins tanzt der Wirtschaft und dem Staat auf der Nase herum und bricht beiden schließlich das Genick. Die Unterschätzung dieser Gefahr beginnt bereits in der Schule, wo einflussreiche Kräfte (die an der Schulbuchschraube drehen) seit über hundert Jahren dafür sorgen, dass der Lehrer die Kinder immer nur den Zinsgenuss berechnen lässt, nicht jedoch die verheerende Wirkung der Zinslast. Nun aber endgültig: Warum ist Wachstum im kapitalistischen System unvermeidbar und in diesem unmenschlichen System sogar notwendig?

Wer einen Kredit zurückzahlt, muss bekanntlich zusätzlich zur Kreditsumme Zinsen bezahlen, das dürfte jedem klar sein. Dadurch verringert sich das Einkommen des Kreditnehmers, da er ja um jenen Betrag ärmer geworden ist, um den er den Kreditgeber durch Zinszahlungen reicher machte. Auch das dürfte unstrittig sein. Unter diesen Bedingungen findet aber noch kein Wachstum statt, denn dem Minus des Schuldners steht ja ein gleich hohes Plus des Kreditgebers gegenüber. Um aber – und jetzt kommt der Punkt – dieser schmerzhaften Ausplünderung durch den Zinsnehmer zu entgehen, sind Privatleute, Unternehmer, aber auch der Staat, Städte und Gemeinden gezwungen, ihre Leistungen wenigstens so zu steigern, dass damit der Zins bezahlt werden kann. Mensch und Natur werden also zusätzlich (vollkommen unnötig!) belastet, weil dies die einzige Möglichkeit ist, der Ausplünderung durch den Zins zu entgehen! Helmut Creutz bringt diese fundamentale Ursache des Wachstums auf den Punkt, indem er schreibt: »*Entweder führt der Zins zur Verarmung der Werteschaffenden, oder er zwingt zu höherer Leistung.*« Erzwungene Leistungssteigerung ist also der Motor des umweltverschlingenden Wachstumszwangs. Gäbe es genügend Geld, das sich auch ohne Zinsen – wie in der Freiwirtschaft – freiwillig und bereitwillig zur Verfügung stellt und nicht mehr in der Lage wäre, zu streiken, entfiele der Wachstumszwang und wir würden nicht länger vor die grauenhafte Alternative gestellt werden, entweder die Umwelt oder die Wirtschaft zu ruinieren.

Wie uns der Jesuspfennig gezeigt hat, bringt sich der Mensch an den Rand einer Katastrophe, wenn er einer unaufhörlichen Vermehrung des Kapitals durch den tödlichen Zinseszinseffekt tatenlos zusieht. Und genau das geschieht in unserer hochgelobten kapitalistischen Demokratie! Um die exponentiell anschwellenden Einkommen der Reichen und Superreichen wieder in den Geldkreislauf zu locken (sie reißen hier ein Loch, das sofort gestopft werden muss!), sind Staat und Gesellschaft gezwungen, den geforderten Zins zu zahlen, andernfalls würden die Kapitalisten ihr Geld nicht herausrücken und die Wirtschaft in eine durch Geldmangel verursachte Wirtschaftskrise stürzen. Reiche und Superreiche haben also das Recht, den Zins zu erzwingen und die Möglichkeit, die Gesellschaft entweder zu erpressen oder – wenn die sich weigert – in den Abgrund zu stürzen!

Und wir lassen uns das gefallen! Andererseits ist vielen Bauherren und Unternehmern die Lust vergangen, sich dieser Zinserpressung zu beugen. Der eine verzichtet dann doch lieber auf das Eigenheim, der andere auf die Modernisierung seines Betriebes und riskiert damit, den Anschluss an die Konkurrenz zu verlieren. Da das leistungslose Einkommen der Superreichen viel schneller wächst (!) als das Bruttosozialprodukt, kann der Markt das überschäumende Geld schon lange nicht mehr aufnehmen. Sicher, zu einem günstigen Preis (Zins) oder zinslos wäre das Geld der Reichen spielend unterzubringen, denn überall fehlt es ja am

Gelde. Aber von den Zinslasten anschließend erdrosselt zu werden, das schreckt ab; und so bleiben die Krisengewinner erst einmal – sollte man meinen – auf ihrem Geld sitzen. Das ist jedoch ein Irrtum, denn der Staat wird vom großen Kapital vor die Wahl gestellt, entweder das angebotene Geld stellvertretend für die Wirtschaft anzunehmen, (und sich damit zu verschulden!) oder das Opfer einer durch Zweckentfremdung des Geldes verursachten Rezession zu werden. Dass die Deutsche Bundesbank oder die Europäische Zentralbank (EZB) Hortungsschäden durch vermehrtes Gelddrucken vermeiden bzw. gerade noch rechtzeitig erkennen und ausgleichen kann, ist nur ein frommer Wunsch, denn diese Institutionen sind noch nicht einmal in der Lage, den gefährlichen Missbrauch von größeren Geldbeträgen rechtzeitig zu erkennen. Darum lief die Bundesbank den eigenen Geldmengenprognosen jahrelang voraus (vorsichtshalber) und der tatsächlichen Situation hinterher. Gegenüber den Kapitalisten verhält sich der Staat wie ein eingeschüchtertes Mädchen, das von einem Triebtäter immer wieder sexuell missbraucht wird. Es müsste eigentlich laut um Hilfe schreien, tut es aber nicht, weil der Verbrecher damit droht: »Dann bringe ich dich um!« Wie lange kann so etwas »gut« gehen? So lange der Staat in der Lage ist, für die ihm aufgedrängten Milliarden Löcher zu finden – die man übrigens auch Geldgräber nennt – und so lange die Bürger bereit sind, sich mit dieser Zinsknechtschaft abzufinden. Geldgräber sind Projekte, die so viel Geld vom Kapitalmarkt abschöpfen, dass Geld immer schön knapp bleibt und der Zins dadurch nie unter 3–4 % sinkt! Das begann einmal ganz »harmlos« mit dem Bau von Atomkraftwerken. Viele werden sich noch daran erinnern, dass eigentlich jedes Jahr mindestens ein neues Atomkraftwerk ans Netz gehen sollte; dreißig bis vierzig zusätzliche Atomkraftwerke standen allein in Westdeutschland auf der Wunschliste aller Bundesregierungen, »damit uns die Lichter nicht ausgehen«. Aus deren Sicht ein verständlicher Wunsch, ging man doch davon aus, dass dem ständigen Wirtschaftswachstum auch ein unaufhörlich wachsender Energieverbrauch seitens der Industrie und der Haushalte vorantreibend im Nacken sitzen würde! Wir verdanken der Anti-

AKW-Bewegung – und nur ihr, dass dieser perverse Wunschtraum des großen Kapitals nicht in Erfüllung gegangen ist.

Neue Geldgräber waren aber schnell gefunden: Wackersdorf, Rhein-Main-Donau-Kanal, Autobahnen, Magnetschwebebahnen usw. Nur mit der bemannten Raumfahrt, einem besonders schönen Geldgrab (viel rein, nix raus) hat es bisher noch nicht so richtig geklappt, aber vom Tisch ist dieser Geldsarg noch lange nicht. Ideale Geldgräber sind in der Rüstungsindustrie zu finden, denn die Bundeswehr z.b. ersetzt auch völlig einwandfreie Waffensysteme und Gerätschaften, weil sie angeblich immer auf dem neuesten Stand sein muss, in Wirklichkeit aber durch das frisch nachdrängende Geld in Zugzwang gerät. Wird zum Schein auch immer so getan, als sei es schwierig, den Rüstungsetat aufzustocken, braucht es irgendwo in der Welt nur mal zu krachen, und schon werden dem Verteidigungsminister die fehlenden Milliarden wie von Zauberhand über den Kabinettstisch geschoben. Nach dem Terroranschlag auf das World-Trade-Center in New York konnte dieser Vorgang wieder einmal bestaunt werden.

Geradezu phantastisch als Geldgrab geeignet – und darum seit Jahrhunderten in einschlägigen Kreisen ja auch so beliebt – sind Kriege einschließlich der in letzter Zeit immer interessanter werdenden »Kriegsfolgenbeseitigung«. Gäbe es keine Kriege, Terroranschläge oder wenigstens Spannungsgebiete, man müsste sie erfinden, denn Erdbeben z.b. treten aus der Sicht des Großkapitals einfach zu selten auf und lassen bei der Schadensbilanz oft doch sehr zu wünschen übrig. Kriege sind da schon etwas ergiebiger; und wie nett es dabei zugehen kann, belegt die folgende Episode aus dem Golfkrieg:

Aus London noch in letzter Minute eingeflogene Industrievertreter machten den Kuwaitis damals klar, dass englische Firmen (und nicht nur amerikanische) bevorzugt am Wiederaufbau der kuwaitischen Ölraffinerien und Ölleitungen beteiligt werden müssten, man setze schließlich auch das Leben englischer Piloten für Kuwait aufs Spiel. *»Aber sicher«*, soll der kuwaitische Verhandlungsführer gebremst haben, *»nur lasst sie* (er meinte wohl die Iraker!) *doch erst einmal die Raffinerien zerstören.«* Zum Glück wurden die Raffinerien schon in den folgenden Tagen auch tatsächlich zerstört (von welcher Seite ist in diesem Zusammenhang natürlich völlig egal), andernfalls hätten die gutgekleideten Herren aus London unverrichteter Dinge wieder nach Hause fliegen müssen.

Fassen wir das 7. Kapitel noch mal zusammen:

a) Das von Politik und Wirtschaft angestrebte ständige Wirtschaftswachstum ist im Hinblick auf das dicke Ende hochgradig kriminell und aus freiwirtschaftlicher Sicht so überflüssig und vermeidbar wie ein von Zahnstein verursachter Mundgeruch.

b) Die Ursache des Wachstumszwangs ist der Zins!

c) Die Kumpanei der Medien mit den Finanzgewaltigen vor und hinter den Kulissen ist für den Fortbestand der Demokratie so riskant wie das Hirn von BSE-Rindern in der Bratwurst.

d) Wenn vorhersehbar ist, dass ein ungeübter Bergsteiger mit Sicherheit abstürzen wird, muss man ihm regelrecht wünschen, dass der Absturz möglichst früh erfolgt, jedenfalls bevor er eine tödliche Fallhöhe erreicht hat. Noch besser wäre freilich, man würde ihn daran hindern, in die Schuldenwand zu steigen.

e) Der Staat und die großen Städte wie z.B. Berlin verhindern ihren Absturz in die totale Zahlungsunfähigkeit durch den verhängnisvollen Trick, den bevorstehenden Bankrott mit Hilfe von »Neuschulden« immer wieder hinauszuzögern. Da sie dabei jedoch weiter an Höhe gewinnen und die ganze Bevölkerung als Geisel mit am Seil hängen haben, hätten Rettungsaktionen längst eingeleitet werden müssen. Die absehbaren Aussichten beschreibt Silvio Gesell wie folgt: »Und das Ende kann nur wieder Krieg sein!«

f) Den Schulden des Staates, der Städte und der Wirtschaft stehen Guthaben in exakt gleicher Höhe (!) gegenüber, die den Gläubigern ohne Arbeit unermessliche Zinseinkommen in die Tresore spülen.

g) Da auch diese Zinsmilliarden immer gleich wieder »angelegt« werden müssen, werden in Ermangelung einer ausreichenden Geldnachfrage seitens der Wirtschaft ständig neue Geldgräber gesucht, in denen der Staat das ihm aufgedrängte Geld der Zinserpresser mehr oder weniger sinnvoll verbraten kann. So bleibt das Geld teils in der Wirtschaft und außerdem schön knapp und kann somit erneut (!) den Knappheitspreis erzielen, d.h. den Zins in der gewünschten Höhe »hecken«. Unter diesen Umständen den Arbeitslosen und Rentnern die Mittel zu kürzen, weil angeblich das Geld in der Staatskasse fehlt, ist – wie wir oben gesehen haben – eine infame Lüge, die in ihrer Schändlichkeit kaum noch zu überbieten ist.

Die Verharmlosung des Zinses
ist der erste Schritt zur Zinsverherrlichung, bei der auch die
Bundesregierung in halb- und ganzseitigen Anzeigen geradezu verzweifelt auf die Geldgeilheit eines Teils der Bevölkerung setzt. Die nichts Böses ahnenden »Anleger« werden selbstverständlich nicht darüber aufgeklärt, dass auch
sie ab sofort zu einer absturzgefährdeten Seilschaft gehören, die sich bereits in schwindelerregender Höhe befindet! Die Staatsverschuldung wird den Käufern von »Bun-
desschatzbriefen« sogar als Schnäppchen zur Hebung der
guten Laune verkauft, die angeblich auch noch der eige-

Die Zinstreppe macht aus Ihrem Ersparten einen schönen Batzen Geld.

Auf der Zinstreppe geschieht Erstaunliches: Je länger das Geld dort liegt, desto rascher vermehrt es sich. Ständig wachsende Zinsen sorgen dann für gehobene Stimmung.

Und daß die Laune beim Geldvermehren ungetrübt bleibt, dafür steht Vater Staat.

von 7,35 % (Typ B. 7 Jahre). (Aktuelle Konditionen am Telefon: 069/19718.)

Wer will, kommt auch schon früher an sein Geld. Ab 1. November 1995 bis zu 10.000 DM monatlich, zu 100 % plus Zinsen.

Bundesschatzbriefe gibt's gebührenfrei

nen Altersvorsorge dient. Die Schattenseite der Zinstreppe bleibt natürlich unerwähnt. »Gold gab ich für Eisen«, hieß es im ersten Weltkrieg. Vielleicht wird man auch diese Hobbyzinsler – wie seinerzeit die Kriegsinvaliden – mit einem Pappschild um den Hals an jeder zweiten Straßenecke betteln sehen. Mein Textvorschlag für die Schatzbriefgeschädigten hat sich bereits in einer Genscher-Karikatur bundesweit bewährt: »*Durch eischene Bledheit in die Gacke jeraten.*« Wäre es so, dass die Gelackmeierten ihre Suppe einmal selbst auszulöffeln haben, könnte es einem ja egal sein. Zu befürchten ist aber, dass der Absturz aus dem Zinswahnsinn auch die bei Verstand Gebliebenen mit in den Abgrund reißen wird. Nach dem Crash beginnt der Wiederaufbau, an dem übrigens traditionell jene Kreise am meisten verdienen, die sich um den Zusammenbruch der Währung verdient gemacht haben.

Die Bilderberger

8

Nun steht es also fest: Der Zins ist die Hauptursache des Wachstumszwangs! Hätten wir ein Geld, das sich der Wirtschaft auch ohne Zinsen bereitwillig zur Verfügung stellt, würde die Wirtschaft auch ohne Wachstum florieren. Bei einem Wachstum um Null ließe sich auch das Problem der Umweltzerstörung allmählich lösen. Doch damit nicht genug: Zinsen – und nur die Zinsen – sind für die maßlose Umverteilung der Geldvermögen von unten nach oben verantwortlich. Wir erinnern uns: In Deutschland ist die Hälfte aller Geldvermögen auf den Konten und in den Tresoren der Reichen und Superreichen angekommen, die gerade mal 10 % der Bevölkerung ausmachen. Die damit einhergehende Ungerechtigkeit schreit nicht nur zum Himmel, sie ist weltweit der Nährboden für Armut, Krankheit, Aufruhr, Terror und Krieg, während der gerechte Wohlstand für alle, wie ihn das zinsbefreite Geld schaffen würde, die sicherste Basis für Frieden und Freiheit wäre.

Die Wurzel allen Übels

ist der Zins! Keine Erfindung des Menschen, weder das Dynamit, das Auto oder die Bombenkriege können es in der Opferbilanz mit dem Sprengstoff Zins aufnehmen. Auf das Konto des Zinses gehen z.B. so gut wie alle Hungertoten in der 3. Welt. Dieser Tod kommt nie schlagartig. Erst müssen den Kindern wochen-, monate- bzw. jahrelang die lebensnotwenigen Nahrungsmittel und sauberes Wasser vorenthalten werden. Diese mit ganz gewöhnlichem Haushaltsgeld vermeidbaren Verbrechen lassen die Kinder also zunächst »nur« krank werden und erst dann sterben. Niemals würden Eltern ihre Kinder verhungern lassen, wenn ihnen Geld in ausreichendem Maße zur Verfügung stünde. Das dringend benötigte (lebensrettende!) Geld ist auch vorhanden; es stellt sich aber nicht zur Verfügung, weil der

---

frech geforderte Zins von den Ärmsten nicht aufgebracht werden kann. Also: An Lebensmitteln mangelt es nicht; wer Geld hat, kann sie kaufen – überall, auch nach Dürrekatastrophen! Es ist auch nicht wahr, dass ein Mangel an Geld die Ursache des Welthungers wäre, denn Geld ist nachweislich im Überfluss vorhanden; es befindet sich nur in den falschen Händen. Nicht etwa böse Menschen, sondern »der Anspruch auf Zins« (!) sorgt dafür, dass wir mit dieser satanischen Katastrophe bisher nicht fertig geworden sind.

Prof. Dr. Otmar Issing, ehemaliger Chefvolkswirt der Deutschen Bundesbank und als solcher natürlich ein Anhänger des zinserzwingenden Geldes, hat in einem großen Artikel der Frankfurter Allgemeinen Zeitung (FAZ) vom 20.11.1993 die Rolle des Zinses zu erklären und natürlich zu verharmlosen versucht; aber allein schon die Tatsache, dass ein Bundesbankdirektor diese Vorwärtsverteidigung zum Schutze des Zinses glaubte inszenieren zu müssen, spricht für die Aussicht, den Zins eines Tages (und hoffentlich bald!) von der Aura des Gottgewollten ganz befreien zu können. Prof. Issing, der zwischenzeitlich in die Direktion der EZB aufrücken konnte, hat es aber möglicherweise schon bereut, denn siebzehn namhafte Autoren der Freiwirtschaft haben diesem »Zinseszinsler« die entsprechende Antwort gegeben, die auch heute noch Beachtung verdient. Ein Sonderdruck der Zeitschrift »DER 3. WEG« macht diesen lehrreichen und hochinteressanten Schlagabtausch der interessierten Öffentlichkeit, vor allem aber der Studentenschaft zugänglich. Prof. Issing, der wohl nicht damit gerechnet hatte, dass seine Zinsverniedlichung wissenschaftlich zerpflückt und entlarvt werden würde, tut in seinem Artikel so, als gäbe es zum Zins, der unter bestimmten Voraussetzungen das Geld tatsächlich in den Wirtschaftskreislauf lockt, keine Alternative. Es ist die übliche Masche: Man bedient sich zwar der großen Namen, z.B. des englischen Nationalökonomen John Maynard Keynes, verschweigt dann aber ausgerechnet jene Passagen in dessen Hauptwerk, die Silvio Gesell betreffen, der dort lobend erwähnt wird. Das ist etwa so, als würde sich jemand wissenschaftlich mit der Tuberkulose befassen und dabei »versehentlich« den Namen Robert Koch vergessen.

Aus der Sicht des Kapitals ist der Zinsartikel von Prof. Issing allerdings eine Meisterleistung, denn für das breite Publikum wird überhaupt nicht erkennbar, dass er etwas ganz Entscheidendes verschweigt. Er ist sich der Nichtinformiertheit seiner Leser in der FAZ (!) so sicher, dass er allen Ernstes glaubt, sich an der einzigartigen Zinszertrümmerung Silvio Gesells vorbeistehlen zu können. Nun ist aber das Unterschlagen von Wahrheiten auch eine Lüge, und zwar eine Lüge, gegen die sich die Getäuschten besonders schlecht wehren können. Selbst wenn man einmal unterstellt, dass die Leser der FAZ zu einem Großteil selbst Nutznießer der Zinswirtschaft sind, also zu den Krisengewinnlern gezählt werden können, bleibt die Tatsache beachtlich, dass die Angst vor Silvio Gesell bei der Deutschen Bundesbank auch 70 Jahre nach seinem Tod eine offene Diskussion über das vom Zins befreite Geld noch immer nicht zulässt. Die Gründe dafür liegen auf der Hand: Gesell konnte und kann nicht widerlegt werden! Ließe man es darauf ankommen, wäre die Zinsknechtschaft in kurzer Zeit beendet. Das wissen natürlich auch die Direktoren der Deutschen Bundesbank, die ja nicht etwa das Wohl des ganzen Volkes im Auge haben, sondern die Zinsprivilegien einer kleinen Minderheit, die Geld mit Geld verdient. Wäre es anders, würden sie sich anders verhalten – oder ihren Hut nehmen. Aus dem eben Gesagten geht hervor, dass ein Verschweigen immer noch die bequemste und erfolgreichste aller Methoden des unauffälligen Widerstandes ist. Absichtlich unwissend gehaltene Menschen, also Menschen, die sich für dumm verkaufen lassen, sind für die herrschenden Kreise ganz einfach pflegeleichter als aufgeklärte. Das wird sich aber ändern – hoffe ich, sobald den zwanzig Millionen Arbeitslosen in Europa klargemacht werden kann, dass mit der Zinsreduzierung (in Richtung 0 %) im gleichen Tempo auch die Arbeitslosigkeit durch Vollbeschäftigung ersetzt werden kann (unter der Voraussetzung, dass einem Zins um Null auch eine Umlaufgebühr zur Seite gestellt wird). Ob sich die Arbeitslosen – darüber endlich einmal aufgeklärt – dann immer noch mit dummen Kanzlersprüchen zufrieden geben werden? Ich möchte das bezweifeln.

Wer dem Geld durch die Umlaufsicherung Beine machen möchte, muss natürlich zunächst einmal die dem Zins verhafteten Politiker dem Winterschlaf entreißen. Diese wären gut beraten, dem Schrillen des Weckers zuvorzukommen; meinetwegen unter dem Gorbatschow-Motto: »*Wer zu spät kommt, den bestraft das Leben!*« Freigeld würde sich schlagartig bemerkbar machen und das Land mit einer nie zuvor gekannten Welle der Hoffnung und Zuversicht erfüllen: Siehe Wörgl! Wie kommen wir eigentlich dazu, arbeitslosen Jugendlichen und »Schwervermittelbaren«

statt dessen das genaue Gegenteil zu bieten? Wer könnte daran zweifeln, dass die Menschen (von den Millionären einmal abgesehen) diese Reform mit Begeisterung begrüßen werden? Innerhalb von zwei bis fünf Jahren könnte Vollbeschäftigung erreicht und die Arbeitslosigkeit für immer beendet werden. Wie realistisch ist eine solche Annahme? Gegenfrage: Wer hat vor 1989 geglaubt, 400 Millionen Menschen ließen sich in kurzer Zeit aus kommunistischer Gewaltherrschaft befreien? Zusatzfrage: Lassen sich unterdrückte Menschenmassen durch Menschenmassen unblutig befreien? Michael Gorbatschow hat diese letzte Frage durch sein eigenes Vorpreschen mit einem klaren Nein beantwortet. Dieses wohl schönste Beispiel in der Geschichte der ganzen Menschheit hat vor allem eins an den Tag gebracht: Wenn die Zeit reif ist, genügt eine einzige Person oder ein kleiner mutiger Personenkreis, um den angeblich so festgepackten Schnee in eine Lawine zu verwandeln, die nicht mehr aufzuhalten ist. Das sei denen gesagt, die meinen, man müsse immer erst 51 % der Bevölkerung hinter sich bringen, um die brutale Zinsknechtschaft brechen zu können. Soziologen gehen davon aus, dass eine bahnbrechende Idee, die 10 % der Bevölkerung mobilisieren kann, nicht mehr aufzuhalten ist.

In der Demokratie entscheidet die Mehrheit. Das mag für Außenseiter zunächst einmal bitter sein, ist aber akzeptabel. Nun haben wir es aber mit einem Land zu tun, das DER SPIEGEL eine gekaufte Republik und eine Bananenrepublik nennen konnte, und von dem ich sage, dass die unsichtbaren Drahtzieher des großen Kapitals die Medien beherrschen – (selbstverständlich auch das Nachrichtenmagazin DER SPIEGEL), die der gutgläubige Zeitungsleser morgens und der arglose Nachrichtenkonsument abends vor dem Fernseher für unabhängig und vertrauenswürdig hält! In einer gekauften Republik führen demnach vom Kapital gelenkte Redakteure, gekaufte »Sachverständige« und geschmierte Politiker die Wähler an der Nase herum und verfälschen so die angeblich demokratischen Wahlresultate. Aus dem bejubelten Untergang des Sozialismus wird dann beispielsweise der dümmliche Schluss gezogen, der Kapitalismus sei aus diesem

Kampf als klarer Sieger hervorgegangen. Dass er lediglich übriggeblieben ist, noch dazu stark renovierungsbedürftig und wegen schwer behebbarer Konstruktionsfehler eher ein Auslaufmodell als ein Objekt der Verherrlichung und Begierde ist, das steht in den Gazetten noch nicht einmal zwischen den Zeilen, so stolz sind die Redakteure auf »ihre« deutsche Demokratie. Sind sie das wirklich?

Es beginnt ja schon bei der Auswahl der Nachrichten, die weltweit gesammelt und mit Hilfe so genannter Nachrichtenagenturen gefiltert werden, bevor sie über den Ticker gehen und den Redaktionen vorformuliert aus dem Faxgerät quellen oder als E-Mail den Bildschirm verstopfen. Schon wegen der gewaltigen Nachrichtenfülle müssen die meisten Meldungen aussortiert werden, zum Teil aus einem simplen Grund: Tag und Nacht haben nur 24 Stunden und die Kapazität der Nachrichtenempfangssysteme und die Möglichkeiten der Redaktionen, das alles zu lesen, sind begrenzt. Nachrichtenagenturen befinden sich nun nicht etwa in der Hand von Heiligen oder wenigstens unabhängigen Gremien, sondern (wer hätte etwas anderes erwartet?) ausnahmslos in der Hand des großen Kapitals. Damit die Redakteure auch noch etwas zum Ablehnen haben, erhalten sie grundsätzlich immer etwas mehr auf den Nachrichtenteller gelegt, als unbedingt nötig. So fällt es weniger auf, dass brisante Informationen dem Nachrichtentopf vorher stillschweigend entnommen wurden oder dort gar nicht erst hineingekommen sind! In den Redaktionskonferenzen, in denen das Kapital offen oder verdeckt mit am Tisch sitzt, wird an der bereits vorgefilterten Auswahl eine weitere Auslese vorgenommen, die dann endgültig darüber entscheidet, was der Zeitungsleser am nächsten Morgen zu glauben oder zu bestaunen hat. Gab es früher gravierende inhaltliche Unterschiede, ähneln sich heutzutage die Tageszeitungen in Hamburg und München, in Berlin oder Köln wie ein Ei dem andern; die elektronische Datenübermittlung macht es möglich. Um die inhaltliche, oft geradezu peinliche Übereinstimmung zwischen den angeblich unabhängigen Tageszeitungen zu vertuschen, werden die äußerlichen Unterschiede um so stärker hervorgehoben.

Es hat natürlich immer wieder Versuche gegeben, diese festgefügte Meinungsmafia zu durchbrechen, und man sollte doch eigentlich annehmen können, dass so etwas in einem demokratischen Staat auch möglich sein müsste, aber sobald eine völlig unabhängige Zeitung auch nur eine Spur von der Meinungsherrschaft des Kapitals abweicht, bleiben die Anzeigen aus, ohne die eine Zeitung heutzutage nicht existenzfähig ist, jedenfalls nicht zu einer überregionalen Verbreitung und Bedeutung heranwachsen kann. »DIE TAGESZEITUNG« ist ein solches Beispiel, wenn auch kein besonders gutes, weil dieses linke Blatt auf dem Geldreformauge eine chronische Sehstörung hat, auf eine neue Brille aber verzichtet, um nicht auch noch die marxistisch angehauchte Leserschaft zu vergrätzen. Über das Ethos der demokratischen Presse hat sich der frühere Herausgeber der New York Times, John Swainton, vor Redakteuren einmal wie folgt geäußert: *»Eine freie Presse gibt es nicht. Sie, liebe Freunde, wissen das, und ich weiß es gleichfalls. Nicht ein einziger unter Ihnen würde es wagen, seine Meinung ehrlich und offen zu sagen. Das Gewerbe eines Publizisten ist es vielmehr, die Wahrheit zu zerstören, geradezu zu lügen, zu verdrehen, zu verleumden, zu Füßen des Mammons zu kuschen und sich selbst und sein Land und seine Rasse um des täglichen Brotes willen wieder und wieder zu verkaufen. Wir sind Werkzeuge und Hörige der Finanzgewaltigen hinter den Kulissen. Wir sind die Marionetten, die hüpfen und tanzen, wenn sie am Draht ziehen. Unser Können, unsere Fähigkeiten und selbst unser Leben gehören diesen Männern. Wir sind nichts als intellektuelle Prostituierte.«*

Wohlgemerkt, ich habe hier nicht etwa den Chefredakteur der Bildzeitung zitiert, sondern den Herausgeber der angesehenen New York Times, die – wie könnte es anders sein – unter dem Einfluss der Rockefeller-Gruppe steht. Dass bei der täglichen Nachrichtenunterdrückung auch deutsche Medien und Politiker mitspielen, gehört zu den erstaunlichsten und bedrohlichsten Auswüchsen unserer jungen Demokratie. Oder besteht etwa keine Gefahr, wenn sich wirtschaftlich und politisch ohnehin einflussreiche Persönlichkeiten stillschweigend international organisieren und in Geheimkonferenzen ohne Legitimation der Wähler (!) Beschlüsse fassen oder zumindest vorbereiten, die sich möglicherweise auf das Leben der ganzen Menschheit auswirken? Der oben zitierte Heinz Scholl schreibt dazu in seinem Buch »Bilderberg«: »*Unter lichtscheuem Gesindel werden Personengruppen verstanden, die sich, weil sie etwas zu verbergen haben, der Beobachtung und Kontrolle durch die Öffentlichkeit zu entziehen trachten; diese Gruppen wünschen nicht, dass die Öffentlichkeit ihre Absichten erfährt und Einblick in ihre Tätigkeit erhält. Zur Idee einer freiheitlich verfassten Gesellschaft, die Transparenz für alle Vorgänge im öffentlichen Interesse fordert, steht das Gebahren von Gruppen und Organisationen, die das Licht der Öffentlichkeit scheuen, in schroffem Gegensatz. Die Bürger empfinden deshalb Vereinigungen mit geheimbündlerischem Charakter als unvereinbar mit den demokratischen Prinzipien.*« Unangenehm aufgefallen ist diese jedes Jahr (!) stattfindende Geheimkonferenz erst durch einen Machtkampf innerhalb dieser dubiosen Clique, in dessen Verlauf gegen Prinz Bernhard der Niederlande Bestechungsvorwürfe erhoben wurden. In Deutschland ist dieser Skandal noch unter der Bezeichnung »Lockheed-Affäre« in bester Erinnerung. Unter der »Schirmherrschaft« des Starfighter-Beschaffers Franz-Joseph Strauß wurden seinerzeit zahlreiche deutsche Fliegerfrauen in den vorzeitigen Witwenstand befördert: Über 200 Flugzeugabstürze innerhalb von wenigen Jahren! Zum Glück konnten sich etliche Piloten mit dem Fallschirm retten; Franz-Josef Strauß übrigens auch, er sogar ohne Fallschirm.

Offiziell gilt Prinz Bernhard der Niederlande als Initiator der Geheimkonferenz, die erstmalig 1954 im Hotel Bilderberg bei Arnheim (Holland) stattfand und seitdem unter der Bezeichnung »Bilderberg-Konferenz« an verschiedenen Orten der ganzen Welt, doch stets in der totalen Abgeschiedenheit luxuriöser Schlösser und Hotels *»Das Konzil der Plutokraten und Bonzen«* (H. Scholl) geworden ist. Drahtzieher dieser immens kostspieligen Konferenzen sind – nach den Recherchen von Heinz Scholl – der Multimilliardär David Rockefeller (New York), der in enger Absprache mit den Multimilliardären Guy de Rothschild (Paris) und Marcus Wallenberg (Stockholm) den Teilnehmerkreis auf Personen beschränkt, die in den jeweiligen Ländern über Einfluss und Macht verfügen und sich der Forderung nach absolutem Stillschweigen beugen. Die wegen der Geheimhaltung nur bruchstückhaften Erkenntnisse belegen, dass zahlreiche deutsche Politiker der im Bundestag vertretenen Parteien, Unternehmer, Publizisten und Bankiers diesen Einladungen gefolgt sind (und auch weiterhin Jahr für Jahr folgen). Um hier nur einige zu nennen, die Heinz Scholl Anfang der siebziger Jahre beim Namen nennen konnte und zumindest älteren Lesern heute noch bekannt sein dürften: Hermann Abs, Egon Bahr, Rainer Barzel, Berthold Beitz, Fritz Berg, Kurt Birrenbach, Otmar Emminger, Ludwig Erhard, Herbert Gross, Kurt-Georg Kiesinger, Richard Löwenthal, Jürgen Ponto, Karl Schiller, Helmut Schmidt, Hans-Günther Sohl, Axel Springer, Franz-Joseph Strauß usw. Dem Informationsdienst DER INSIDER Nr. 18 vom 1. November 2000 war u.a. zu entnehmen: *»Wie jedes Jahr traf sich die Verschwörer-Clique der Bilderberger auch dieses Jahr wieder an einem geheimen Ort, um ihr Programm einer ›Neuen Weltordnung‹ bzw. einer Weltregierung weiter voranzutreiben. Eine Elite aus Führungspersönlichkeiten aus den Bereichen der Hochfinanz, Politik, Wirtschaft, Gewerkschaften und Medien traf sich vom 1.–3. Juni 2000 hinter streng verschlossenen Türen auf dem luxuriösen Chateau du Lac in Belgien, 20 Minuten außerhalb von Brüssel.«* Ein Jahr zuvor, und zwar am 3. Juni 1999, traf man sich laut INSIDER im exklusiven »Penka Longa Park« in Sintra, Portugal.

Wem diese Angaben zu vage sind, möge bedenken, dass die Abschottung und Geheimhaltung in den vergangenen vier Jahrzehnten laufend perfektioniert wurden und mit dem Aufklärungsdruck der Kritiker Schritt halten konnten. Das Internet, zu dem ich vor 2001 keinen Zugang hatte und für das ich zunächst auch nur wenig Interesse aufbrachte, lässt mich heute nun endlich etwas tiefer in diesen Sumpf blicken. Da mir »schlaue Kinder« und erfahrene Internet-Spezialisten bei Bedarf zur Seite stehen, wurde ich auch bald fündig: Wenige Tage vor (!) dem EU-Gipfel im schwedischen Göteborg trafen sich vom 24.–27. Mai 2001 ca.

100 Bilderberger im hermetisch abgeschirmten Luxushotel Stenungsbaden vor den Toren Göteborgs. Von der schwedischen Polizei wie Fort Knox rund um die Uhr bewacht, konnten die Mitglieder der Rothschild-Familie und des Rockefeller-Imperiums in entspannter Atmosphäre die reichsten und die einflussreichsten Mitglieder der Finanzaristokratie, Industrie und Presse zu einem »unverbindlichen« Gedankenaustausch begrüßen. Ob der schwedische Multimilliardär Marcus Wallenberg, der nie fehlende Hochgradfreimaurer Henry Kissinger, der absolute König des Weltspekulantentums George Soros oder der amerikanische Notenbankchef Allen Greenspan, sie waren alle wieder da. Auch der berüchtigte Peter Job, seines Zeichens Präsident der mächtigen Presseagentur Reuters, war natürlich anwesend, um erneut sicherzustellen, dass z.B. auch deutsche Presseorgane, allen voran DER SPIEGEL, sich beim Totschweigen dieser Geheimkonferenz wieder einmal bewähren konnten. Keine leichte Aufgabe, wenn man bedenkt, dass sich die Presse doch sonst keinen Pupser entgehen lässt. Dank der Internetrecherche der inzwischen weltweit operierenden Protestorganisation Attac konnte immerhin ein Teil der schwedischen Presse dazu gebracht werden, die Bilderbergkonferenz – wenn auch nur mit gezogener Handbremse – zu hinterfragen. Der schwedische Handelsminister Leif Pagrotsky musste sich sogar im Fernsehen die Frage gefallen lassen, wie denn ausgerechnet er dazu komme, sich einer derartigen Verschwörung undemokratischer Kreise zur Verfügung zu stellen! In Deutschland haben wir zur Zeit keine Journalisten, die es wagen würden, einem Bilderberger diese Frage vor laufenden Kameras zu stellen. Altkanzler Helmut Schmidt z.B., der früher auf keiner Bilderbergkonferenz fehlen durfte, denkt nicht im Traum daran, dieses unterschlagene Kapitel seiner Biographie reuevoll aufzudecken und nachzureichen. Ein derartiges »Dichthalten« bis über den Tod hinaus ist sonst nur noch bei der Mafia, bei den Jesuiten, den Hochgradfreimaurern und natürlich bei den Geheimdiensten üblich und durchsetzbar. Wer sich also darüber wundert oder beklagt, dass ich außer den Genannten zur Zeit keine deutschen Teilnehmer an den letzten Bilderberg-Konferenzen aufzäh-

len kann, sollte bedenken, dass die totale Geheimhaltung und das eisige Schweigen der anwesenden (deutschen!) Medienvertreter nur schwer zu überwindende Barrieren darstellen. Da diese anrüchigen Teilnahmen nicht einmal in den Memoiren der ehemaligen Teilnehmer erwähnt werden (Altbundeskanzler Helmut Schmidt und Helmut Kohl lassen grüßen!), werden wir uns in Zukunft etwas Neues einfallen lassen müssen. Dass ich auch dabei wieder auf Informationen aus dem eigenen Leserkreis angewiesen bin, versteht sich von selbst.

»Die Bilderberger«, schreibt Heinz Scholl, »versuchen, die Bedeutung ihrer Zusammenkünfte herunterzuspielen. Wenn man ihrer Argumentation folgt, handelt es sich bei ihren Treffen um harmlose Zusammenkünfte, auf denen unverbindlich über wirtschaftliche und politische Tagesfragen diskutiert wird.« Das möchte man gerne glauben, doch wozu dann diese undurchdringliche Geheimhaltung, an der sich eigenartigerweise auch die deutsche Presse erstaunlich unterwürfig beteiligt? Es stehen ganz offensichtlich die Interessen der Finanzgewaltigen auf dem Spiel, wie das folgende Zitat von Willis Carto, dem Sprecher der »Liberty Lobby« belegt: »Nach der Bilderberg-Konferenz im Jahre 1971 in Woodstock (USA), begannen amerikanische Bankiers und multinationale Konzerne damit, Milliarden von Dollars noch schnell nach Westdeutschland zu schaffen (die von der Deutschen Bundesbank nichtsahnend bzw. treudoof palettenweise in DM umgetauscht wurden; Anm. H. Benjes). Schon sechs Wochen danach wertete Präsident Nixon den Dollar zum ersten Male seit 32 Jahren ab, und die Spekulanten verdienten Milliarden.« Wer damals noch rechtzeitig seine Dollars beim Kurs von etwa 1:4 in DM umtauschte, hatte sein Vermögen sechs Wochen später schlagartig verdoppelt! Auch den Vietnamkrieg haben sich die Amerikaner zum größten Teil von uns und anderen Nationen auf diese Art und Weise bezahlen lassen. Motto: Wir sind schlau und bomben, ihr seid blöd genug und zahlt. Das war im Golfkrieg so und das wird in Afghanistan und im Irak auch wieder so sein. Der Fleiß und die Ahnungslosigkeit der deutschen Bevölkerung machen es möglich. Zu denen, die wiederholt an Bilderberg-Konferenzen teilgenommen haben, dort also besonders willkommen gewesen sein müssen, gehörten u. a. Franz-Joseph Strauß, Walter Hallstein, Kurt Birrenbach und wie schon erwähnt unser »Weltökonom« Helmut Schmidt (Quelle: Congressional Record vom 15.9.1971). Das ist lange her, gewiss, aber die hier zu klärenden Umstände sind Entwicklungen jener Zeit. Diese können nicht nur aus dem heutigen Tagesgeschehen heraus erklärt werden. Ich werde also bei Bedarf immer wieder auf weit zurückliegende Ereignisse eingehen, wenn mir diese Fakten für das Verstehen heutiger Fehlentwicklungen notwendig erscheinen.

»*Wir sind das Volk!*« riefen die Bürger der DDR vor dem Fall der Mauer und wurden für ihren Mut mit einem grandiosen Erfolg belohnt. Nicht die korrupten, staatstragenden und schweigenden Menschen der DDR gaben den Ausschlag, sondern das laut rufende Volk. Sind in Westdeutschland jemals Lehren aus dieser unblutigen und dennoch mutigen Revolution gezogen worden? »*Wieso, bei uns ist doch alles in Ordnung*«, hört man es förmlich raunen. Ist es nicht längst wieder an der Zeit, rufend auf die Straße zu gehen? Was könnte man denn heute mal rufen? Ich schlage vor, wir versuchen es mal mit dem Ruf: »*Wir sind das Volk, das nicht wissen darf, wer, wo, wann und warum an Bilderbergkonferenzen teilnimmt.*« In der Referentenbefragung und Diskussion im Anschluss meiner Vorträge über Silvio Gesell wird mir gelegentlich vorgeworfen, den Beweis für die Schändlichkeit der Teilnahme an Bilderbergkonferenzen schuldig geblieben zu sein. Nicht alle wollen den Ausdruck »*lichtscheues Gesindel*« (H. Scholl) gelten lassen. Das überrascht mich immer wieder, sind es doch die gleichen Leute, die mir schon im nächsten Atemzug bestätigen, vom Glasnost eines Michael Gorbatschow begeistert gewesen zu sein. Es wird also mit zweierlei Maß gemessen.

Immerhin wird die Tatsache, dass Bilderberg-Konferenzen Jahr für Jahr in der oben geschilderten Weise tatsächlich über die Bühne gehen, inzwischen ohne Diskussion geschluckt. Das war nicht immer so. Es geht also doch – wenn auch langsam – voran. Auch in dem Bemühen, meinen Lesern und den Besuchern meiner Vorträge Erklärungen für das duckmäuserische Verhalten der deutschen »Bilderberger« und Politiker zu liefern, bin ich ein kleines Stück weiter gekommen: Im Sommer 1998 wurde mir eine streng vertrauliche Verschlusssache mit dem Hinweis »NUR FÜR MINISTER« zugespielt, aus der ich zum ersten Male erfuhr, dass die Alliierten Mächte (Kriegsgegner Deutschlands) der damaligen »provisorischen Regierung Westdeutschlands« am 21. Mai 1949 einen geheimen Staatsvertrag abgerungen bzw. aufgezwungen haben. Man beachte das Datum; denn bekanntlich wurde kurz darauf das deutsche Grundgesetz feierlich verabschiedet! Mir war nicht gerade feierlich zumute, denn was ich hier las, übertraf meine schlimmsten Ahnungen und Befürchtungen.

Da mir ein derart brisantes Schreiben vorher noch nie unter die Augen gekommen war und der handschriftliche Begleittext des anonymen Absenders, »*Wer kriecht – kann nicht fallen*«, zweideutig, aber nicht unbedingt seriös zu sein schien, habe ich die Echtheit dieser Verschlusssache des Bundesnachrichtendienstes natürlich zunächst einmal angezweifelt; bin ich doch bis zu diesem Augenblick der Meinung gewesen, die Bundesrepublik Deutschland sei ein ganz normaler souveräner Staat. Ich wäre sehr froh, um nicht zu sagen glücklich, wenn sich (vielleicht sogar mit Hilfe sachkundiger Leser/innen) herausstellen würde, dass der Inhalt des nun folgenden Briefes zum Glück doch nicht der Wahrheit entspricht. Da es aber immerhin möglich und sogar wahrscheinlich ist, dass wir es hier leider doch mit Tatsachen zu tun haben, wäre es meiner Meinung nach unverantwortlich gewesen, diese Fakten meiner Leserschaft zu verschweigen. Sollte sich der Brief (aber bitte nachweislich!) als eine Fälschung erweisen, wäre ich als Autor der Blamierte; aber damit könnte ich leben, denn die Pflicht des Bundeskanzlers, »*Schaden vom deutschen Volk abzuwenden*«, die ihm bei seiner Vereidigung auferlegt wird, sollte die nicht für jeden von uns und somit auch für einen Buchautor gelten? Hier nun zunächst der mir gleich von zwei Seiten zugespielte Brief (kursiv); und im Anschluss daran ein Kommentar von Klaus Vaque, den ich seinem internationalen Informationsdienst DER INSIDER Nr. 14 vom 1. September 1998 entnommen habe:

Bundesnachrichtendienst
Kontroll-Abt. II/OP
NUR FÜR MINISTER
S t r e n g s t e   V e r t r a u l i c h k e i t

Vorgang: Geheimer Staatsvertrag
vom 21.05.1949
Hier: Verlust der Kopie Nr. 4

Sehr geehrter Herr Minister!

Kopie Nr. 4 des geheimen Staatsvertrages zwischen den Alliierten Mächten und der provisorischen Regierung Westdeutschlands vom 21.05.1949 ist endgültig abhanden gekommen.

Der geheime Staatsvertrag offenbart u. a.:
– die Medienhoheit der alliierten Mächte über deutsche Zeitungs- und Rundfunkmedien bis zum Jahr 2099,
– die sog. »Kanzlerakte«, also jenes Schriftstück, das jeder Bundes- kanzler Deutschlands auf Anordnung der Alliierten vor Ablegung des Amtseides zu unterzeichnen hat,
– sowie die Pfändung der Goldreserven der Bundesrepublik durch die Alliierten.

Sofern die Kopie Nr. 4 des geheimen Staatsvertrages in falsche Hände gelangen sollte, empfehle ich dringend, die Echtheit abzu- leugnen.

Hochachtungsvoll

Dr. Rickermann
Staatsminister

Dazu nun der Kommentar von Klaus Vaque im INSIDER Nr. 14 vom 1. September 1998:

»Der Geheime Staatsvertrag datiert vom 21. Mai 1949. Das Grundgesetz der Bundesrepublik Deutschland trägt das Datum vom 23. Mai 1949. Somit kann davon ausgegangen werden, dass der Geheime Staatsvertrag Bedingung für die Zustimmung der alliierten Siegermächte zum Grundgesetz war, dessen wesentlicher Inhalt ebenfalls von den Siegermächten vorgegeben wurde. Sollte der Brief tatsächlich echt sein, wovon wir überzeugt sind, würde dies den Tatbestand des Hochverrats aller bisherigen Bundeskanzler bedeuten und bewiese, dass Deutschland nicht souverän ist und von einer von den Kriegssiegern bis heute abhängigen Vasallenregierung geführt wird. Es macht auch die Tatsache verständlicher, weshalb Deutschland seit Ende des Krieges ein Friedensvertrag verweigert wird.« So weit der Kommentar von Klaus Vaque aus Pretoria (Südafrika).

Verständlich wird nun auch, weshalb die Medien in Deutschland unsichtbare, aber deutlich spürbare Maulkörbe tragen und scheinbar bereitwillig sogar Denkverbote akzeptieren: Haben die Herausgeber und Chefredakteure von SPIEGEL, ZEIT und Frankfurter Allgemeine also eher unser aller Mitleid anstatt Schelte verdient, wenn sie sich bis auf den heutigen Tag zum Sklaven eines Geheimen Staatsvertrages machen lassen? Am 4. Januar 1947 erschien erstmalig (zum Preis von einer Reichsmark) das Nachrichtenmagazin DER SPIEGEL. Dem Impressum der nur 26-seitigen Startnummer ist zu entnehmen: *»Herausgegeben von Rudolf Augstein (mit vorläufiger PR/ISC-Genehmigung 600/PR vom 1. Januar 1947)«.* Nun, dass die Alliierten damals mit einem Zeitschriften-Herausgeber haben machen können, was sie wollten, überrascht nicht. Aber nach einem halben Jahrhundert wüsste man doch ganz gern, was der Herr Augstein damals unterschreiben musste, um auf dem deutschen Zeitungsmarkt bis an sein Lebensende nach der Pfeife der Alliierten tanzen zu dürfen. Ich werde nämlich den Verdacht nicht los, dass Rudolf Augstein nie aufgehört hat, sich diesem Diktat zu unterwerfen. Darum ist dieses Kapitel der deutschen Pressegeschichte hochaktuell und nicht etwa abgeschlossen. Der Vertrag, dem sich Augstein und die Herausgeber anderer Zeitungen ausgeliefert haben, gehört auf den Seziertisch der Geschichte gelegt, bis wir ganz sicher sein können, dass die Unterdrückung des deutschen Volkes zu 100 % aufgehoben worden ist.

Die traurige Rolle der angeblich freien und unabhängigen (!) Presse in Deutschland darf somit nicht immer nur unter dem Gesichtspunkt der Abhängigkeit vom Kapital betrachtet werden. Die Presse hat offenbar noch einen weiteren Aufpasser im Nacken, der sich 1949 eingebildet hat, das deutsche Volk für die Dauer von 150 Jahren (!) in geistige Ketten legen zu können. Mit der »Brechung der Zinsknechtschaft« allein ist es also nicht getan. Ich weiß, dass dieser Ausdruck von den Nazis missbraucht worden ist und zwar gegen die Juden. Ich respektiere auch die Entscheidung anderer Autoren, diese Formulierung in der freiwirtschaftlichen Literatur grundsätzlich nicht mehr zu verwenden (weil sie befürchten, von Linksextremisten in die braune Ecke gestellt zu werden). Mein persönlicher Entschluss, diesen ungemein zutreffenden, sprachlich einwandfreien und klanglich besonders schönen Ausdruck zu verwenden (ab jetzt aber wieder ohne Gänsefüßchen) beruht auf der Tatsache, dass dieser Ausdruck erstmalig von Georg Blumenthal verwendet wurde, und dieser ehrenwerte Freiwirt war zufällig der beste Freund von Silvio Gesell! Die Nazis haben diesen Ausdruck später übernommen, und zwar unter der Federführung eines Herrn Feder! Eine ähnlich schwere Entscheidung hatte ich vor einigen Jahren beim genüsslichen Verspeisen von knackig frischem Kopfsalat zu treffen: Von Ultralinken argwöhnisch beäugt, saß mir auch hier wieder ein Nazi im Nacken: Sollte ich diese Delikatesse etwa verschmähen oder nach dem Verzehr gleich wieder auskotzen, nur weil der Vegetarier Adolf Hitler dieses gesunde Gemüse durch seine Vorliebe in Verruf gebracht hat? Dass man sich in Vorträgen mit derartigen Rechtfertigungen verteidigen und herumschlagen muss, gehört hoffentlich schon bald der Vergangenheit an.

Haben sich die Alliierten Siegermächte 1949 also nicht mit einer hundertjährigen Strafe für Deutschland begnügt, sondern eine hundertfünfzigjährige für angemessener gehalten, die unseren Enkeln oder Urenkeln die volle Souveränität erst ab dem Jahre 2099 in Aussicht stellt? Das wäre zwar im Vergleich zu den perversen Plänen des Roosevelt-Beraters Henry Morgenthau, der bekanntlich alle Nazis (ein paar Millionen!) hinrichten lassen wollte, noch relativ human, doch der Gedanke, dass wir 60 Jahre nach Kriegsende noch immer deutschen Politikern ausgeliefert sein sollen, die sich im Gleichschritt mit Rudolf Augstein vor den Geßlerhüten der Alliierten verneigen, ist für mich unerträglich. Finden wir also erst einmal heraus, ob der jetzige Bundeskanzler (und alle seine Vorgänger!) tatsächlich vor seiner Vereidigung im Bundestag die oben erwähnte »Kanzlerakte« in einem abgeschirmten Nebenraum unterschreiben musste. Und falls dem so ist: sorgen wir dafür, dass diese Ungeheuerlichkeit entweder nie wieder vorkommt oder wenigstens mit Hilfe einer versteckten Kamera vom Fernsehen live übertragen wird. Rudolf Augstein, der große Bilderberg-Verschweiger, den viele für die Inkarnation der deutschen Pressefreiheit hielten, hat sich zu Lebzeiten seiner Verantwortung leider nicht mehr gestellt. Ich werde mich trotzdem noch einmal an ihn wenden – und zwar in Form eines Offenen Briefes, mit dem ich dieses Buch harmonisch ausklingen lassen möchte. Er hatte nicht den Mut, sich in einer Talkshow bei Alfred Biolek oder wem auch immer meinen Fragen zu stellen. Eigentlich schade; ich wäre ihm dabei so gerne behilflich gewesen, über seinen eigenen Schatten zu springen. Wir können die Bilderberger natürlich nicht zwingen (noch nicht), zusammen mit anderen Stützen der Zinswirtschaft, in den Beichtstuhl der Nachkriegsgeschichte zu treten, um über Schuld, Sühne und Wiedergutmachung nachzudenken; wir können nur hoffen, dass sie durch dieses Buch dazu angeregt und ermutigt werden.

Ein Ausspruch meines schwedischen Schwiegervaters Edvin Svensjö, *»es kommt immer anders als man denkt, aber manchmal auch besser als erhofft«,* sei denen ans Herz gelegt, die sich einen SPIEGEL-Herausgeber oder Chefredakteur im Büßergewand nicht vorstellen können. Wenn diese Leute wenigstens fromm wären, könnte man zumindest auf eine Beichte im allerletzten Moment spekulieren. Aber daraus wird wohl nichts, denn DER SPIEGEL gestattet seinen Redakteuren ja noch nicht einmal, einen kurzen Leserbrief von mir zu bringen. Nachrichtenmagazine, die sich dafür entscheiden oder dazu gezwungen werden, extrem wichtige Nachrichten zu unterdrücken, sind logischerweise eine willkommene Hilfe für Politiker, die natürlich froh und dankbar dafür sind, auf lästige Fragen, die ihnen DER SPIEGEL garantiert nie stellen wird, auch nicht antworten zu müssen! Dem SPIEGEL, der seine hohe Auflage doch gerade dem nassforschen Umgang mit Politikern verdankt, sieht man diese verdeckte Kumpanei mit den Regierenden, den Bilderbergern und den Strippenziehern des Großkapitals so ohne weiteres gar nicht an, und darum wird sie von der ahnungslosen SPIEGEL-Leserschaft ja auch nicht für möglich gehalten. Hohes Ansehen und Erfolg haben sich eben schon immer gut missbrauchen lassen. Was hat DER SPIEGEL nicht schon alles aufgedeckt! Von der Contergan-Tragödie über die Flick-Affäre bis zum Spendensumpf der CDU spannt sich der Bogen, auf den Herr Augstein und sein Nachfolger allen Ernstes sehr stolz sein können. Über 45 Jahre habe ich dieses Blatt gelesen. Viel zu spät ist mir aufgefallen (mit Hilfe eines Zufalls), dass der angesehene Herr Augstein selbst offenbar auch kein sauberes Mehl in der Tüte hatte. Die Kunst des unauffälligen Verschweigens beherrschte er wie kein Zweiter. Ich habe lange gezögert, aber dann fiel meine Abo-Kündigung um so deutlicher aus. Abo-Kündigungen sind übrigens die einzige Sprache, die auch von den Redaktionen großer Zeitungen sofort verstanden wird. Dies hängt damit zusammen, dass neue Abonnenten mit immer wertvolleren Geschenken geködert werden müssen. Mit Bratpfannen hat es mal angefangen. Aber versuchen Sie heute mal, im Kampf um neue Abonnenten mit Bratpfannen um sich zu schlagen! Inzwischen werden Ihnen Stereoanlagen nachgeworfen; und ich würde mich nicht wundern, wenn DER SPIEGEL seine Werbeprämien-Politik demnächst auch mit Flugreisen nach Hawaii garniert. Entsprechend groß ist die Wirkung einer jeden (!) »Abo-Kündigung aus Protest«, vor allem wenn es zu einer Häufung von ähnlichen Kündigungen kommt. »Nachahmungstäter« finden übrigens im letzten Kapitel einen SPIEGEL-Abo-Kündigungs-Vorschlag, der sich nach Belieben abändern und natürlich auch auf Tageszeitungen übertragen lässt. So viel schon jetzt: Eine Abo-Kündigung macht viel mehr Eindruck, wenn sie vorher in einem »netten« Brief zunächst nur angekündigt wird. Vorteil: Die eigentliche Kündigung wird bereits erwartet, anschließend besonders intensiv gelesen und am Redaktionstisch bestenfalls bis zum Kaltwerden des Kaffees diskutiert. Mehr sollte man realistischerweise zunächst auch gar nicht erreichen wollen.

Fassen wir das 8. Kapitel noch mal zusammen:

a) Sowohl der Wachstumszwang, der die Umwelt ruiniert, als auch die Umverteilung des Geldes von den Arbeitenden zu den Geldbesitzenden, die den sozialen Frieden zerstört, sind ganz normale, d. h. systembedingte Begleiterscheinungen der kapitalistischen Zinswirtschaft.

b) Wess Brot ich ess, des Lied ich sing: EZB-Direktor Prof. Issing gab sich bei der Verteidigung und Verharmlosung des Zinses große, doch vergebliche Mühe: 17 Autoren der Freiwirtschaft zeigten ihm die rote Karte.

c) In zwei bis fünf Jahren könnte die Arbeitslosigkeit für immer der Vergangenheit angehören.

d) Fernseh- und Zeitungsredakteure dürfen nach Herzenslust Skandale aufdecken und damit eine vermeintliche Pressefreiheit vortäuschen. Sobald aber das Tabuthema Zinswirtschaft auf der Tagesordnung steht, beginnt »das Schweigen der Lämmer.«

e) Während die Presse ganz allgemein dazu neigt, noch den leisesten Pupser zu erschnüffeln, »überriecht« sie weisungsgemäß den jährlichen Gestank der Bilderberg-Konferenzen. 1971 wurde Deutschland durch das Insiderwissen einiger Teilnehmer der Bilderberg-Konferenz in Woodstock (USA) um mehrere Milliarden DM geschröpft. Diese »Valutaschweine« wurden damals von der Deutschen Bundesbank anstandslos bedient. Für die Verharmloser der Bilderberg-Konferenzen ist das »ein unverbindlicher Gedankenaustausch«!

f) Gibt es einen »geheimen Staatsvertrag« von 1949, in dem festgelegt ist, dass die Siegermächte des 2. Weltkrieges die Hoheit über die deutschen Zeitungs- und Rundfunkmedien bis zum Jahre 2099 (!) haben? Die Dienstbeflissenheit, mit der deutsche Bundeskanzler kurz vor und gleich nach ihrer Wahl in Washington »antreten« und die traurige Tatsache, dass uns auch 60 Jahre nach Kriegsende noch immer ein Friedensvertrag verweigert wird, lässt das Schlimmste befürchten.

g) Erfolg und hohes Ansehen eines Presseorgans haben sich schon immer gut missbrauchen lassen.

h) Wenn Leserbriefe nicht abgedruckt werden und Redakteure auf Protestschreiben und Denkschriften nicht reagieren, bleibt uns noch immer die sorgfältig inszenierte Abo-Kündigung.

Reitet für Deutschland

Der Kapitalismus *reitet für Deutschland* – nach wie vor. Aber – man sieht ihm schon an, dass er die besten Jahre seines Lebens hinter sich hat. Auch sein Pferd, die treue Zinswirtschaft, ist nicht mehr ganz frisch. Bevor beide endgültig abtreten, sollten Ross und Reiter aber auf jeden Fall der Nachwelt irgendwie erhalten bleiben. Was immer die beiden auf dem Kerbholz haben, z.B. die Tatsache, dass Sie das Leben auf der Erde geprägt und verwüstet haben, ist zumindest für Historiker genau so museumswürdig wie beispielsweise die Folterwerkzeuge der Inquisition. Ausgestopft und sorgfältig imprägniert könnten sie Schulklassen noch auf Jahrzehnte hinaus als *Geisterreiter zum Anfassen* präsentiert werden.

Ohne Landreform keine Geldreform

9 Die nutzbare Oberfläche der Erde (Wald, Weide- und Ackerland) lässt sich kaum noch vergrößern. Da jedoch die Zahl der Menschen ständig wächst, die landwirtschaftlich nutzbaren Flächen aber keineswegs mitwachsen, sondern ganz im Gegenteil durch Versalzung, Versteppung und Verwüstung in erschreckender Weise abnehmen, wird die pro Kopf zur Verfügung stehende »Brotfläche« von Tag zu Tag kleiner und kostbarer. Würde sich die Zahl der Menschen dagegen durch Wassermangel, Sturmfluten, Erdbeben, Seuchen oder Atomkriege laufend verringern, wäre es natürlich umgekehrt: Ackerland, aber auch die Grundstückspreise für Haus und Garten würden unter derartigen Umständen immer »erschwinglicher«. Nach dem Ende des Dreißigjährigen Krieges waren in Mitteleuropa ganze Landstriche durch die Pest entvölkert worden. Land war also im Überfluss vorhanden und dementsprechend günstig oder sogar kostenlos zu erwerben.

Wir sind heute geneigt, den Mangel an Land durch Übervölkerung für etwas weniger gefährlich zu halten als eine durch Katastrophen freigeräumte Fläche (Atomkriege – Seuchen – Flutwellen etc.). Das ist auch gut so, denn beide Perspektiven sind so entsetzlich, dass es sich eigentlich nicht lohnt, darüber zu streiten, welcher Alternative im Zweifelsfalle der Vorzug zu geben sei. Immer dann, wenn uns die Entwicklung der Menschheitsgeschichte oder »das Schicksal« – wie in diesem Falle – zwischen zwei Extreme stellt, bleibt uns jedoch – im Gegensatz zu Pflanzen und Tieren – immerhin noch der Ausweg, wenigstens ab und zu mal unser Gehirn einzuschalten. Wir kommen dann auch ganz von selbst darauf (notfalls aber auch mit Hilfe begabter Schulkinder), dass es in der Bevölkerungsfrage einen Weg der Vernunft geben muss, der dem verfügbaren Boden nicht mehr Menschen gegenüberstellt, als es die Tragkraft des Bodens langfristig zulässt. Die Frage, was mit den übrigen Menschen zu geschehen hätte, kann zur Zeit nur in utopischen Romanen angedacht werden und ist nicht Gegenstand dieses Buches.

Stellt man beispielsweise in Palästina und in Israel die landwirtschaftlich nutzbaren Böden den Steppen, Wüsten, Gebirgen und dem Toten Meer gegenüber, wird auch schon für einen zehnjährigen Schüler klar, dass beide Länder bereits heute übervölkert sind. Werden dann auch noch die ungleich verteilten Süßwasservorkommen dieser beiden Länder berücksichtigt, kommt man schnell zu der Erkenntnis, dass es schon keiner weiteren Bevölkerungszunahme oder religiöser Gegensätze mehr bedarf, um dieser Region den permanenten Bürgerkrieg auf Dauer zu sichern. Weder mit Geld, Waffengewalt oder technologischer Überlegenheit lassen sich übervölkerte Länder befrieden. Erst wenn halsstarrige Machthaber bereit sind, zu erkennen, dass Frieden von Zufriedenheit kommt, wird z.B. in Nahost eine menschenwürdige Ausgangslage für einen dauerhaften Frieden herbeigeführt werden können. Forcierte Zuwanderung auf der israelischen und eine überdurchschnittlich hohe Geburtenrate auf der palästinensischen Seite waren und sind das reinste Gift für Spannungsgebiete, die aus ökologischer Sicht bereits total übervölkert sind. Werden dann auch noch die Faktoren »Recht auf Heimat« aller rückkehrwilligen Palästinenser und ökologische Aspekte berücksichtigt, wird klar, dass es mit der Verleihung von Friedens-Nobelpreisen und anderen Gesten hoffender Hilflosigkeit nicht mehr getan ist.

Auch in Bosnien und an anderen Brennpunkten der Erde wird seit Jahrzehnten pausenlos übersehen oder ignoriert, dass es ohne die Zufriedenheit aller Betroffenen keinen dauerhaften Frieden geben kann. Eine der Ursachen für das schreiende Unrecht an Millionen und Abermillionen ist die ungerechte Verteilung des Bodens. Das Erstaunlichste am unvermehrbaren Boden auf dem Planeten Erde ist die eigenartige Neigung des Menschen, ihn unbedingt besitzen zu wollen. Handelte es sich lediglich um jene Flächen, die der angebliche Eigentümer mit seinem Gesäß im wahrsten Sinne des Wortes »besitzt«, indem er sich einfach mal draufsetzt, könnte man es durchgehen lassen. Kritisch wird der Anspruch auf Eigentum am Boden eigentlich erst, wenn Landbesitzer allen Ernstes meinen, auch Hektar- oder Quadratkilometer große Flächen »besitzen« zu dürfen, obwohl sie doch mit ihrem Hintern immer nur eine recht kleine Fläche wirklich besetzt halten können. Das ist nicht nur eigenartig, sondern auch relativ neu, denn in früheren Zeiten gehörte das Land allen. Das so genannte Privateigentum am Boden gibt es in Europa erst seit der Einführung des römischen Rechts, also seit Ende des 15. Jahrhunderts.

Wer sich heute als junger Mensch zu Recht die Frage stellt, wie es denn die »Großgrundbesitzer« wohl geschafft haben, sich so viel Land unter den Nagel zu reißen, das sie bis auf den heutigen Tag frech als ihr Eigentum bezeichnen, dem kann man nur raten, sich mit der Geschichte der letzten 1.000 Jahre zu beschäftigen. Wer nämlich im Mittelalter die meisten Bauern täuschen, betrügen, erschlagen oder vertreiben ließ, sicherte seinen Nachkommen bis in die Gegenwart hinein eine mit Blut und Tränen gedüngte Erde. *»Von Motten zerfressene Grundbücher«* (Silvio Gesell), die mit Hilfe einer Flasche Schnaps oder unter Androhung der Folter »geführt« wurden und den heutigen Landbesitz rein formal zu legitimieren scheinen, ändern nichts an der Tatsache, dass so gut wie jeder Großgrundbesitz die Folge eines längst verjährten Gewaltverbrechens ist. Etwas anders verhält es sich mit dem erstaunlichen Reichtum der Kirchen und Klöster. Fühlte der Bauer früher sein Ende nahen, ließ er den hochwürdigen Abt kommen, um der Hölle zu entfliehen. Um aber ganz sicher zu gehen, auch wirklich im Himmel zu landen, haben viele Bauern dann auf Anraten der Mönche das Wohl der eigenen Seele über das Wohlergehen der hinterbliebenen Frauen und Kinder gestellt. Jedes Kloster hatte seine Spezialisten für das Angsteinjagen; und am Reichtum der Klöster kann heute noch abgelesen werden, wie tüchtig und erfolgreich diese Sterbebegleiter ihren Schäfchen das wertvolle Ackerland noch auf dem letzten Drücker abgeluchst haben. So ist das Grundeigentum am Boden entstanden. Unser Grundgesetz schützt dieses Eigentum und damit auch die Eigentümer, die traditionell immer selbst Einfluss auf die Gesetzgebung und somit auch auf das zur Zeit geltende Grundgesetz genommen haben. Unser Grundgesetz lässt übrigens unter bestimmten Voraussetzungen auch heute schon die »Überführung« von Privateigentum in Gemeineigentum zu. Hellhörige Leser/innen merken sicher schon, dass wir uns jetzt einer besonders delikaten Sache zuwenden müssen, um auch die zweite Säule der Natürlichen Wirtschaftsordnung Silvio Gesells aus dem Marmor der verordneten Ahnungslosigkeit herausmeißeln zu können.

Erste Anfänge einer Landreform gehen in Deutschland auf den Unternehmer Michael Flürscheim zurück, der 1888 den Deutschen Bund für Bodenbesitzreform gründete und seinerzeit viele Anhänger fand, die das erstrebenswerte Ziel verfolgten, den unverdienten Reichtum der Großgrundbesitzer gerecht zu verteilen. Diese Reformer haben nach Ansicht von Silvio Gesell aber schon deshalb keinen Erfolg haben können, weil sie das Geld in seiner zinsheckenden und in seiner zinserzwingenden Form unangetastet ließen; und so blieb es Silvio Gesell vorbehalten, die von Flürscheim initiierte Bodenreform auf eine tragfähige Grundlage zu stellen, indem er seine Freigeld-Reform mit einer nicht weniger genialen Freiland-Reform kombinierte. Gesell erkannte, dass die Verteilungsgerechtigkeit bei den Geldvermögen mit der Zinszertrümmerung allein noch nicht zu haben war, weil die Geldbesitzer nach seiner absolut richtigen Einschätzung unverzüglich dazu übergehen würden, das Land restlos aufzukaufen, um sich dann über die Bodenrente, über unverschämte Baulandpreise und kaum noch bezahlbare Wohnungsmieten das zurückzuholen, was ihnen bisher an Zinsgeschenken wunderbarerweise und unangefochten zugeflossen war.

Die Gesellsche Landreform könnte sehr leicht damit eingeleitet werden, dass der Staat, die Bundesländer und die Kommunen ab sofort kein Land mehr verkaufen, sondern nur noch verpachten. In einem zweiten Schritt, der natürlich ebenfalls einer gesetzlichen Grundlage bedarf, wird allen Grundeigentümern untersagt, ihren Grund und Boden an Privatpersonen, Firmen, Verbände oder Konsortien zu veräußern, sondern nur noch an Staat, Land, Stadt oder Gemeinde! Schon durch diese einfache Maßnahme, die den Steuerzahler voraussichtlich keinen Pfennig bzw. Cent kosten werden, brechen das Geldschmarotzer- und das Bodenspekulantentum wie Kartenhäuser in sich zusammen. Bisher war es doch so, dass z. B. ein Bauer sein vor München günstig gelegenes Ackerland so teuer verkaufen konnte (natürlich nur einmal in seinem Leben), dass die Mieter der anschließend darauf gebauten Mietshäuser bis an das Ende ihrer Tage mit schier unglaublichen Monatsmieten gequält werden mussten. Der ehemalige Grundeigentümer machte also einmal den großen Reibach, zog sich anschließend mit seinen Millionen nach Teneriffa zurück und überließ die Mieter oder Bauherren ihrem Schicksal. Wer das schön findet, normal, richtig, unabänderlich oder gar erstrebenswert, gehört wahrscheinlich zu den Krisengewinnlern. Weit über 95 % aller Menschen auf der Erde haben weltweit unter dieser moralisch erbärmlichen Verrücktheit zu leiden und zwar lebenslänglich – ohne die geringste Aussicht auf vorzeitige Entlassung. Selbst Terroristen oder Sexualmördern räumt man bei guter Führung nach 15 Jahren die Chance ein, begnadigt zu werden. Nicht so die Mieter! Sie und alle anderen Zinsquellen dürfen lebenslänglich zur Ader gelassen werden. Dass diese Unbarmherzigkeit Folgen hat, versteht sich von selbst: Viele Konflikte und Kriege wurden ausgetragen, weil auf dieser Erde die Gattung Mensch die Bodenfrage nicht gelöst hat und den bedeutendsten Geld- und Landreformer des 20. Jahrhunderts – Silvio Gesell – einfach nicht zur Kenntnis nehmen wollte.

Wäre es so, dass durch Privateigentum am Boden die Bäche wieder klarer, die Forellen zahlreicher, die Mädchen schöner, die Dicken dünner, die Hühner legefreudiger, die Hähne trittfester und die Sandalen haltbarer würden, könnte man das absurde (weil gemeingefährliche) Festhalten an diesen Zöpfen ja noch verstehen. Der auch von mir geschätzte Ökologe, Politiker und Autor Herbert Gruhl (»Ein Planet wird geplündert«), der in Deutschland immerhin zwei ökologisch bedeutsame Parteien aus der Taufe heben half (DIE GRÜNEN und die ÖDP), hätte für die Nachwelt noch viel mehr tun können, wenn ihm jemand über seine völlig unbegründete Angst vor Silvio Gesell hinweggeholfen hätte.

Gruhl unterlief der gleiche Fehler wie vor einigen Jahren dem Ökologen Prof. Dr. Ernst Ulrich von Weizsäcker (SPD): Beide maßten sich bedauerlicherweise ein vorschnelles und ablehnendes

Urteil über Silvio Gesell an, ohne sich mit der Natürlichen Wirtschaftsordnung ernsthaft befasst zu haben. Weizsäcker, immerhin Mitglied des Club of Rome (eine von Nelson und David Rockefeller gegründete Tarnorganisation, die mit Hilfe von Experten und Nobelpreisträgern auf höchstem wissenschaftlichen Niveau von den monetären Ursachen der Weltarmut abzulenken versucht) wacht streng darüber, dass auch in den Publikationen seines Hauses (»Wuppertal-Institut«) die freiwirtschaftliche Lösung zu 100 % ausgeblendet bleibt. Traurigstes Beispiel: Das wichtige und äußerst fundierte Buch »*Zukunftsfähiges Deutschland*«. Die Leserschaft wird, wie nicht anders zu erwarten, in diesem notwendigen Buch mit hieb- und stichfesten Fakten regelrecht verwöhnt und mit tollen Aha-Effekten bedient. Das dicke Buch hätte eine köstliche Eintopfsuppe werden können, wenn nicht ausgerechnet das Salz »vergessen« worden wäre! Schon das Vorwort hat mich ahnen lassen, was diesem Buch mit Sicherheit fehlt: Es wurde nämlich von Frau Dr. Angelika Zahrnt beigesteuert, der neuen 1. Vorsitzenden des Bundes für Umwelt und Naturschutz Deutschland (BUND). Die Wirtschaftswissenschaftlerin (Nachfolgerin von Hubert Weinzierl) hat aus ihrer Abneigung gegen die Freiwirtschaftstheorie Silvio Gesells nie einen Hehl gemacht. Schade, denn gerade der BUND könnte zur Rettung der Artenvielfalt in Deutschland Milliardenbeträge gebrauchen. Statt dessen hechelt diese arme Frau jetzt hinter Spenden und Erbschaften (!) her, die aber vorne und hinten nicht reichen werden, um auch nur einen Bruchteil dessen zu realisieren, wozu die ca. 250.000 Mitglieder des BUND in der Lage und auf Grund ihres Wissens auch moralisch verpflichtet wären! Das ist eben der Preis, den uneinsichtige Menschen zu zahlen haben, wenn sie nicht bereit sind, wenigstens einen Teil ihrer wirtschaftswissenschaftlichen Studienliteratur in einem besonders großen Papierkorb zu entsorgen. Der Schaden, den engstirnige Professoren an dieser Frau und an den ihr heute anvertrauten Umwelt- und Artenschutzprojekten angerichtet haben, pflanzt sich also fort und erfasst nun auch den größten deutschen Naturschutzverband, dem sie – statt mit gutem Beispiel voranzugehen – die Möglichkeit nimmt, der brutalen Zinswirtschaft ein Schnippchen zu schlagen. In die gleiche Richtung zieht Prof. Ernst Ulrich von Weizsäcker (SPD), der vor einigen Jahren in der Zeitschrift »*natur*« (heute: *natur & kosmos*) das alberne und schon hundertfach widerlegte Gerücht noch mal aufgewärmt hat, die Freiwirtschaft würde den Konsum dermaßen ankurbeln, dass der Umwelt Schaden zugefügt würde. In der NWO wird es keineswegs zu einem naturverschlingenden Überkonsum kommen – wie wir ihn heute in der Zinswirtschaft doch längst haben! Vielmehr wird sich der Konsum leicht in Kreislaufwirtschaften lenken lassen, die auch von Prof. von Weizsäcker und von Frau Dr. Zahrnt gefordert werden, aber heute an der Zinsbedienung des Kapitals kläglich scheitern: Zum Beispiel Solaranlagen auf so gut wie jedem Dach! Ich halte die unqualifizierte Einschätzung von Weizsäckers für erwähnenswert, weil sie ein »schönes« Beispiel dafür ist, dass auch ein berühmter Name weder vor Torheit schützt noch vor der Mühe, Gesell zu studieren, bevor man sich abfällig über ihn äußert. Man stelle sich vor, der Bürgermeister von Wörgl, Michael Unterguggenberger, hätte seinen Gesell so oberflächlich und voreingenommen gelesen wie Ulrich von Weizsäcker!

Silvio Gesell schlug also vor, dass die jetzigen Grundeigentümer ihr Land nur noch an den Staat verkaufen dürfen. Die bisher gepflegte Praxis, sich selbst oder einen Strohmann in das Dorf- bzw. Stadtparlament zu schleusen, um der Umwandlung des eigenen Ackers in Bauland Beine zu machen, wäre damit endgültig vom Tisch. Innerhalb einer einzigen Generation ließe sich nach Ansicht von Gesell und heutigen NWO-Experten der ganze Boden eines Landes ohne den Knüppel der Enteignung (!) in den Besitz der Allgemeinheit überführen. Der Bauer z.B. wäre jetzt nicht mehr Eigentümer, sondern Nutzer des Bodens; also ein Pächter, der den Hof selbstverständlich problemlos an seinen Hoferben weiterreichen könnte. Da sich der Verkauf des Bodens an den Staat über lange Zeiträume hinziehen wird (ca. 20 Jahre), kann diese Reform so undramatisch eingeleitet und abgewickelt werden wie die Umstellung der Kopfbedeckung von Prinz-Heinrich-Mütze auf Hut. Schade, dass Herbert Gruhl nie bis zu diesem Punkt vorgestoßen ist, andernfalls würden die Parteiprogramme der Grünen und der ÖDP heute anders aussehen. Herbert Gruhl muss doch gewusst haben, dass man Acker, Wiese und Wald nicht mit ins Grab nehmen kann. Er scheint – wie viele seiner Zeitgenossen – befürchtet zu haben, Silvio Gesell würde den Bauern die Butter vom Brot nehmen. Das Gegenteil ist der Fall! Was ändert sich denn groß an der Situation der Bauern durch diese Landreform? Er kann seinen Acker wie bisher nach Lust und Laune bewirtschaften; niemand kann ihn vom Hof jagen. Sicher, er kann den Boden dann nicht mehr beleihen, aber wozu denn auch? Er bekommt doch das Geld auf der Bank dann auch ohne diese »Sicherheit«, die doch bisher nur darin bestanden hat, dass er mit Sicherheit der Bank den doppelten Betrag zurückzahlen durfte! Anstatt also den Banken die Zinsen in die Tresore zu schaufeln, zahlt er nach Einführung der NWO bei Inanspruchnahme eines Kredites nur noch einen Unkostenbeitrag von vielleicht 1 bis 1,5 % an die Bank, und dem Staat zahlt er eine angemessene Pachtgebühr. Wie war denn das bisher? Hatte der Bauer mehrere Kinder, wurde er durch die Erbteilung zur Verzweiflung gebracht (von der Erbschaftssteuer ganz zu schweigen). Der Hoferbe ist nämlich gezwungen, seinen Geschwistern hohe Geldbeträge auszuzahlen, um als Erbe den Hof allein übernehmen zu können. Wie viele Bauernhöfe sind nicht allein durch diesen Wahnwitz ruiniert worden? Um die gesetzlichen Ansprüche der Geschwister befriedigen zu können, muss der Hoferbe in der Regel einen Kredit aufnehmen, der ihm bei hohen Zinskosten jahrzehntelang wie ein schwerer Stein am Halse hängt (und natürlich auch zum Halse heraushängt)! Oft reichen zwei schlechte Ernten oder eine Tierseuche aus, um die Zahlungsunfähigkeit des um seine Existenz ringenden und schuftenden Bauern zu besiegeln. Und das alles doch nur, weil er meint, sich als Eigentümer bezeichnen zu müssen. Ein Pächter lacht sich doch schlapp über diesen hausgemachten Unfug. Nahezu anderthalb Millionen Bauernhöfe sind allein in Westdeutschland nach dem zweiten Weltkrieg durch Existenzvernichtung verlorengegangen. Schuld war keineswegs immer der zu niedrige Getreidepreis, die zu kleinen

Flächen oder die EU; in vielen Fällen dürften unlösbare Erbschaftsprobleme und die damit zusammenhängenden Zinsbelastungen in den Ruin geführt haben. Silvio Gesell kam aus eigener Erfahrung (als Bauer in der Schweiz) zu der vorher nie für erwähnenswert gehaltenen Feststellung, dass der Bauer durch das Eigentum am Boden praktisch für immer an die Scholle festgenagelt wird. Pächter genießen die gleichen Vorteile, ohne jedoch diesen Nachteil des Eigentums am Boden akzeptieren zu müssen. Sagt ihm das Klima im vom Rheuma geplagten Alter nicht mehr zu, kann er sich im Süden nach einem warmen Plätzchen bzw. Altersruhesitz umsehen, ohne gleich einem ganzen Stab von Erben, Rechtsanwälten, Maklern und Spekulanten ausgeliefert zu sein. Nach der Landreform geht der Hof selbstverständlich völlig reibungslos an den Hoferben über – wenn dieser es wünscht. Die Geschwister des Hoferben sind dann allerdings keine Blutsauger mehr, sondern müssen – wie beispielsweise die Kinder eines Konzertgeigers – aus eigener Kraft zu beruflichen Ufern und finanzieller Sicherheit vorstoßen. Will keines der Kinder – wie heute üblich – den Hof übernehmen, wird der Hof öffentlich an den meistbietenden Pächter versteigert. Heutzutage nisten sich statt dessen gern »doppelverdienende« Akademikerehepaare in zugrundegerichteten Bauernhöfen ein, während das Land von Großbauern übernommen wird, die es »zusammenlegen« (nachdem sie die ökologisch wertvollen, angeblich im Wege stehenden Hecken abgeräumt haben!) und mit Kunstdünger, Gülle und Gift in ein Produktionsschlachtfeld verwandeln. Wer dieser perversen Besitzkultur eine Träne nachweinen möchte, soll das meinetwegen tun, wir aber richten unseren Blick derweil schon mal nach vorn: Freiland und Freigeld werden diesen wichtigsten aller Berufe auf der Erde, den des Bauern, wieder so attraktiv machen (und nicht nur in Kinderbüchern so erscheinen lassen!), dass ein Teil der von der Industrie auf die Straße gesetzten Arbeiter und Angestellten gerne in die lohnende Landwirtschaft zurückgehen wird. Dann werden Jungbauern vor Ort auch wieder eine Frau zum Heiraten finden, anstatt – wie mir aus Nordhessen berichtet wurde – junge Frauen aus Polen einfliegen zu lassen, damit im Dorf endlich wieder mal die Hochzeitsglocken läuten! Dass diese Landwirtschaft der Zukunft eine ökologische Landwirtschaft sein wird, also auf Kunstdünger, Kadavermehl, Massentierhaltung, genmanipuliertes Saatgut, Landschaftsausräumung und Gift völlig verzichten wird, das Grundwasser schont, anstatt es zu verseuchen und den »*Naturschutz auf der ganzen Fläche*« (Benjeshecken!) herbeiführt, liegt auf der Hand und ließe sich in einem Abwaschen gleich mit erledigen.

Schon zu Gesells Zeiten wurde von Gegnern der Landreform bezweifelt, dass der Staat in der Lage sei, den ganzen Ackerboden, Wiesen und Wälder, Kiesgruben und Bergwerke, Flüsse, Seen und Seeufer aufzukaufen. Natürlich wäre das in der heutigen Zinswirtschaft schwierig oder gar unmöglich, aber in einer Gesellschaft, die sich dazu entschlossen hat, den Bodenwucher und die Zinsknechtschaft zu überwinden, wird es möglich sein. Bei schrittweiser Einführung der Land- und Geldreform würden dem Staat ausreichende Geldmittel zur Verfügung stehen, um den jetzigen Grundeigentümern die ihnen selbstverständlich zustehenden Entschädigungen so nach und nach auszahlen zu können. Während Lenin und Stalin noch blutigsten Terror zur Hilfe nehmen mussten, um die entschädigungslose Enteignung der Bauern durchprügeln zu können, fand der Menschenfreund Silvio Gesell einen Weg, der dem Wohle aller Beteiligten dient und – der bezahlbar ist! Ich lasse ihn an dieser Stelle am besten einmal selbst zu Worte kommen:

»*Unmittelbar gewinnt oder verliert niemand durch den Rückkauf des Grundbesitzes. Der Grundeigentümer zieht aus den Staatspapieren an Zins, was er früher an Rente aus dem Grundeigentum zog, und der Staat zieht an Grundrente aus dem Grundeigentum das, was er an Zins für die Staatspapiere zahlen muß. Der bare Gewinn für den Staat erwächst erst aus der allmählichen Tilgung der Schuld mit Hilfe der später zu besprechenden Geldreform.*« Der Bauer erhält nach den Vorschlägen Gesells also nicht etwa den ganzen Kaufpreis sofort ausbezahlt (wäre weder sinnvoll noch möglich), sondern einen Schuldschein ausgehändigt, den der Staat mit Zinsen (!) »bedient!« Zusätzlich stottert der Staat seine Schulden in verkraftbaren Raten ab. Durch das allmähliche Abtragen der ursprünglichen Schuldsumme sinken natürlich auch die an die Bauern zu zahlenden Zinsbeträge. Da die Schulden des Staates gegenüber den ehemaligen Grundeigentümern um so schneller abgebaut werden können, je tiefer die Zinsen auf dem allgemeinen Kapitalmarkt sinken, macht der Staat schon nach wenigen Jahren Gewinn, da ihm die Pachteinnahmen ja auf immer und ewig entgegensprudeln, während die Ausgaben zur Befriedigung der ehemaligen Grundeigentümer von Jahr zu Jahr sinken. Dank der Kombination von Land- und Geldreform wird es im Laufe von ca. zwanzig Jahren möglich sein, die früheren Grundeigentümer gerecht und angemessen zu entschädigen. Wie das jetzt im einzelnen geregelt werden soll, bleibt Expertenkommissionen überlassen, die übrigens auch heute schon zusammentreten könnten, wie die Tagungen der Land- und Geldreformer seit Jahrzehnten unter Beweis stellen.

Daraus darf nun aber nicht der voreilige Schluss gezogen werden, in der Bevölkerung habe sich bereits ein nutzbares Problembewusstsein aufgebaut. Großgrundbesitzer denken natürlich nicht im Traum daran, die Goldeselei des Bodens auch nur ins Gespräch zu bringen; und selbst der kleine Hausbesitzer mit seinem winzigen Gärtlein hinten dran hört in der Regel gar nicht mehr zu, wenn wir ihm einmal vorrechnen, um wie viel günstiger ihn das Haus gekommen wäre, wenn ihm der Bauplatz nicht verkauft, sondern in Erbpacht überlassen worden wäre. Der Stolz dieser Grundstückeigentümer ist in der Regel erst dann verflogen, wenn z.B. wegen der Arbeitslosigkeit eines Ehepartners oder im Falle einer Scheidung die monatlichen Raten nicht mehr aufgebracht werden können und die Bank das private Heiligtum per Zwangsvollstreckung gnadenlos der Zwangsversteigerung zuführt. Das geschieht in Deutschland jedes Jahr vieltausendfach, allerdings vor lauter Scham in aller Stille, während die Bausparkassen eher laut als leise den zinsgeschwängerten Unsinn der Baulandfinanzierung verherrlichen und verharmlosen.

Professoren, die ihr Zinswissen verschweigen, Studenten und Zeitungsleser, die »auf sicheren Wegen« am Thema Geld vorbeigelogen werden, sie alle tragen kräftig dazu bei, dass ein Eigentum an Grund und Boden als völlig normal und sogar als überaus erstrebenswert empfunden wird. Es muss also neben der Aufklärung auch ein bisschen Druck gemacht werden. Rein zahlenmäßig sind die Nutznießer dieser Fehlentwicklung nicht besonders stark und überhaupt nicht zu vergleichen mit denen, die zur Miete wohnen (70 % Zinsen!), Sozialhilfe empfangen, arbeitslos sind oder um ihren Arbeitsplatz bangen. Da die Landreform – zusammen mit der Geldreform – die Arbeiter, Angestellten, Beamten, Künstler, Handwerker, Bauern, Unternehmer (!) und alle sonstigen Personen begünstigen würde, die weniger als 150.000 Euro

Dresdner Bank – bei uns liegen Sie immer richtig!

147

Netto pro Jahr verdienen, wird man von einer satten 90%-Mehrheit der Reform-Nutznießer ausgehen können. Das will allerdings so viel noch nicht besagen, denn die restlichen 10% haben das Sagen und wälzen sich im Segen der Kirchen (!), der Medien, der hohen Politik und natürlich des großen Kapitals (darunter verstehe ich Personen, die ohne eigene Leistung, d.h. »nur mal eben so«, mehr als 5.000 Euro pro Tag verdienen – und zwar an jedem Tag, also auch an Sonn- und Feiertagen).

Es stehen somit 90 geschwächte Mäuse zehn stramm gefütterten Katzen gegenüber. Das ist die Ausgangslage, und die ist eigentlich besorgniserregend, denn eine kerngesunde Katze lässt sich von neun Mäusen so schnell nicht vom Kurs abbringen, geschweige denn in die Flucht jagen. Wenn sich die Mäuse dann auch noch gegenseitig behindern (weil sie sich nicht auf eine gemeinsame Strategie einigen können), genießen die Katzen ein ruhiges Leben. Man beginnt die Resignation derer zu verstehen, die nach einem Leben unermüdlicher Aufklärungsarbeit erkennen müssen, nicht vom Fleck gekommen zu sein. Aber so paradox es auch klingen mag: das Ausbleiben durchschlagender Erfolge trägt den Kern des Gelingens schon in sich, wenn die NWO-Bewegung endlich einmal erkennen würde, dass auch Fehler gemacht worden sind, die sich zwingend negativ ausgewirkt haben und sich künftig leicht vermeiden lassen. Dr. Gustav Großmann (Urheber der Großmann-Methode) hat für das Phänomen »*Misserfolge trotz größter Anstrengung*« schon Mitte des vorigen Jahrhunderts den Begriff »*Der wirksame Mangel*« geschaffen. Für ihn war dieser ganz spezielle Mangel der größte Unheilbringer, der Vergifter und Zerstörer von beruflichen Karrieren und privatem Lebensglück. Ich befasse mich innerhalb der NWO-Bewegung seit 1993 mit dem wirksamen Mangel, diesem gefährlich unterschätzten Misserfolgsfaktor, der sich meist unbemerkt in die Schicksale der Menschen zu schleichen versteht. Die Kunst, damit umzugehen, besteht zunächst einmal darin, die negative Wirksamkeit unerkannter Mängel für möglich zu halten. Schon mit dieser Einsicht lässt sich sofort etwas anfangen, denn wer würde ohne diesen juckenden »Anfangsverdacht« mit der Suche nach Flöhen im eigenen Pelz beginnen? Wer ein Problem hat, der wird schnell fündig, lockt doch die Aussicht, das Problem aus der Welt schaffen zu können! Wer die Suche nach dem wirksamen Mangel auch auf andere Leute ausdehnt, ihnen beispielsweise ungebeten »rettende Ratschläge« erteilt (wie ich das ja auch immer noch nicht lassen kann), bekommt das sofort zu spüren, wie Gustav Großmann in seinem streckenweise immer noch lesenswerten Buch *»Sich selbst rationalisieren«* so süffisant beschreibt:

»Das ist das Schlimme, dass der mit einem wirksamen Mangel Behaftete diesen Mangel verteidigt, wie eine Löwin ihr Junges verteidigt. Die meisten mit diesem Mangel Behafteten ziehen den Selbstmord der Selbsterkenntnis vor, denn diese würde sie zwingen, die Konsequenzen zu ziehen!« Großmann übertreibt natürlich, aber jeder wird in seinem Leben schon ähnliche Erfahrungen gemacht haben. Gleich (und auch erst dann!) nach der Entdeckung eines wirksamen Mangels kann mit den Vorbereitungen zu seiner Behebung begonnen werden. Das pessimistische Abwarten bleibt auf der Strecke und wird durch Zuversicht, Selbstvertrauen, Neugier und Erfolgshunger ersetzt. Ich habe das hier eingeschoben (und werde es an anderer Stelle wieder tun), weil wir schon an dieser Stelle meiner Einführung in das Vermächtnis Silvio Gesells einen Punkt erreicht haben, der erkennen lässt, dass wir ohne Arbeit, Aufwand, Fleiß, Beharrlichkeit, Mut und Geschicklichkeit nicht weiterkommen. So etwas schreckt erst einmal ab, ich weiß; ich weiß aber auch, dass Arbeit, die endlich mal ein Stück Lebenskunst sein darf, zu einem Vergnügen werden kann. Wie sagte doch Cicero? *»Arbeit schafft Hornhaut gegen den Kummer.«*

Das sind lauter gute Voraussetzungen für den Erfolg, den wir ja nicht etwa spaßeshalber anstreben, sondern in der Erkenntnis, dass die Vision von *Arbeit, Wohlstand und Frieden für alle* ein Menschenrecht darstellt und dieses Recht auf unserer Seite steht. Doch was nützt uns diese »Rechthaberei« wenn die soziale Gerechtigkeit wegen unerkannter oder stur ignorierter wirksamer Mängel von der Verwirklichung abgeschnitten bleibt? Nur mit der Beseitigung der wirksamen Mängel kann aus der Vision von heute die Wirklichkeit von morgen werden.

Die Pässe der Alpen waren doch auch einmal fast unüberwindbar. Erst als man daranging, Wege und Straßen unter Inkaufnahme großer Umwege in Form von Serpentinen in die Felsen zu sprengen, wurde das Ziel erreicht. Welcher Autofahrer aus dem Flachland denkt schon an die mühsame, gefährliche, kostspielige und zeitraubende Arbeit dieser straßenbaulichen Meisterleistungen und Triumphe? Man tritt auf das Gaspedal und genießt die spektakuläre Aussicht. Das werden bestimmt auch jene einmal tun, die erstmalig in den vollen Genuss der Natürlichen Wirtschaftsordnung (NWO) kommen. Arbeitslosigkeit, soziale Ungerechtigkeiten und Not werden dann für immer vergessen sein.

Man wird sich dann auch nicht mehr vorstellen können, dass die Bauern einmal vor der Alternative gestanden haben, entweder den Hof zu zerstückeln und gleichmäßig auf die Zahl der Kinder zu verteilen, oder sich so hoch zu verschulden, dass der alleinige Hoferbe mit seiner Frau nur noch ein einziges Kind zu zeugen wagt, um wenigstens diesem Erben die endgültige Zerstückelung des Hofes zu ersparen. Wer wird sich nach erfolgreicher Durchführung der Geld- und Landreform noch dafür interessieren, dass die Menschen in diesem Lande einmal ihr halbes Leben lang (!) nur für die Zinskassierer gearbeitet haben? Man wird diese zurückliegende Zeit vermutlich zu verdrängen suchen – wie den Holocaust. Bloß nicht mehr dran denken! Es ist schließlich auch ein bisschen peinlich, als erwachsener Mensch ein ganzes Arbeitleben lang so dumm gewesen zu sein, den Reichen und Superreichen wie ein Sklave gedient zu haben, diesen Leuten – ohne mit der Wimper zu zucken – auch noch tief in den Auspuff gekrochen zu sein. An derart perverse Dinge werden die Menschen mit Sicherheit nicht gern zurückdenken wollen; vielleicht mit Ausnahme jener Vorreiter/innen, die der NWO-Bewegung schließlich zum Durchbruch verhelfen konnten.

Spricht es nicht für den Altruismus Silvio Gesells, dass er im Drehbuch dieser Reformen so ganz ohne Gewalt auskommen konnte und trotzdem revolutionär blieb? Und spricht es nicht für den Gerechtigkeitssinn dieses Erneuerers, dass er sich wünschte, die Bodenrente (Pachteinnahme des Staates) möge den Müttern nach der Zahl ihrer Kinder ausgezahlt werden? Gerade Mütter, die auch heute noch ein bevorzugtes Opfer des Bodenwuchers und der Grundstücksspekulanten sind und oft nur wegen der unbezahlbaren Mieten zwei bis drei Putzstellen annehmen müssen, sollen nach den Vorstellungen Silvio Gesells Nutznießer Nr. 1 sein. Ich gebe gerne zu, von dieser Absicht Gesells völlig überrascht gewesen zu sein und gehe davon aus, dass es manchen meiner Leser/innen auch so geht. Die Argumente für ein derartiges »Müttergehalt« aus der Bodenrente sind jedoch so einleuchtend, dass man sich fast schon wieder schämt, nicht selbst auf diese Idee gekommen zu sein. Es sind doch gerade die Mütter, die mit ihrem Kindersegen die Nachfrage nach mehr Wohnraum und damit die Nachfrage nach Bau- und Ackerland begründen! Anstatt sich wie bisher an dieser Nachfrage dumm zu verdienen, sie schamlos auszunutzen, geht jetzt das Geld, das der Staat von den Pächtern erhebt, zum Teil direkt auf das Konto der Mütter. Frauen, die bisher wegen finanzieller Abhängigkeit die Zähne zusammenbeißen mussten oder ins Frauenhaus flüchteten, werden dann finanziell unabhängig sein und frei darüber entscheiden können, wie, wo und mit wem sie die Zukunft ihrer Kinder gestalten. Auch den alltäglichen Zusammenhang zwischen Alleinerziehung und bitter arm sein wird es dann nicht mehr geben können.

Für Gesell war es selbstverständlich, dass der wertvolle Boden auf dieser Erde allen Müttern in der ganzen Welt zur Verfügung gestellt werden muss und nicht etwa nur den Müttern in Argentinien, der Schweiz oder Deutschland, den Ländern seines Wirkens. Zugegeben, es fällt viel leichter, die bisherige Misere weltweit für einen unveränderlichen Dauerzustand zu halten, als an die Durchführbarkeit dieser wünschenswerten Reformen im eigenen Land zu glauben; aber wer sagt denn, dass wir es uns leicht machen wollen? Entscheidend ist doch, dass wir endlich einsehen, dass die gesellschaftlich geduldete Gewalt gegen Mütter und Kinder aufhören muss: Auf der einen Seite arme, arbeitslose Mütter, die von der Sozialhilfe leben und aus der Rolle des Bittstellers oft erst im Rentenalter herauswachsen (wenn überhaupt), obwohl sie

Kinder aufziehen, also die Zukunft unseres Landes mit dem wertvollsten aller Beiträge gestalten, und auf der anderen Seite kinderlose Paare oder »Singles«, die wieder einmal einen herrlichen Urlaub auf den Fidschi-Inseln erleben oder besser gesagt »verleben« und sich einen Dreck um die eigene Altersvorsorge kümmern, weil es doch zuhause in engen Wohnungen immer noch genügend Mütter gibt, die den Rentenzahlernachwuchs treu und brav heranfüttern.

Diese zutiefst unsolidarischen, oft sicher auch nur gedankenlosen Beziehungen zwischen Bevölkerungsgruppen, die praktisch auf einer Stufe stehen und sich eigentlich gemeinsam gegen das große Kapital, den lachenden Dritten, zur Wehr setzen müssten, sind eine Tragödie und ein Skandal. Hören wir endlich damit auf, uns von »seriösen« Nachrichtenmagazinen auf Nebenkriegsschauplätze und falsche Fährten locken zu lassen, die im großen Bogen an den Goldgruben der Zinsverniedlicher vorbeiführen. Es ist ein großer, ein entscheidender Irrtum zu glauben, die Grundeigentümer und das Grundeigentum hätten mit der sozialen Ungerechtigkeit nichts zu tun. Dazu noch einmal Silvio Gesell: »*Alle die kleinen, so selbstverständlichen Freiheiten, deren man sich heute erfreut, wie z. B. die Freizügigkeit, die Abschaffung der Leibeigenschaft und Sklaverei, mussten gegen die Grundrentner erkämpft werden, und zwar mit Waffen. Denn zu Kartätschen griffen die Grundrentner, um ihre Belange zu verteidigen. In Nordamerika war der lange, mörderische Bürgerkrieg nur ein Kampf gegen die Grundrentner.*«

Vor der Einführung des römischen Rechts gehörte das Land der Allgemeinheit, also allen. Heute gehört uns noch das Ziehen der Wolken, das Quaken der Frösche und das Zwitschern der Vögel (falls diese noch nicht ausgerottet worden sind); aber das Land gehört uns nicht mehr. Durch die entschädigungspflichtige Bodenverstaatlichung fallen dem Staat durch Pachteinnahmen enorme Summen zu, die das politische Hickhack in den Parlamenten überflüssig machen. Wo heute noch jahrelang lächerlichste Diskussionen über Selbstverständlichkeiten wie etwa das Recht auf bezahlbaren Wohnraum, das Recht auf einen Kindergartenplatz, das Recht auf einen Ausbildungsplatz oder das Recht auf eine angemessene Versorgung im Alter geführt werden müssen, werden künftig ehrenwerte Fachleute (also keine gekauften Experten) in Kommissionen zusammentreten und ein Problem nach dem andern zügig einer finanziell abgesicherten Lösung zuführen. Es ist eben ein Unterschied, ob der größte Teil des Volksvermögens ständig (!) über den Schleichweg Zins auf die Konten der Reichen gespült wird oder wirklich allen Menschen zur Verfügung steht wie z.B. in der Brakteatenzeit.

Mit welcher Ruhe und Gelassenheit wird sich künftig eine Frau den Mann fürs Leben und den potentiellen Vater ihrer Kinder aussuchen können, wenn sie schon vorher ganz genau weiß, dass ein Kind nie wieder zu einer finanziellen Notlage oder Abhängigkeit vom »Ernährer« führen kann; und mit welcher Kraft wird sie einem sich als unwürdig erweisenden Partner den Koffer vor die Haustür stellen, anstatt sich die schönsten Jahre ihres Lebens (die mit den Kindern) stehlen zu lassen!

Linke Kreise, die natürlich nicht so schnell darüber hinwegkommen, dass Karl Marx von Silvio Gesell entzaubert worden ist, haben versucht, Gesell zur Strafe in die braune Ecke zu stellen. Deutsche Kommunisten haben es ja auch wirklich nicht leicht: Erst mussten sie zur Kenntnis nehmen, dass der kritiklos bejubelte Marxismus/Leninismus vor ihren eigenen Augen an seinen wirksamen Mängeln zusammenbrach; und jetzt stehen sie vor dem Problem, noch schnell die 80 bis 100 Millionen Opfer der »Diktatur des Proletariats« vergessen zu machen oder wenigstens als »gar nicht mal so schlimm« erscheinen zu lassen. Da auch dem verbohrtesten Altkommunisten früher oder später auffallen musste, dass eine fundierte Kritik am Kapitalismus einschließlich schlüssiger Konzepte zu seiner Überwindung zur Zeit nur von der Freiwirtschafts-Bewegung geboten wird, haben sich orthodoxe Kommunisten in ihrer Verzweiflung darauf verlegt, nach Haaren in der Suppe zu suchen. Wie ein Iltis, der Hühnerblut gerochen hat, sind sie über den Nachlass von Silvio Gesell hergefallen und angeblich auch fündig geworden. Mit kleinen Versatzstücken, geschickt aus dem Zusammenhang gerissen, glauben sie z.B. den

Nachweis erbracht zu haben, Gesell sei ein »Sozialdarwinist« gewesen.

Gesell war in der Tat der Meinung, dass ein ordentliches Mädchen bei der Gattenwahl (allein schon dieses Wort!) einen tüchtigen Kerl dem kaputten Typ vorziehen wird und schon durch diese »Zuchtwahl« der Nachwelt – zumindest erbbiologisch gesehen – einen etwas größeren Gefallen tut, als wenn sie mit einem notorischen Trinker und Ladendieb ins Bett steigen würde. Doch damit nicht genug: Ausgerechnet Gesell soll durch sein Werk so eine Art Wegbereiter des Nationalsozialismus gewesen sein. Sie lenken gar nicht mal so ungeschickt davon ab, dass die Nazis erst mit Hilfe der Massenarbeitslosigkeit an die Macht gekommen sind und bei rechtzeitiger Einführung der NWO Silvio Gesells nicht die Spur einer Chance gehabt hätten.

Die Schäbigkeit der linksradikalen »Beweisführung« ist in der ausgezeichneten Studie »*Entspannen Sie sich, Frau Ditfurth*« von Klaus Schmitt nachzulesen. Der Fall Ditfurth zeigt stellvertretend für andere Unbelehrbare, dass die Linksradikalen an ihrer seltsamen Tradition festhalten, im Verborgenen das Geschäft der Finanzgewaltigen zu besorgen, während diese ihrerseits – wie schon zu Lenins Zeiten – im Stillen schon immer treue und verlässliche Verbündete sowie heimliche Geldgeber der Linken waren und bis auf den heutigen Tag geblieben sind. Wie »harmonisch« die Beziehungen der Großkapitalisten mit den Kommunisten sogar während des Kalten Krieges gewesen sind, geht aus den Kreditgeschäften hervor, die der Multimilliardär Nelson Rockefeller mit der Sowjetunion hinter dem Rücken der US-Regierung in aller Ruhe abwickeln konnte. Während Rockefeller also einerseits die in Vietnam kämpfenden US-Truppen mit Hubschraubern und Munition aus seinen Fabriken belieferte, finanzierte er den Russen heimlich den Bau von Nachschubwegen durch unwegsame Bergregionen der Sowjetunion. Dadurch konnte die sowjetische Waffenhilfe für das »Brudervolk« Nord-Vietnam zügiger an die Front geschafft werden und amerikanische Soldaten töten helfen. Obwohl sich der US-Senat in mehreren Anhörungen mit diesem Hochverratsfall befassen musste, ist es »aus bisher noch nicht geklärten Gründen« nie zu einer Anklage gegen Rockefeller gekommen. Und falls dies doch geschehen wäre? Keine amerikanische Zeitung würde es gewagt haben, über diesen Fall zu berichten (Bilderberg lässt grüßen!).

Nach einem oberflächlichen Studium der Werke Gesells ließen dann auch die Rassismusvorwürfe seitens der »Antifaschisten« nicht lange auf sich warten. Gesell hat als Kind seiner Zeit in der Tat die heute verpönten Ausdrücke Rasse, Zucht, Vaterland, Mutterboden, Heimat (igittegit!), Brechung der Zinsknechtschaft usw. völlig unbefangen in den Mund genommen und in seinen Schriften verwendet. Wie hätte er auch ahnen können, dass alle diese Begriffe schon bald nach seinem Tod (1930) von den Nazis aufgegriffen und missbraucht werden könnten? Es ist auch unbestritten richtig, dass ein paar Anhänger Gesells versucht haben, den Nazis die interessante Zinszertrümmerung Gesells schmackhaft zu machen. Die Verherrlichung der Mutterrolle durch die Nazis und die Verwendung der oben genannten Begriffe lassen bei oberflächlicher Betrachtung durchaus so etwas wie einen gemeinsamen Nenner erkennen; aber immer vorausgesetzt, dass man sich in die eigene Tasche lügen möchte, um etwas zu beweisen, das es in Wirklichkeit nie gegeben hat, denn die reichlich vorhandenen Fakten besagen das Gegenteil und sprechen eindeutig für die moralische Größe Gesells!

Wer hat denn damals die Juden gegen den auf sie gemünzten Vorwurf verteidigt, die Ursache der Zinsknechtschaft gewesen zu sein? Diese wichtige Aussage Gesells wird von den Ultralinken wohlweislich verschwiegen, weil sie ihnen verständlicherweise überhaupt nicht ins Konzept passt! Silvio Gesell und kein anderer war es, der sich gegen diese ungerechtfertigte Kritik an den Juden verwahrte, die Juden also ausdrücklich in Schutz nahm und statt dessen die Finanzgewaltigen und Kriegsgewinnler zum Volksfeind erklärte. Dass sich unter diesen Leuten möglicherweise auch Juden befanden, gibt niemandem das Recht, Gesell braun einzufärben. Sein Freiheitsbegriff und seine Vorstellungen von der Würde des Menschen (und den Rechten der Frauen) gehören zum Schönsten und Großartigsten, was im 20. Jahrhundert

gedacht, gesagt und geschrieben wurde. Wäre ich nicht so ein hart-
gesottener Typ, ich hätte bei einigen Passagen seines Hauptwerkes
Die Natürliche Wirtschaftsordnung weinen können vor Ergriffen-
heit, Begeisterung, Vorfreude und Wut; nicht jedoch aus Verzweiflung, denn die Verzweiflung setzt den Zweifel voraus, und gerade
den lässt Gesell in seinen wesentlichen Aussagen nicht aufkommen. Alles ist so klar bei ihm; es ist nicht unbedingt auf Anhieb zu
verstehen, aber unübertroffen logisch und von erstaunlicher Aktu-
alität. Andererseits war auch Gesell nur ein Mensch und – wie
schon gesagt – ein Kind seiner Zeit. Seine von keinem Naziver-
brechen besudelte oder vorgeahnte Einstellung zu den heute als
äußerst problematisch empfundenen Themen Rasse und Zucht,
bringt aus verständlichen Gründen hier und da einen Missklang
in das ansonsten so großartige Werk. Dieses Werk ist eigentlich
ein Bergwerk, ein Stollen, eine Goldader und eine Fundgrube
zugleich. Je tiefer wir darin vorstoßen, desto größer die moralische Verpflichtung für jeden Eindringling, diese Schätze nicht nur
zu bestaunen, sondern zum Wohle der ganzen Menschheit auch
endlich heben zu helfen. Wer wie z. B. Jutta Ditfurth reichlich spät
erkennt, jahrzehntelang auf das falsche (kommunistische) Pferd
gesetzt zu haben, sollte bei der Suche nach neuen Feindbildern
wählerischer sein, damit es dann wenigstens beim nächsten Male
klappt. Aber mit Besserwisserei allein (und komme man/frau sich
dabei noch so wichtig vor) ist nicht einem einzigen Arbeitslosen
geholfen. Wir haben aber nicht nur diesen einen Arbeitslosen, an
dem Frau Ditfurth ja schon mal üben könnte, sondern in Wirklichkeit über fünf Millionen (2005).

Was ich an der abwegigen Kritik der Ultralinken an Silvio
Gesell irgendwie fast schon wieder sympathisch finde, ist die
unausgesprochene Forderung nach dem Heiligenschein, den dieser große Helfer der Menschheit eben auch noch hätte haben müssen. Diese Moralapostel und Dauerdiskutierer (schützt vor dem
Aktivwerden!) trennen in der heimischen Küche den Hausmüll
liebevoll und vorschriftsmäßig in bis zu sechs verschiedene »Frak-
tionen«, um anschließend mit dem »Ozonlochfresser« seelenruhig
in den Urlaub zu fliegen. So bastelt sich jeder sein Schlupfloch,

um nicht in Gefahr zu geraten, an unaufschiebbaren gesellschaftlichen Veränderungen auch selbst einmal mitwirken zu müssen.

Sicher, man könnte die Meinung vertreten, den Geldsäcken noch ein paar schöne Jahre zu gönnen »und dann aber Schluss mit der Ausbeutung!«. Das hätte zumindest den Vorteil, nicht schon jetzt (sofort!) aktiv werden zu müssen. Alles könnte zunächst so weiterlaufen wie bisher. Dieses »lasst uns noch einen Moment davon absehen«, ist zwar ein selten ausgesprochener, aber ständig auf der Lauer liegender Rettungsanker für Zögerliche und faule Säcke. Als ich z.B. im Sommer 2000 mit meiner Demonstations-Sackkarre *Arbeit und Wohlstand für alle – Infos hier* in der Frankfurter Fußgängerzone Zeil die Konsumentenströme wieder einmal auseinander pflügen wollte, bat mich mein Begleiter, erst noch schnell eine (rettende) Tasse Kaffee trinken zu dürfen! Ich hatte ihm nur mal zeigen wollen, wie einfach das ist und wie schnell man mit den Leuten ins Gespräch kommen kann. Viele Leser/innen werden aus eigener Erfahrung bestätigen können, dass diese und folgende Ausreden gelegentlich dazu benutzt werden, sich vor einer Aufgabe noch im letzten Augenblick zu drücken: *Vorher noch schnell einen Apfel essen, nur mal eben auf's Klo gehen, wegen der Angelegenheit X die Familie Y anrufen, ach ja, die Bankauszüge holen usw., usw.* Ein Bewusstsein dafür, dass unverzügliches, rationelles Handeln eine moralische Pflicht sein kann, der sich Nebensächlichkeiten im Zweifelsfalle unterzuordnen haben (und nicht umgekehrt!), ist nicht sehr verbreitet. *»Lebenskunst ist Pflicht«* schreibt der Großmann-Schüler, Psychologe und Lebenskünstler Josef Hirt in seinem Buch *»Der Mensch und das Gesetz von Lust und Unlust«*. Was aber ist Lebenskunst? Ist jener ein Lebenskünstler, der mit dem neuen Wagen freudestrahlend in den wohlverdienten Sommerurlaub fährt, während die Kinder des Nachbarn »fein zuhause bleiben«, weil deren Eltern unverschuldet arbeitslos geworden sind? Ist es nicht an der Zeit, über den Begriff der Lebenskunst neu nachzudenken, ihn unter dem Gesichtspunkt der sozialen Gerechtigkeit und Menschenwürde neu zu definieren?

Müsste den alleinerziehenden Müttern (und Vätern!) nicht sofort geholfen werden – so lange die Kinder noch klein sind? Oder hätte das Zeit, bis die Mütter verhärmt oder krank und die Kinder auf Abwege geraten sind? Es fällt mir schwer, die ungerechte Verteilung des Volksvermögens über den Zins durch Passivität in einen Dauerzustand verwandelt zu sehen, anstatt diese Verbrechen an Kindern, Müttern und Arbeitslosen schnellstens zu beenden, was ja ohne weiteres möglich wäre, wie wir im weiteren Verlauf dieses Buches noch sehen werden.

Jeder Tag, den wir im Bewusstsein unserer neuen Erkenntnisse und Möglichkeiten ungenutzt verstreichen lassen, ist ein gestohlener Tag für ein Kind. Jede Woche, die wir im Bewusstsein der Notwendigkeit einer Geld- und Landreform tatenlos vergeuden, ist ein Schlag ins Gesicht der Mütter und Arbeitslosen. Jeder Monat, den wir durch zögerliches Abwarten sinnlos verschwenden, nagt an der Hoffnung eines Verzweifelten, dem – das wissen wir doch jetzt – mit Hilfe der NWO so leicht und schnell geholfen werden könnte!

Fassen wir das 9. Kapitel noch mal zusammen:

a) Wer den dauerhaften Frieden fordert – wie z.B. die Kirchen, darf das Übervölkerungsproblem der Erde, d.h. die Tragfähigkeit des nutzbaren Ackerbodens sowie die Verfügbarkeit von Trinkwasser nicht länger ignorieren.

b) Unvermehrbares Land sollte der Mensch nicht besitzen, sondern nur nutzen wollen. Es sollte daher wie Vogelgezwitscher, Blütenduft und Atemluft frei verfügbar sein, aber niemals verkauft werden können.

c) Von Anfang an sind stichhaltige Argumente gegen die Geld- und Landreform Silvio Gesells gesucht, aber nie gefunden worden.

d) Unter den Gegnern dieser Reformbewegung ist es deshalb
zu einer Arbeitsteilung gekommen, die sich »bewährt« hat:
Die einen halten eisern am Totschweigen fest (Kapital, Presse,
Politik), die andern bedienen sich besonders niederträchtiger
Methoden, indem sie beispielsweise im Internet Silvio Gesell
und die Gesellianer verunglimpfen (linksradikale »Antifaschisten«, orthodoxe Kommunisten).

Am längeren Hebel

10

Wer *»den Standort Deutschland wieder attraktiv machen«* will, unterstellt quasi, dass diese Attraktivität verlorengegangen ist, also schon einmal vorhanden war. Ersetzen wir das Fremdwort attraktiv mit verlockend, anziehend oder zugkräftig, wird klar, was dem Wirtschaftsminister vorschwebt: Anlagesuchendes Kapital ins Land zu locken. Sein Kollege aus dem Innenministerium hilft ihm dabei, geht allerdings den umgekehrten Weg, denn der möchte Deutschland eher unattraktiv machen und zwar für ungebetene Gäste, die nicht nur kein Geld mitbringen, sondern ein großes Loch in den Sozialhaushalt reißen. Obwohl beide Minister der gleichen Bundesregierung angehören, lässt der eine ausländische Besucher beim Grenzübertritt wie Hasen jagen (und gleich wieder einfangen, um sie anschließend »abschieben« zu können), während der Kollege aus dem Wirtschaftsministerium ganz bestimmte Besucher auf einem roten Teppich begrüßt. Silvio Gesell fand für dieses Phänomen schon 1918 die passenden Worte, die noch heute ihre Gültigkeit haben: *»Arbeitsuchende haben keinen Zutritt ins Land, nur die Faulenzer mit vollgestopftem Geldbeutel sind willkommen.«* Und er schließt seinen Aufruf dann mit der Vorhersage: *»Kein Land wird das andere mehr verstehen, und das Ende kann nur wieder Krieg sein.«* Ich halte dieses Zitat (aus dem dritten Kapitel) für so bedeutsam, dass ich es hier teilweise wiederholt habe, um es in den Zusammenhang der aktuellen Politik zu rücken und um der Leserschaft einen kleinen Vorgeschmack auf das Buch *»Die Natürliche Wirtschaftsordnung«* zu geben, an dem kein Freiwirt vorbeikommt.

Bei unerwünschten Ausländern, meist dunkelhäutigen und armen Menschen, wird die politische Moral also grundsätzlich etwas tiefer gestapelt, während beispielsweise indische Informatiker, obwohl auch ganz schön dunkelhäutig, zumindest in den Jahren 2000 bis 2002 hochwillkommen waren. Aber wehe da wäre mal einer auf den unschönen Gedanken gekommen, Frau und Kind oder gar die pflegebedürftige Mutter nachkommen zu lassen!

Auch Einheimische bekommen zu spüren, was es heißt, nicht willkommen zu sein. So hat man beispielsweise versucht, Landstreicher (die amtlich unter der Bezeichnung »Nichtsesshafte« geführt werden), Bettler und Straßenmusikanten aus den Fußgängerzonen der Städte zu verbannen, um das Einkaufen in den eleganten Boutiquen noch etwas angenehmer zu gestalten. In verschiedenen Städten Europas, wie z. B. in London oder Frankfurt am Main, sind für derartige Versuche sogar spezielle Arbeitsgruppen gebildet worden, die, um den finanziellen Aufwand zu rechtfertigen, natürlich auch Erfolge vorweisen müssen. Früher, als die Erde noch genügend Freiräume bot, konnten z. B. in England unerwünschte Personen, aber nicht etwa nur Kriminelle, sondern vor allem auch »Asoziale« und andere, das Straßenbild störende Elemente, also beispielsweise herumlungernde Arbeitslose, einfach eingefangen, eingesperrt und anschließend nach Australien verbannt bzw. abgeschoben werden. Dann war man die erst mal los. Heute bedient man sich derart brutaler Methoden eigentlich nur noch beim Sondermüll. Besonders Deutschland hat sich auf diesem Gebiet einen Namen gemacht und auch immer wieder Länder gefunden, die für derartige »Gaben« gerade noch abhängig und arm genug waren, um deutschen Industrieabfällen ein sicheres Asyl mit unbegrenztem Bleiberecht zu gewähren. So etwas treibt natürlich Blüten, die früher oder später nach hinten losgehen: Wie uns »*im Namen des Volkes*« schon mehrfach bestätigt wurde, ist einem deutschen Urlauber der Anblick von Müll – selbst wenn der aus Deutschland angeliefert wurde – nicht zuzumuten. Einverstanden. Aber erstaunlicherweise gilt auch schon der Anblick von Behinderten im Urlaubshotel als nicht zumutbar. Ein deutsches Gericht sprach jedenfalls einer Urlauberin eine Entschädigung für erlittenes »dauernd-hingucken-müssen« zu, vermied es aber, den Behinderten und ihren Betreuern zu raten, sich in diesem Hotel ja nicht wieder blicken zu lassen. Die deutsche Rechtsprechung wäre also unter Umständen noch steigerungsfähig. Dieses sonderbare Anspruchsdenken einer auf Genuss, Verbrauch, Jugend, Gesundheit, Mobilität und Erfolg programmierten Gesellschaft müsste doch eigentlich diejenigen zur Verzweiflung bringen, die allen Ernstes angetreten sind, Menschen moralisch nachzubessern. Erstaunlich viele Philosophen und Sozialethiker glauben, dass der Mensch sich erst noch grundlegend ändern müsse, bevor die heile Welt einschließlich sozialer Gerechtigkeit endlich über uns alle hereinbrechen kann. Angeblich können erst dann Behinderte, Kranke, Alte, Gebrechliche oder Dunkelhäutige überall auf der Welt als gleichwertig und willkommen akzeptiert werden. Wer als Moralist, meinetwegen auch als Moraltheologe, diesen Standpunkt vertritt, sei an das abschreckende Beispiel gescheiterter »Weltverbesserer« wie z.B. Lenin, Stalin, Mao und Hitler erinnert, die eine deutliche Verbesserung des einzelnen Menschen durch eine entsprechende Umerziehung bzw. Gehirnwäsche ja ebenfalls nicht nur für möglich, sondern für wünschenswert und notwendig hielten.

Wer sich einmal die Mühe macht, die Verbesserungsvorschläge der religiösen und weltlichen Erzieher und Moralisten zu analysieren, stößt generell auf die Einstellung, dass vor allem der Eigennutz des einzelnen Menschen zu brandmarken sei. Demgegenüber vertrat Gesell die Ansicht, dass der Eigennutz als natürlicher Bestandteil des Selbsterhaltungstriebes nicht nur für das Überleben des Einzelnen wichtig, sondern für das Gedeihen der ganzen Menschheit geradezu unverzichtbar sei und somit auch sozialverträglich ist, solange er nicht mit dem Egoismus verwechselt wird! Dem Christentum wäre also anzukreiden, dass es ca. 2.000 Jahre lang versucht hat, gegen Windmühlenflügel anzurennen, anstatt diese nutzbringend in den Wind zu drehen und dafür zu sorgen, dass der menschliche Eigennutz nicht auf Kosten anderer in egoistische Profitgier umschlagen kann.

In neuerer Zeit hat das große Kapital – vertreten durch Presse, Verlagswesen, Rundfunk und Fernsehen – ein auffälliges Interesse daran entwickelt, dieses Bemühen um den »Gutmenschen« zu fördern. Von der Geh-in-dich-Literatur bis zur Instrumentalisierung der deutschen Alleinschuld an zwei Weltkriegen, von der moralischen Aufrüstung bis zur »Holocaust-Industrie« spannt sich der Bogen und stellt die diffuse Suggestion in den Raum: *»Ihr müsst ständig an euch arbeiten, um noch einen tick besser werden* *zu können, und ihr sollt vor allem denen das Denken überlassen, die euch das Auffinden von Schuldgefühlen erleichtern.«* So bleibt man beschäftigt, unsicher, pflegeleicht; und es bleibt alles beim alten. Dazu ein Beispiel: In Deutschland gelten Menschen als gut, die beim Spenden für Notleidende nicht kleinlich sind. So sollen allein die Kirchen in den letzten 40 Jahren zwei Milliarden Euro eingesammelt haben; so gut sind die Menschen hier bei uns – und so moralisch. Die Medien werden nicht müde, diese Spendenbereitschaft als gut hinzustellen, und das ist sie ja auch ohne jeden Zweifel. Oder etwa nicht?

Im Golfkrieg wurden am ersten Tag vier Milliarden DM (zwei Milliarden Euro) verpulvert; an einem einzigen Tag also so viel, wie alle guten Deutschen in 40 Jahren für die Armen dieser Welt gespendet haben. Weil der damaligen Bundesregierung unter Helmut Kohl das noch nicht genug war, spendierte sie den Amerikanern ohne Not eine zusätzliche Kampfbeihilfe von sage und schreibe sechzehn Milliarden DM (acht Milliarden Euro) – aufgebracht durch ungefragte und wehrlose deutsche Steuerzahler. Die dabei eingesetzte (kriegsverbrecherische!) Uranmunition hat im Irak (und später dann im Balkankrieg) ganze Landstriche für hunderttausend (!) Jahre und mehr verseucht und zahlreichen Soldaten auf beiden Seiten die Gesundheit und das Leben gekostet. Diese erst allmählich wirksam gewordenen Strahlungsschäden haben allein unter den amerikanischen Soldaten inzwischen – also nachträglich – mehr Opfer gefordert (Tote und Schwerstkranke) als die eigentlichen Kampfhandlungen des ganzen Golfkrieges. Wenn wir uns also darauf einigen, dass die kirchlichen Spendenzahler wirklich gute Menschen sind, wie sind dann Steuerzahler einzuschätzen, die den vierfachen Betrag ohne Protest für diesen grauenhaften Krieg »mal eben so« hingeblättert haben? Sind diese Steuerzahler auch gute Menschen oder einfach nur ein bisschen beknackt? Der erste Krieg zwischen den Erzfeinden Indien und Pakistan hat 1948 nur acht Tage gedauert; dann war Feierabend, obwohl kein Sieger ermittelt werden konnte. Hatten die plötzlich alle keine Lust mehr? Waren den Generälen moralische Bedenken gekommen, oder wollten die Soldaten etwa alle gleichzeitig ihren Urlaub nehmen? Nichts von dem: Beide Seiten hatten ihre letzte Granate verschossen, das war der Grund. Sie hätten anschließend mit Knüppeln und Plattschaufeln auf einander einschlagen können, aber das wollte offenbar niemand, und darum musste dieser Krieg auf beiden Seiten eingestellt werden. Wie die sich wohl damals über eine Kampfbeihilfe des deutschen Steuerzahlers gefreut hätten! Damit so etwas nie wieder passiert, haben weltweit operierende Waffenhändlerringe, hinter denen das große Kapital steht (ja wer denn auch sonst?), seit dieser indisch-pakistanischen Panne dafür gesorgt, dass Kriege künftig – wie sich das gehört – in wünschenswerter Länge ausgefochten werden können, notfalls also auch schon mal über die volle Distanz und natürlich immer bis zum bitteren Ende. Darum lässt der Krieg der US-Truppen in Afghanistan und Irak jene Anleger wieder hoffen, die in Aktien der US-Waffenindustrie investiert haben und nun den heiß ersehnten Lohn des Wartens verdientermaßen einstreichen können. Dass diese Aktionäre erneut den völkerrechtswidrigen Einsatz von Splitterbomben, Uranmunition und Landminen finanzieren, also Kriegsverbrechen der USA unterstützen und überhaupt erst möglich machen, kann dieser gigantischen »Aktienspekulation auf Krieg« eigentlich nicht zum Vorwurf gemacht werden, so lange der deutsche Bundeskanzler Gerhard Schröder (im Hinblick auf Afghanistan) von der »uneingeschränkten Unterstützung« der USA faselte, anstatt sich erst einmal darum zu kümmern, dass Deutschland endlich einen Friedensvertrag erhält und nicht erst im Jahre 2099 in den Kreis souveräner Staaten zurückkehren kann. Seit wann darf ein deutscher Regierungschef sein ungefragtes Volk für Kriegsverbrechen der USA mitverantwortlich machen? Wäre die Uranstaubverseuchung ganzer Landstriche im Kosovo und im Irak für unseren Außenminister nicht ein Anlass, mal im Weißen Haus vorzusprechen? Für den Außenminister eines Vasallenstaates offenbar nicht.

In dieser Situation tauchen die pensionierten Moralapostel wieder aus der Versenkung auf und kurbeln die Mahnindustrie noch mal an, um die unterbrochene Arbeit an der Verbesserung des Menschen mit neuem Elan wieder aufzunehmen. Wir erinnern uns: Das Ziel ist der Bilderbuch-Mensch, der von Haus aus gute Gutmensch, dem man die Schöpfungsfehler mit Moralkeulen ein für alle Male ausgetrieben hat. Silvio Gesell war der Meinung, das sei gar nicht nötig. Ich kann mich noch gut daran erinnern, von dieser frappierenden Sicht der Dinge ebenso überrascht und begeistert gewesen zu sein, wie über den unerwarteten Vorschlag Gesells, den Müttern aus der Bodenrente ein Gehalt bzw. ein »Bürgergeld« zu zahlen, das allen Müttern dieser Erde ein menschenwürdiges (komfortables!) Leben garantiert. Wenn der Mensch also gar nicht besser werden muss, was in zweitausendjähriger Kleinarbeit der christlichen Kirchen ja ohnehin nicht erreicht worden ist, weil zur Genüge bewiesen wurde, dass er gar nicht »besser« werden kann, besteht nicht der geringste Anlass, sich noch länger von den Drahtziehern hinter den Kulissen davon abhalten zu lassen, unverzüglich die Weichen in Richtung NWO zu stellen. Oder sollten wir vielleicht doch erst einmal begründen, weshalb der Mensch so unvollkommen wie er angeblich ist auch ruhig bleiben kann? Ist er denn wirklich so unvollkommen? Oder ist es nicht vielmehr so, dass die Bedingungen, unter denen 10 % aller Menschen zu leben und 90 % zu leiden haben, das Verhalten der Menschen entscheidend bestimmen und erst dadurch der völlig falsche Eindruck entstehen konnte, das Gehirn des Menschen sei eine bedauerliche Fehlkonstruktion des Schöpfers und bedürfe der moralischen Nachbesserung durch spezielle Gutmenschen, die sich dazu aufgerufen fühlen? Gesell findet ihn also gut genug, ja sogar hervorragend geeignet, die grundlegenden (wirksamen!) Mängel der Gesellschaft aus eigener Kraft heraus in ihr Gegenteil zu verwandeln. Das möchte man gerne glauben.

Ein Blick auf den täglichen Wahnsinn der Umweltzerstörung und der sozialen Erosion, die dem Terrorismus vorausgeht, lässt jedoch Zweifel aufkommen, ob von Menschen gemachtes Elend auch von ganz normalen Menschen wieder beseitigt und in Zukunft vermieden werden kann. Wer die Möglichkeiten der NWO verstanden hat, wie damals der Bürgermeister von Wörgl, kann nur zu dem Ergebnis kommen, dass es wirklich geht, wenn wir nur endlich mal begreifen würden, dass der lange Hebel, den es anzusetzen gilt, um die im Wege liegenden Steine wegzuräumen, sich in unseren Händen befinden muss und nicht in den Händen des Kapitals und der ihr ausgelieferten Medien. Die Nutznießer der Zinswirtschaft fügen diesen Steinen ständig weitere Steine des Anstoßes hinzu, anstatt sie wegzuräumen. Ohne Hebel ist der größte Stein (die Informationsunterdrückung der Medien) zu schwer für uns. Das leuchtet jedem ein, der diesen Felsblock in seiner ganzen Größe erkennt. Das Gewicht ist geradezu erschreckend; und mit einer normalen Brechstange ist da wirklich nichts zu machen, das haben die Bemühungen der letzten 100 Jahre zur Genüge bewiesen. Ein langer, starker Hebelarm muss her; ein Balken. Wo mag dieser Balken jetzt wohl sein? Wer hat ihn; wer hat ihn versteckt? Wer hindert uns eigentlich daran, alle Hebel in Bewegung zu setzen, um diesen alles entscheidenden Hebel zu finden? Wer fürchtet sich davor, uns am längeren Hebel zu sehen? Kurz: Wer hat Angst vor Silvio Gesell?

Die Erkenntnis, dass uns dieser Hebel noch fehlt, spricht doch bereits für die Tatsache, dass wir dem Ziel schon ein gutes Stück näher gekommen sind, denn im Vergleich zu all denen, die den Stein ja gar nicht heben wollen und einen Hebel darum auch nicht vermissen, sind wir bereits klar im Vorteil. So ist das also: Nicht das Gewicht oder der Schwierigkeitsgrad einer Aufgabe sind das Problem, sondern die Unfähigkeit der Betroffenen, Handlungsbedarf zu erkennen und die Überwindung von Schwierigkeiten als eine lohnende Herausforderung zu betrachten! Gerade dieser wirksame Mangel macht der ganzen NWO-Bewegung schwer zu schaffen und ist einer der Gründe für den immer wieder beklagten Stillstand.

Unser heutiges Bodenrecht und Geldsystem sind Steine, die uns im Wege liegen; aber für 98 % aller Europäer sind sie noch immer keine Steine des Anstoßes, weil die Menschen das von Menschen erdachte und gemachte Geld in seiner jetzigen Form trotz seiner tödlichen Mängel (Welthunger, Krieg!) verehren und vergöttern. Die einen, weil sie genug davon haben und die herrliche Wirkung des Geldes tagtäglich lustvoll erleben; und die anderen, weil sie gerne mehr davon hätten und den Mangel an Geld tagtäglich mehr oder weniger schwer erleiden. Ja, wenn Boden und Geld wenigstens ein Thema wären wie z.B. der Einsatz von Uranmunition in Jugoslawien oder die Schlachtprämien für BSE-Rinder in England. Aber nein, Geld ist auch bei denen, die sich für intellektuell oder fortschrittlich halten, überhaupt kein Thema. *»Geld«,* hat mir ein Bekannter mal gesagt, *»ist eben Geld. Was soll man da groß drüber reden? Entweder man hat es, oder man hat es nicht.«*

Erst wenn es um das Geldverdienen, um Steuerspartricks oder neue Anlageformen zum Über-Nacht-reich-werden geht, ist Geld ein Thema. Eine Diskussion über die eigentliche Aufgabe des Geldes (ein Tauschmittel zu sein!) findet nicht statt. Das Geld in seiner jetzigen Form in Frage zu stellen, steht nicht zur Diskussion. Die Bereitschaft, über die fundamentale Funktion des Geldes und über die verheerende Wirkung des Zinses zu diskutieren, ist wohl auch deshalb so gering, weil es einfach keinen Spaß macht, in einen Themenbereich hineingezogen zu werden, von dem man wenig versteht. So unterhalten sich beispielsweise Tischtennistrainer ja auch am liebsten über Tischtennis, während sie sich mit Aussagen über den Einfluss des Mondes auf die Häufigkeit von Ladendiebstählen auffällig zurückhalten. Sobald wir den Tischtennistrainer aber davon überzeugt haben, dass sein Traum von einer eigenen Tischtennishalle im Dorf durch ein zinsloses Darlehen relativ einfach und vor allem auch schnell realisiert werden könnte und der heimischen Wirtschaft gut tun würde, steigt seine Bereitschaft, dieser Behauptung auf den Grund zu gehen. Von heute auf morgen lässt er sich nicht mehr davon abbringen, dem skeptischen Zuhören das Erkennen und Staunen, das Lernen (!) und schließlich das zielgerichtete Handeln folgen zu lassen.

Es ist also von Fall zu Fall die Frage zu klären, wie die allgemeine Lust am Diskutieren von den Themen Bundesliga, Lottosystem oder Urlaubsplanung auf das Wirtschaftssystem und die Geldordnung gelenkt werden kann. Wie machen es denn die Firmen, um eine neue Mode zu kreieren? Um beispielsweise den schleppenden Absatz von Sportschuhen wieder auf Vordermann zu bringen, erfand die Firma Adidas vor einigen Jahren eine neue Sportart, die – und jetzt kommt die kecke Idee – nur mit Spezial-sportschuhen, die bei der Konkurrenz noch nicht zu haben waren, wettkampfmäßig ausgeübt werden konnte. Um die neue Sportart »Streetball« nicht im Lachkrampf der Konkurrenten untergehen zu lassen, wurden laut SPIEGEL mit einem Millionenaufwand fünfzig Turniere so über das ganze Land verteilt, dass der Konkurrenz das Lachen verging und selbst auf Helgoland die Kinder Wind davon bekamen und dann von Stund an auf die fußgesunden, luftgekühlten Sandalen verzichteten, um sich einen heißen Sommer lang den übel riechenden Sportler-Schweißfuß und als kostenlose Zugabe den Fußpilz fürs Leben zu holen. Darauf angesprochen, stellen seriöse Sportler – darunter leitende Angestellte – ganz erschrocken fest, dass es ja gar nicht ihre eigene Entscheidung war, in dieser oder jener Sportart regelrecht aufzublühen und über sich hinauszuwachsen, sondern ein schönes Stück Umsatzstrategie einer besonders tüchtigen Werbeagentur. Wenn es also möglich ist, die Menschen sich heute etwas wünschen zu lassen, was sie gestern noch gar nicht gejuckt hat, dann müsste es doch auch möglich sein, das Interesse der Menschen auf die enorme Bedeutung einer Geld- und Landreform zu lenken, um so den Boden, das Geld und den Zins ins Gerede zu bringen.

Der englische Nationalökonom Prof. John Maynard Keynes hat einmal gesagt: *»Schwierig sind nicht die neuen Gedanken; schwierig ist nur, von den alten loszukommen.«* Er selbst war in dieser Hinsicht kein gutes Vorbild, denn obwohl er in seiner berühmten »Allgemeinen Theorie der Beschäftigung, des Zinses und des Geldes« zugab, dass Silvio Gesell (im Gegensatz zu Karl Marx) die richtigen Erkenntnisse gehabt habe, ließ er sich dann doch nicht davon abbringen, seinem eigenen Weg (der kontrollierten Staatsverschuldung zur Belebung der Konjunktur) treu zu bleiben; ein Weg übrigens, der die Industrienationen weltweit in eine fast ausweglose Sackgasse der Zins- und Schuldenfalle geführt hat. John Maynard Keynes hat es damals in der Hand gehabt, sein hohes Ansehen in die Waagschale der NWO Silvio Gesells zu werfen und ihr damit zum Durchbruch zu verhelfen. Aber wer konnte und wollte in den dreißiger und vierziger Jahren (der Judenverfolgung und des Zweiten Weltkrieges) schon zugeben, ausgerechnet einem Deutschen unterlegen zu sein? Ob es Selbstüberschätzung war, Unterschätzung Silvio Gesells, falscher Ehrgeiz oder einfach nur Kollegenneid, das sei dahingestellt. Wo die großen Zugpferde fehlen, müssen viele kleine an ihre Stelle treten, um die Karre aus dem Dreck zu ziehen. Diese Arbeit hätte uns Keynes z.T. ersparen können. Mit einem Vortrag (»*Wer hat Angst vor Silvio Gesell*«) und dem vorliegenden Buch soll versucht werden, die unerhörte Rolle der Schulen und Medien beim Verschweigen der Natürlichen Wirtschaftsordnung ins Licht zu rücken. Obwohl ich die Einführung der NWO selbst kaum erwarten kann, warne ich dennoch vor dem Versuch, mit der schrittweisen Einführung überstürzt zu beginnen. Nicht, dass die Zeit noch nicht reif wäre; doch erst muss die Startbahn freigeräumt werden, erst dann kann das Flugzeug startklar gemacht werden. Sollte man anschließend artig auf die Startfreigabe durch den Tower warten? Das nun auch wieder nicht, denn da könnten wir warten, bis uns schwarz vor Augen wird! Nein, eine Startfreigabe wird das herrschende Geld- und Bankensystem uns wohl nicht erteilen. So etwas kann man sich wünschen, aber darauf zu warten, das wäre unverantwortlich und naiv.

Nach den Erfahrungen des Philosophen Arthur Schopenhauer folgt dem Totschweigen einer großen Idee der Versuch, das bisher Verschwiegene ins Lächerliche zu ziehen, um es erst in einer dritten und letzten Phase (erzwungenermaßen) für selbstverständlich zu erklären. Plötzlich behaupten dann alle, eigentlich schon immer dafür gewesen zu sein, so wie nahezu alle Deutschen nach der Kapitulation 1945 keine Nazis gewesen sein wollten. Der Übergang vom Totschweigen (Phase I) zum Verächtlichmachen (Phase II) verliert seine Stoßkraft – so hoffe ich – wenn er einem Krankheitserreger gleich auf vitale und bestens vorbereitete Menschen stößt, die sich dank ihrer Sachkunde mit überzeugenden Argumenten sofort zur Wehr setzen können. Die Phase II findet zur Zeit im Internet statt, wo Linksradikale dem Großkapital die Drecksarbeit abnehmen (Silvio Gesell: »*Die rote Garde vor Mammons Tempel*«). Die Selbstverständlichkeit (Phase III) einer bahnbrechenden Idee ist dann nur noch eine Frage der Zeit und eine Frage der Sehnsucht aller benachteiligten Menschen nach Gerechtigkeit. Aber: einer Realisierung der NWO steht zur Zeit entgegen, dass sich schätzungsweise 98 % der erwachsenen Bevölkerung Europas noch in der Phase I befinden; d.h. diese Menschen haben noch nie etwas von Silvio Gesell und den zu erwartenden positiven Auswirkungen der Natürlichen Wirtschaftsordnung (NWO) gehört. Wie könnte es auch anders sein, wenn es den Menschen zu Hause, in der Schule, an der Uni, in der Kirche, in der Presse, im Hörfunk und im Fernsehen verschwiegen wird? Wer nicht zufällig einem Freiwirt über den Weg läuft (wie ich 1990), über eine freiwirtschaftliche Zeitung stolpert, dieses Buch liest oder ein Hellseher ist, bleibt unwissend. Dass man es denen, die das Vermächtnis Silvio Gesells längst an Schüler und Studenten hätten weiterreichen sollen, z.T. ebenfalls verschwieg, sei in diesem Zusammenhang ausdrücklich erwähnt, um ungerechtfertigte Schuldzuweisungen an wirklich ahnungslose Lehrer und Professoren zu vermeiden.

Haben wir die Lehrer, Professoren, Journalisten und Politiker aber erst einmal an einem Strauß Maiglöckchen (bzw. an der NWO) riechen lassen (einmal tief durchatmen genügt), können diese anschließend nie wieder behaupten, sich den ganz speziellen Duft dieser Blume nicht vorstellen zu können. Der Duft von Maiglöckchen hinterlässt – ob wir es wollen oder nicht – eine unauslöschliche Spur, die auch noch nach Jahren und Jahrzehnten (!) dem Erinnerungsvermögen wieder entlockt werden kann. Derart gedächtnisprägend ist auch die NWO. Wer einmal mit ihr kurz in Berührung gekommen ist, kann sie natürlich immer noch verdrängen, nicht aber vergessen. Wer sich jedoch ernsthaft mit der NWO befasst, den lässt sie überhaupt nicht wieder los. 1980 ist grünes Gedankengut in der Politik (und vor allem in der Presse!) zunächst auch absichtlich verschwiegen und anschließend (Phase II) entstellt und verhöhnt worden, weil man damals wirklich noch glaubte oder hoffte, die Ökologie aus den Köpfen der

Wähler heraushalten zu können. In den letzten drei Jahrzehnten sind die Reitzthemen Naturschutz, ökologischer Landbau, Giftmüll und Energieversorgung durch diese 3-Phasen-Mühle gegangen: Verschweigen, verhöhnen, zähneknirschend akzeptieren. Die Themen Landreform und Geldreform waren jedoch nicht dabei, weil kommunistische Kader – sogenannte K-Gruppen – innerhalb der GRÜNEN – in Silvio Gesell eine gefährliche Konkurrenz zu Karl Marx sahen und entsprechende Anträge auf Befassung mit der NWO stalinistisch abgewürgt haben (auf dem ersten Bundeskongress der Grünen in Saarbrücken). Vielleicht ist das auch gut so, denn uns stehen inzwischen wertvolle Erfahrungen im Umgang mit unbelehrbaren Betonköpfen zur Verfügung, die uns heute so manche Mühe und den einen oder andern Umweg ersparen helfen.

Die Einsicht in die Tatsache, dass Gesell auch zu Beginn des 21. Jahrhunderts noch immer weitgehend unbekannt ist, erspart uns jedenfalls die schmerzliche Erfahrung, versehentlich den zweiten Schritt vor den ersten zu setzen! Da jetzt Arbeit auf uns zukommt, sei zur Beruhigung noch mal daran erinnert, dass wir es hier mit einem unermesslichen Schatz zu tun haben, der die Ausgrabungsarbeiten spannend werden lässt. Es mag ja Steine des Anstoßes geben, die ein abschreckend hohes Gewicht haben und darum zunächst noch liegen bleiben müssen (wie z.B. die Lösung der Übervölkerungsfrage), doch vor dem hohen Gewicht einer Schatztruhe wird noch kein ehrlicher Finder zurückgewichen sein; sie kann ihm – der Finderlohn lässt grüßen – gar nicht schwer genug sein. Wir sollten die Frage der Übervölkerung auch deshalb zurückstellen, weil nach Einführung der NWO der allgemeine Wohlstand erfahrungsgemäß dafür sorgen wird, dass die Geburtenrate sinkt. Was im Elend nur mit Gewalt durchzusetzen wäre, wird sich im Wohlstand wie von selbst ergeben. Ein Staat, der die würdevolle Absicherung alter Menschen zum Staatsziel erklärt (und sich das dazu notwendige Geld selbst – und selbstverständlich zinslos – zur Verfügung stellt) wird das Übervölkerungsproblem voraussichtlich innerhalb einer einzigen Generation gelöst haben.

Fassen wir das 10. Kapitel noch mal zusammen:

a) Auch Einwanderungspolitik ist marktwirtschaftlichen Gesetzen unterworfen: Reich schlägt arm, jung schlägt alt und gesund schlägt krank. Anstatt den Zuzug zu begrenzen, sollte er an seiner Quelle durch Wohlstand (allgemeine Zufriedenheit) überflüssig gemacht werden. Mein Gott, wir Deutschen wandern doch auch nicht in Scharen nach Afrika aus!

b) Der Mensch ist gut genug. Die Krone der Schöpfung bedarf also keiner weiteren Zacken. Wenn es etwas zu verbessern gilt, dann sind es die Lebensbedingungen, unter denen ein Zehntel der Menschheit zu leben und neunzig Prozent zu leiden haben.

c) Unsere Ansprüche (Nahrung, Mobilität, Urlaub etc.) sind noch immer im Steigen begriffen, obwohl sie aus Gründen der Solidarität mit den Ärmsten der Welt und im Hinblick auf die Umwelt zu einem moderaten Sinkflug ansetzen müssten.

d) So lange die Medien als Steigbügelhalter des Kapitals in Erscheinung treten, indem sie die NWO durch das »bewährte« Mittel des Totschweigens unterdrücken, kommen wir keinen Schritt voran. Hier – und nirgendwo sonst – ist der Hebel anzusetzen!

e) Wo heute noch die fehlende Altersabsicherung durch Kinderreichtum ersetzt werden muss, wird der durch die NWO ausgelöste allgemeine Wohlstand voraussichtlich im Laufe nur einer Generation die Übervölkerung gewaltfrei, also human, beenden.

Das Auge des Gesetzes
wird früher oder später auf das Auslaufmodell »Zinswirtschaft« fallen müssen. Vom Abschleppdienst noch ein letz-
tes Mal in den Himmel gehoben, und dann aber ab in die
Schrottpresse der Geschichte des Geldes. Wie seinerzeit bei
der Abschaffung der Leibeigenschaft ist zwar mit Widerstand zu rechnen, aber das Wehklagen der Großgrundbesitzer und das der Multimillionäre wird schon bald übergehen
in das Staunen über Vorteile, die dann auch den Superreichen zufallen werden: Diese können ihre Kinder wieder in
ganz normale Schulen schicken; und auch die Frau kann
endlich wieder ganz allein mit ihren Afghanischen Wind-
hunden im Stadtwald Gassi gehen – ohne Bodyguards!

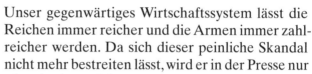

Der Ariadnefaden

Unser gegenwärtiges Wirtschaftssystem lässt die Reichen immer reicher und die Armen immer zahlreicher werden. Da sich dieser peinliche Skandal nicht mehr bestreiten lässt, wird er in der Presse nur am Rande erwähnt, in der Politik verharmlost und in der Schule übergangen. Wer es nicht glaubt, studiere doch nur mal die neuesten Schulbücher und frage sich dann, wie es zu einer derartigen Unterschlagung kommen konnte! Sogenannte Schulbuchkommissionen, die der Laie für neutral und kompetent hält, sind – oft ohne Wissen eines Teils der ehrenwerten Mitglieder – Marionetten des herrschenden Kapitals. Mit am runden Tisch sitzt immer die Angst vor Silvio Gesell. Die Angst ist überhaupt zu einem beherrschenden Element unserer Gesellschaft geworden: Angst vor Arbeitsplatzverlust, Angst vor einem Absturz an der Börse, Angst vor Krankheit, Angst vor dem Älterwerden, Angst vor dem nicht alt genug werden (!) und jetzt auch noch die Angst vor einem terroristischen Anschlag mit Milzbrand- und Pockenerregern. Die Liste ließe sich mühelos auf 100 Angst-Positionen erweitern. Ein Heer von Psychologen, Autoren, Beratern, Heilern und Handauflegern hat sich dieser Angst liebevoll und geschäftstüchtig angenommen und hat eine Beratungs-, Seminar- und Angstindustrie entstehen lassen, die immer noch zu wachsen scheint, weil sie mit der Behandlung neuer, vorher nie gekannter Ängste, kaum noch nachkommt. Nicht umsonst war das Buch »Sorge dich nicht – lebe!« jahrelang von den Bestsellerlisten nicht mehr herunterzukriegen. Weshalb wohl?! Ein besonders geschickter Autor, der sich auf das Phänomen der zunehmenden Geldgeilheit spezialisiert hat, verspricht Ängstlichen die erste Million innerhalb von sechs bis sieben Jahren. Er schafft es, Rentner, Sozialhilfeempfänger und Arbeitslose, also Leute, die finanziell ohnehin schon auf dem Zahnfleisch gehen, zu Tausenden um ca. 350 Euro zu erleichtern, bevor die Gelackmeierten am Ende seiner Bühnenveranstaltung merken, wer hier mit dem Reichwerden eigentlich gemeint war. Die relativ neue Angst, eine günstige Gelegenheit zu schnellem Reichtum verpassen zu können, lässt diese Menschen zu einer leichten Beute jener Nutznießer werden, die ihrer Angstgitarre – oft von einem Bestseller am umlagerten Büchertisch unterstützt – zarteste Töne der Hoffnung zu entlocken vermögen.

Auch wenn wir selbst keine Angstprobleme haben, kann es nicht schaden, über den kleinen Unterschied zwischen ängstlich und mutig informiert zu sein, denn wir werden das Wissen um diesen bedeutsamen Unterschied noch bitter nötig haben und bei passender Gelegenheit gut gebrauchen können. Angst oder Feigheit blockieren den Fleiß und die Kreativität jener Menschen, die eine Gefahr, z.B. die Gefahr, sich lächerlich zu machen, immer etwas höher einschätzen, als sie tatsächlich ist. Diese Menschen sind also nicht in der Lage, die Größe eines Risikos realistisch einzuschätzen und halten z.B. den Mund, obwohl sie in einer politischen Versammlung dem Vorredner nur gar zu gern widersprechen würden. Ihre in der Regel völlig unbegründete Angst, sich »vor den anderen« zu blamieren, ist oft nur um Bruchteile größer als das Bedürfnis, dem Vorredner zu widersprechen! Das Aktivwerden steht also um Haaresbreite auf der Kippe, unterbleibt dann aber doch und zwar »vorsichtshalber«. Das Leben dieser bedauernswerten »Angsthasen« wird im Laufe der Jahre zu einer tragischen Kette von Unterlassungen, die sich zwar nicht immer auf Erfolg und Lebensglück nachteilig auswirken, aber meistens! Der Ängstliche bleibt somit auf einem Schatz ungenutzter Möglichkeiten sitzen, oft ohne zu wissen oder zu bedenken, dass diese »Zurückhaltung« von Energie nicht nur ihm selbst und seiner Familie, sondern vor allem auch der Gesellschaft schweren Schaden zufügt. Wenn diese Menschen nur wüssten, wie wenig sie von den Mutigen und Aktiven trennt, sie würden »dieses Bisschen« einfach zur Seite schieben und ihrem Leben damit eine ungeahnte Wende geben.

Was man an Mutigen so bewundert, ist nichts anderes als deren angeborene oder durch Übung erworbene (!) Fähigkeit, eine Gefahr ganz nüchtern richtig einschätzen zu können. Mutige werden also ohne Mühe auch dort aktiv, wo andere bereits den Atem anhalten und den Mutigen ängstlich das Feld überlassen. Es ist also überhaupt keine Kunst für Mutige, in einem Umfeld der Ängstlichkeit mutig zu erscheinen. Den Mutigen fällt es sozusagen in den Schoß, das ihnen überlassene Vakuum mit gut überlegtem Aktivwerden auszufüllen. Sie kommen sich dabei auch nicht etwa besonders mutig vor, sondern »normal« wie eine Person, die einem Hundehaufen ausweicht, anstatt voll hineinzutreten. Ich würde den Mutigen nicht unbedingt als den besseren oder gar edleren Menschen bezeichnen, denn selbstverständlich kann der Mut auch zu unsinnigen Handlungen missbraucht werden, doch ist das Mutigsein grundsätzlich erstrebenswert und aufgrund seiner enormen Nützlichkeit (und relativen Seltenheit!) auch schützenswert. Darum sei gegebenenfalls der eigene Weg zum Mutigsein (durch Übung) auch stets begleitet von der Einsicht in die Notwendigkeit, die Ängstlichen grundsätzlich zu ermutigen und die Mutigen bei Bedarf zu schützen.

Ein Redakteur, der z. B. die Verherrlichung des Saufens auf dem Münchner Oktoberfest unter Hinweis auf die ca. 80.000 bis 100.000 Alkoholtoten pro Jahr mit den geradezu niedlich erscheinenden 1.500 Drogentoten zu vergleichen wagt, ist zweifellos mutig. Sollte nun eine große Brauerei am Ort seinen Rausschmiss fordern und andernfalls die betreffende Zeitung mit einem totalen Anzeigenboykott einschüchtern oder sogar in ihrer Existenz bedrohen, könnte folgende Arbeitsteilung die Mutigen und Ängstlichen unter einen Hut bringen: Mutige Redakteure werden sich mit dem Kollegen solidarisieren, indem sie den unverschämten Erpressungsversuch der Brauerei publik machen. Das wiederum versetzt die Leser/innen dieser Zeitung in die Lage (und zwar sowohl die mutigen als auch die eher etwas ängstlichen) im Rahmen ihrer Möglichkeiten nun ebenfalls aktiv zu werden. Mutige Leser stellen sich dann meinetwegen mit einer Pauke vor die Werkstore der Brauerei, um selbstgemalte Transparente unter Trommelwirbel hochzuhalten, während ängstliche Leser/innen im heimischen Supermarkt klammheimlich auf eine andere Biermarke umsteigen, um das Bier der besagten Brauerei in den Regalen so lange schal werden zu lassen, bis die Direktion der Brauerei zu Felde gekrochen kommt.

Anstatt sich also einzureden oder einreden zu lassen, individu-
eller Widerstand sei doch sowieso nur ein Tropfen auf dem heißen
Stein, werde man selbst zum steten Tropfen, der sich mit anderen
Tropfen in Rinnsale, in Bäche und Flüsse verwandelt. Aus diesem
Grunde führt auch kein Weg daran vorbei, sich freiwirtschaftlich
zu organisieren. Wer sich darauf beschränkt, im stillen Kämmer-
lein zu klagen oder am Stammtisch zu schimpfen, dem sei gesagt
(und er wird es selbst auch schon ahnen): So kommen wir natürlich nicht weiter! Aller Anfang ist auch keineswegs schwer, sondern lediglich neu und somit gewöhnungsbedürftig. Ich selbst
habe es nie bereut, die Gemeinschaft der Anhänger Silvio Gesells
gesucht zu haben. Wo sonst hätten mir die Kontakte zu Mitstreitern und Mitstreiterinnen sowie hervorragende Weiterbildungs-
möglichkeiten zur Verfügung gestanden? Mit dem Abonnieren
eines freiwirtschaftlichen Rundbriefes wäre ein erster Schritt
getan, aus dem sich erfahrungsgemäß alle weiteren Schritte ergeben. Sobald dem Ängstlichen klar wird, dass der Mutige ebenfalls sehr vorsichtig und vor allem auch verantwortungsbewusst
zu sein pflegt, mutiges Handeln also weder unvorsichtig noch
leichtsinnig ist, steht er mit einem Bein bereits im schwankenden Boot, das um so weniger kentert, je tiefer er sich hineinsetzt.
Das persönliche Ziel, mutig sein zu wollen oder mutig zu werden
ist schon deshalb niemals lächerlich, weil uns das Boot zu bisher
unerreichbaren Ufern trägt, die einem das Ängstlichbleiben niemals gezeigt haben würde!

Der irische Dramatiker und Nobelpreisträger George Bernhard Shaw hat einmal gestanden: *»Nur wenige Menschen haben
durch bloße Feigheit mehr gelitten oder haben sich deswegen
schrecklicher geschämt als ich.«* Auf die Frage, wie er es dennoch geschafft habe, seine geradezu krankhafte Schüchternheit,
sein Erröten und sein Stottern zu überwinden und zu einem der
größten Redner des 20. Jahrhunderts aufzusteigen, antwortete er
einem Journalisten: *»Ich habe es auf die gleiche Weise gelernt wie
das Schlittschuhlaufen, indem ich mich mit Ausdauer zum Narren
machte, bis ich es endlich konnte.«* Shaw konnte nicht nur, er wollte
es auch können, denn er hatte den eisernen Entschluss gefasst,

seinen ärgerlichsten Mangel in seinen größten Vorzug zu verwandeln. Was für ein Vorbild für alle, die meinen, ihre Schüchternheit, sei eine angeborene und somit unüberwindbare Hürde!

Kinder, die in einem Tret- oder Paddelboot über den eigenen Kurs entscheiden können, lernen das Mutigsein natürlich früher als Kinder, die artig auf einem Dampfer sitzen und unter Aufsicht der Mutter zwischen Käsesahne- und Schwarzwaldtorte wählen dürfen. Die Gesellschaft (des herrschenden Geldes) fördert die Bereitschaft, sich ungefragt abfüttern (und abspeisen!) zu lassen. *»Ruhe ist die erste Bürgerpflicht«* und ähnliche Weisheiten wurden aus dem Bemühen heraus geboren (und den Kindern in der Schule jahrzehntelang eingetrichtert), an den jeweiligen Säulen der Gesellschaft nicht zu rütteln. Das ist auch heute noch so!

Ob Bundespräsident, Bundestagspräsident (der besonders) oder Bundeskanzler, sie alle sehen es gern, wenn sich die Bürger mit dem Stück, das im Parlament gerade aufgeführt wird, auch abfinden. Man schwadroniert zwar gern und oft vom mündigen Bürger, hofft aber insgeheim, dass er diese Aufforderung zum selbständigen Denken und Handeln nicht so furchtbar wörtlich nimmt; wohl wissend, dass ein Volk der Mutigen und Aufgeklärten den größten Teil der jetzigen Regierung und Opposition aus dem Parlament jagen würde. Gerade weil sie das wissen oder doch zumindest ahnen, vertrauen die Gewählten der Tatsache, dass sich die Mehrheit der Bevölkerung mit den Machtmitteln des Geldes und der gelenkten Medien immer noch verhältnismäßig leicht für dumm verkaufen lässt; und diese Mehrheit entscheidet nun mal. Gegen diese Wand anzurennen, wäre töricht und somit auch keineswegs mutig. Ich halte auch nichts davon, »mit dem Mut der Verzweiflung« ausgerechnet die wertvolle Grundlage der Demokratie, das Mehrheitswahlrecht, anzutasten, sondern bin durchaus der Meinung, dass eine Mehrheit, wie immer sie ausfallen möge, »zunächst einmal« respektiert werden muss. Wenn nun aber diese Mehrheit durch die kapitalgelenkten Medien hinters Licht geführt wird, indem man ihr z. B. penetrant verschweigt, wie schamlos sie durch den vermeidbaren Zins und durch die – in private Taschen fließende – Bodenrente ausgeplündert wird und wie einfach es wäre, die unsoziale Verteilung des Geldes zu beenden, dann sollte diese Art Demokratie zur Diskussion gestellt werden dürfen. Das beliebte Spielchen, beim Thema Demokratie-Reform gleich mit dem Grundgesetz zu wedeln, Maulkörbe zu verpassen und Denkverbote in Kraft treten zu lassen, ist eine Erfindung und Spielregel des herrschenden Geldes, an die sich sogar die Kirchen gebunden fühlen.

Die Kirchen wenden sich bekanntlich den höheren Zielen zu, indem sie nicht müde werden, das irdische Leben mit dem Jenseits zu vergleichen. Spielt es da überhaupt noch eine Rolle, wenn sich dieses erbärmlich kurze Erdendasein für immer mehr Menschen bis zur Unerträglichkeit von der grundgesetzlich verbrieften Würde des Menschen entfernt – angesichts einer unendlich langen Ewigkeit in Glückseligkeit? Müsste man nicht allen Arbeitslosen raten, ganz schnell fromm zu werden? Die Gelassenheit, mit der tiefgläubige Christen den höllischen Zins und die Zinsknechtschaft ertragen, akzeptieren und selbst gerne nutzen, ist also durchaus verständlich; ist aber gleichzeitig auch ein Triumph des Teufels, der sich den Gewinn in barer Münze mit der Kirche teilt, indem er sie die Schamlosigkeit des Zinsnehmens nur noch ganz schwach empfinden und schließlich vergessen lässt. Irdische Höllenqualen einer grausamen Zinswirtschaft, die im Zeitvergleich zur jauchzenden Ewigkeit ja zum Glück nur den Bruchteil einer Sekunde lang ertragen werden müssen, können für tiefgläubige Christen verständlicherweise kein Anlass sein, über den Deckel der Bibel hinauszuschauen. Aber auch Menschen, die ihren Glauben auf das wissenschaftlich Beweisbare reduzieren, finden sich mit einer sozialen Erosion ab, solange sie nicht selbst davon betroffen sind. Wer die moralische Erbärmlichkeit seiner ignoranten Einstellung zum Thema Zins spürt oder ahnt, weiß sich dann auch Erleichterung zu verschaffen, und sei es im Sarkasmus.

Ein Physiker gab mir gegenüber mal zu bedenken, dass in ca. vier Milliarden Jahren doch ohnehin alles vorbei sei, und er meinte damit das Ende des Planeten Erde, der voraussichtlich von der Sonne verschlungen wird, wenn die sich in ihrer Endphase zum »Roten Riesen« aufplustert und die Planeten des Sonnensystems in einem Inferno glühender Gase verschlingt. Ein derart weit in die Zukunft reichendes Wissen um das Bevorstehende tröstet offenbar ungemein über irdische Miseren hinweg; zumindest so lange diesen Trostspendern das Gehalt noch pünktlich überwiesen wird. Während das Verhalten dieser »Lebenskünstler« nur im Widerspruch zur Vernunft und Moral steht und auf Einzelfälle beschränkt bleibt, also ignoriert werden kann, bündelt die Kirche das Verhalten von Millionen und trägt daher eine schwere Verantwortung für gesellschaftliche Fehlentwicklungen. Die moralische Kompetenzanmaßung der Kirche steht somit im Widerspruch zum Gewährenlassen der Absahner von Bodenrente und Zins sowie im Hofieren der Krisenverursacher und Kriegsgewinnler. Mein Vorwurf an die Kirchen, mit dem großen Kapital direkt oder indirekt gemeinsame Sache zu machen, richtet sich daher besonders an jene Christen und Mitläufer, die den Ewigkeitsverheißungen nicht so recht trauen, dem Kapital aber trotzdem eisern die Stange halten, so als stünden sie bereits mit einem Bein im himmlischen Paradies, an das sie gar nicht glauben. Sie zumindest wären doch eigentlich gut beraten, das Paradies vorsorglich schon mal zu Lebzeiten – und zwar auf Erden – installieren zu helfen. In der Zinswirtschaft dürfte das kaum möglich sein, außer für die Profiteure.

Die Bereitschaft der Kirchen, zumindest am Rande von Kirchentagen eine Aufklärung über die satanische Rolle der herrschenden Zinswirtschaft zuzulassen, sei in diesem Zusammenhang jedoch ausdrücklich erwähnt. Dass die Bischöfe seit einigen Jahren von der Kanzel herab die Bewahrung der Schöpfung predigen (wie wir Umweltschützer es seit 1980 gefordert haben) und predigen lassen, über die fundamentale Bedeutung eines dienenden Geldes jedoch noch immer kein Wort verlieren, zeigt aber in aller Deutlichkeit, wie »erfolgreich« Silvio Gesell auch in diesen Kreisen noch immer totgeschwiegen werden kann.

Den Finanzgewaltigen ist es also gelungen, selbst jene Bastionen zu erobern, die fast schon nicht mehr von dieser Welt sind. Mir fällt im Moment auch keine Ritze ein, in die das Zinsgift nicht längst eingesickert wäre und bei Bedarf hervorgequollen käme.

Diese Ernüchterung möge als Versuch gewertet werden, einen Tiefpunkt in der moralischen Entwicklung der Menschheit zu orten, ab dem es dann aber auch wirklich (und nicht nur hoffentlich) nur noch aufwärts gehen darf. Was hätte es für einen Zweck, den bevorstehenden Widerstand bei der Überwindung der heutigen Zinswirtschaft zu ignorieren oder zu unterschätzen? Wir laufen ja so schon Gefahr, vom Hohngelächter der Zinseszinsler gebeutelt zu werden; da ist es gut, von der eigenen (momentanen!) Machtlosigkeit eine klare Vorstellung zu haben, damit die Ausgangslage nicht auch noch durch eine Überschätzung der eigenen Möglichkeiten beeinträchtigt wird. Aber diese Ausgangslage ist nun auch erreicht!

Das bedeutet, wir können und wir müssen uns jetzt etwas vornehmen, was uns noch vor wenigen Tagen nicht im Traum eingefallen wäre. Vergleichbare Situationen kommen im Leben eines Menschen nur ganz selten vor; die Gunst der Stunde will also genutzt sein, möchte ausgelotet und vor allem ausgekostet werden. Doch niemand zwinge sich dazu. Wer es nötig hat, bei dieser Lebensaufgabe seine Willenskraft einzusetzen und zu strapazieren, der lasse lieber die Finger davon. Es geht ganz von allein, oder es geht nicht. Aber wir, die wir den Faden der Ariadne endlich gefunden haben, sollten nicht zögern, mit seiner Hilfe den rettenden Ausgang des verwirrenden nationalökonomischen Labyrinths zu erreichen. Wir stehen ja auch keineswegs außerhalb dieser Festung des herrschenden Geldes, sondern mittendrin. Es bedarf somit auch keiner Kriegslist, sich etwa als trojanisches Pferd in die Reihen der Krisengewinnler bzw. Parteien zu mogeln. Ein Blick in die Zeitung genügt: Das Kapital treibt hilflose Politiker und deren Wähler vor sich her, und keiner bereitet dem Treiben ein Ende. Wie eine Gruppe unerkannter Partisanen marschieren auch wir »Unbeteiligten« zusammen mit den Söldnern des Kapitals im Gleichschritt auf das nächste Kapitalverbrechen zu. Mühsames Heranschleichen an den Gegner entfällt; wir stehen ja bereits an seiner Seite. Es gibt auch kein Rätselraten über das, was die Söldner vorhaben; es steht alles in der Zeitung! Ausplünderung ist angesagt, oder ist ein Zinsanteil von

70 % in der Wohnungsmiete etwa keine Ausplünderung? Ein entsetzlicher Gedanke übrigens, selbst im Sold der Plünderer zu stehen. Noch schlimmer ist die Erkenntnis, an diesen Plünderungen als Handlanger und Steigbügelhalter auch selbst beteiligt zu sein! Mit jedem Einkauf und bei jeder Mietzahlung stellen wir dieses ungewollte Handlangertum unter Beweis. Die meisten von uns tun es, ohne es zu wissen; und die es wissen, fahren damit fort, weil sie meinen, diesem ausweglosen Labyrinth ja doch nicht mehr entrinnen zu können. Darum stehen auch ehrenwerte Frauen und Männer lebenslänglich im Sold der Plünderer. Sie plündern andere aus, und sie plündern sich selbst, indem sie beispielsweise die Hälfte ihres Arbeitslebens für den Zins verschwenden, so als würde ihnen der liebe Gott die verlorene Zeit hinten bei voller Gesundheit wieder dranhängen.

»Gut«, das soll jetzt anders werden, aber wie? Einer Ariadne gleich hat uns Silvio Gesell einen Faden gesponnen und aufgewickelt, den es nur noch »auszulegen« gilt – und dies in zweifacher Hinsicht: Teils soll der Leitfaden den Verzweifelten Hoffnung und Kraft geben und den Herumirrenden die einzig lohnende Richtung zeigen, teils soll er von Knoten zu Knoten auf die im Labyrinth verborgenen Fallgruben und Schikanen des Minotaurus rechtzeitig hinweisen, auf dass dieses menschenfressende Ungeheuer getäuscht und für immer erledigt werde. Damit verliert das Labyrinth der Zinswirtschaft den Nimbus der Unentrinnbarkeit. Lassen wir diesen Faden durch unsere Hand gleiten, indem wir uns schlau machen, freiwirtschaftliche Vorträge und Tagungen besuchen, mit erfahrenen Freiwirten Kontakt aufnehmen, diskutieren, fragen, lesen und lernen und schließlich multiplikatorisch aktiv werden. (Mehr dazu im Kapitel »Was werden wir tun?«)

Nicht mehr das Heldentum ist gefragt, also die Bereitschaft, den Mut mit schweren Nachteilen oder sogar mit dem Leben zu bezahlen, sondern Selbstvertrauen und Gelassenheit. Der Freiwirt Juergen Typke hat für diesen Bereich der Lebenskunst die folgenden Worte gefunden: »*Jetzt genügt die Bereitschaft zum Kampf mit den Mitteln der Gedankenschärfe, der Ausdauer und der Sehnsucht nach einem Leben in Würde und Gerechtigkeit*«. Gesell hat den Ariadnefaden mit zahlreichen Knoten versehen, die uns davor bewahren sollen, leichtsinnig und übereilt dem durch die Hand gleitenden Faden zu folgen. Seine Nachfolger haben dem Faden weitere Knoten zum rechtzeitigen Erkennen der Stolpersteine hinzugefügt, weil sich die Zeiten ja auch dramatisch geändert haben und die Menschen heute vor Problemen stehen, die vor 1930 noch nicht absehbar waren. Wer hätte zu Gesells Zeiten voraussehen können, dass die meisten Geldgeschäfte heute elektronisch abgewickelt werden? An der prinzipiellen Notwendigkeit einer Land- und Geldreform hat diese Entwicklung freilich nichts geändert!

Bevor es jedoch zu einer Land- und Geldreform kommen kann, muss die Bevölkerung natürlich erst einmal über den Stand der Ausgrabungsarbeiten und über die Bedeutung des von Silvio Gesell gefundenen Schatzes informiert werden. Nachdem sich aber gezeigt hat, dass es nicht jedermanns Sache ist, die Leute auf der Straße, vor dem Kino, in der Kneipe, auf dem Sportplatz oder vor dem Arbeitsamt direkt anzusprechen, haben meine Freunde und ich verschiedene Kontakthilfen entwickelt, die auch bei strömendem Regen, großer Kälte, Glatteis oder mitten in der Nacht in aller Ruhe auf den Weg gebracht werden können. Der nun folgende Apfel-Brief »Kirche« war natürlich auch wieder das Ergebnis einer konzertierten Aktion. Freunde, Leser/innen des vorliegenden Buches, namhafte Persönlichkeiten aus Gesellschaft, Kirche und kirchlichem Umfeld haben mir mit einer Fülle von Anregungen zur Seite gestanden. Das Ziel dieser Nadelstichaktion (ja, es war eine!) war recht bescheiden und schien darum erreichbar zu sein: Die Angeschriebenen sollten bis an das Ende Ihrer Tage beim Anblick eines reifen Apfels mit Hilfe der Assoziation »Apfel · Zinskritik · Schulden · Mitschuld der Kirche« an die Lehren Silvio Gesells erinnnert werden und schlimmstenfalls auch so etwas wie Scham empfinden, falls sie über diesen Brief hinweggehen, als ginge sie das Thema Soziale Gerechtigkeit überhaupt nichts an. Dass der Apfel-Brief »Kirche« (übrigens auch wieder vierfarbig in Fotoqualität gedruckt) aus einem anderen Holz geschnitzt sein musste als der Apfel-Brief »SPD«, ergab sich aus der Überlegung, es hier mit einer völlig anderen Zielgruppe zu tun zu haben. Natürlich hatte auch diese Aktion wieder »nur« Experimentcharakter und diente somit erneut der Vorbereitung und Optimierung der noch folgenden Apfel-Brief-Aktionen. Positive Reaktionen seitens einiger Pfarrer und Pastoren, darunter zwei deutsche Bischöfe und ein Kardinal (Ratzinger) aus dem Vatikan, der dem Absender immerhin seinen Segen erteilte und der Aktion alles Gute wünschte, standen einer Mauer des Schweigens gegenüber – wie bei der SPD. Zwei auf den Gehaltslisten der Kirche stehende Wirtschaftswissenschaftler, die offenbar von höchster Stelle dazu verdonnert worden waren, den ziemlich ratlosen und überraschten Geistlichen bei der Beantwortung der Apfel-Briefe unter die Arme zu greifen, haben mich allen Ernstes gebeten, diese Aktion doch bitte sofort zu stoppen! Ein wahrhaft »frommer« Wunsch! Die Auflage (4.500 Briefe) ist inzwischen zwar restlos vergriffen, doch ist der Brief heute so aktuell wie noch nie, denn inzwischen ist eingetreten, was auch wir im Jahre 2000 noch nicht voraussehen konnten: Der Kirche steht das Wasser finanziell bis zu Hals! Sie ist gezwungen, eine große Anzahl ihrer eigenen Mitarbeiter/innen auf die Straße zu setzen. Viele Kirchen können nicht einmal mehr beheizt werden, zahlreiche Kirchen werden sogar zum Verkauf angeboten oder schon für den Abriss vorbereitet. Nicht irgendwo, sondern hier bei uns – mitten in Deutschland! Der Versuch, sich mit dem Verkauf des kirchlichen Tafelsilbers (Immobilien, Grundstücke, Pflegestationen, Kindergärten, Altersheime etc.) wenigstens bis zum endgültigen Bankrott zu retten, erinnert an die verzweifelten Klimmzüge der ebenfalls aus dem letzten Loch pfeifenden Bundesregierung. Zwischen Mitleid und Fassungslosigkeit schwankend, fiel der Entschluss, auch diesen Brief der undankbaren Kirche noch einmal in Erinnerung zu rufen:

Apfel-Brief-Aktion
»Kirche«

**An alle Funktionsträger und
Funktionsträgerinnen sowie an alle
Institutionen und Publikationen
der Kirchen in Deutschland,
Österreich und der Schweiz**

Betrifft:
Hinweis auf einen ungehobenen **Sozialschatz der Kirche**

Sehr geehrte Damen, sehr geehrte Herren!

Wer auf dem Deckel einer Schatztruhe ruht, kann sich der Schätze nicht bedienen. Um wie viel mehr gilt diese Aussage, wenn der Betreffende von den Schätzen, auf denen er buchstäblich sitzt, nichts ahnt? Wäre es unter diesen Umständen nicht wünschenswert, wenn eigenartige Klopfgeräusche aus dem Inneren der Truhe ihn stutzig machten? Und wäre es zu viel verlangt, wenn er einmal kurz aufstehen, den Deckel vorsichtig anheben und einfach mal nachschauen würde, woher die Klopfgeräusche kommen und was es damit auf sich hat?

Dieser Brief ist ein den Kirchen gewidmetes Klopfgeräusch. Nicht mehr, aber auch nicht weniger! Der Schatz, den es wenigstens mal in die Hand zu nehmen gilt, muss also nicht erst noch erdacht, herbeigesehnt oder mühsam ausgegraben werden, denn dieser Schatz ist allen Menschen guten Willens zugänglich! Entdeckt vor über 100 Jahren von **Silvio Gesell** (1862–1930), einem zu Unrecht in Vergessenheit geratenen Sozial- und Geldreformer. Gesell kam 1889 in einer Sternstunde der Menschheit den Ursachen für das unberechenbare Auf und Ab der Wirtschaftskonjunkturen auf die Spur. Er fand eine bis dahin völlig unbekannte Ursache für das Entstehen von Armut, Arbeitslosigkeit, Elend und Krieg. Seine Entdeckung hat das Menschheitsziel **Arbeit,**

Wohlstand und Frieden für alle zum ersten Male auf die Rangstufe der Durchführbarkeit gehoben (war bisher doch immer nur ein Wunschtraum).

Mit moralischer Unterstützung der Kirchen müsste dieser grandiose Sozialschatz zu heben sein. **Die Lösung der sozialen Frage** setzt allerdings die von Silvio Gesell entwickelte *Natürliche Wirtschaftsordnung (NWO)* voraus, in der sich das zinsfordernde (und dadurch herrschende) Geld in ein nur noch dienendes Geld verwandelt. **Fluch wird Segen!** Damit kommen wir – die Unterzeichner dieses Briefes – jenen 5 % der Bevölkerung ins Gehege, die sich der restlichen 95 % zu bedienen wissen – und zwar durch eine verheerende und dennoch legalisierte (!) Ausbeutung über den Zins. Von ratlosen Wirtschaftswissenschaftlern ausgeblendet und von hilflosen Politikern ignoriert, wird dieses brennend aktuelle Thema von den Medien gehorsam totgeschwiegen. Motto: *»Die schweigende Mehrheit schweigt, weil ihr das Rettende verschwiegen wird.«* (H. Benjes in *Wer hat Angst vor Silvio Gesell?*)

In einer Studie der EKD von 1982 wurde bereits erkannt, dass die Arbeitslosigkeit in der christlichen Ethik nicht als schicksalhaftes Geschehen hingenommen werden darf. Die Kirche hat also schon seit langem gewusst, dass wir es bei der Arbeitslosigkeit nicht mit einem unvermeidlichen Naturereignis zu tun haben, sondern mit einer vermeidbaren Folgeerscheinung wirtschaftlichen und politischen Fehlverhaltens! Die Verfasser der EKD-Studie erkennen in der Arbeitslosigkeit *»eine Herausforderung für unsere Verantwortung.«*

Deshalb also diese »**Apfel-Brief-Aktion**«. Wir erlauben uns, den Frauen und Männern der Kirche die Augen zu öffnen für den unerträglich unterschätzten **Anspruch auf Zins,** der den Frieden in aller Welt bedroht, die soziale Gerechtigkeit verkrüppelt und die hohe Politik zum Hampelmann der finanzgewaltigen Globalisierer deformiert. Wir sehen auch nicht ein, weshalb ausgerechnet die moralische Instanz Kirche dazu schweigt, dass z. B. die Wohnungsmieten zu 70–80 % aus vermeidbaren (!) Zinskosten bestehen; vom Zinskostenanteil aller Waren, Dienstleistungen und Steuern (35–45 %) einmal ganz zu schweigen.

Wäre es nicht wunderbar, den sozial Benachteiligten von der Kanzel herab die frohe Botschaft predigen zu können: *»Leute, die Arbeitslosigkeit ist keine Katastrophe – und schon gar nicht gottgewollt, sondern ein von Menschen gemachter Skandal!«*? Der evangelische Pfarrer Rudolf Zörner aus Guben an der Neiße ist 1999 seinen Kollegen darin beispielhaft vorangegangen. Also: es geht! Betrachten Sie die beiden beigefügten Faltblätter *»Vollbeschäftigung«* und *»Wer hat Angst vor Silvio Gesell?«* bitte nur als Bindeglied zwischen diesem Apfel-Brief und Ihrer ganz persönlichen Entscheidung, sich mit den rettenden Erkenntnissen Silvio Gesells so schnell wie möglich zu befassen.

Mit freundlichen Grüßen

....

Literaturempfehlung:
Gesell, Silvio: *Die Natürliche Wirtschaftsordnung*
Benjes, Hermann: *Wer hat Angst vor Silvio Gesell?*
Lietaer, Bernard A.: *Das Geld der Zukunft*
Kennedy, Margrit: *Geld ohne Zinsen und Inflation*
Senf, Bernd: *Der Nebel um das Geld*

P.S. Was hat der schöne Apfel eigentlich mit dieser Aktion zu tun? Der Apfel symbolisiert die Vergänglichkeit aller verderblichen Waren, die ja bekanntlich schnell über den Ladentisch gehen müssen, bevor sie durch Fäulnis unverkäuflich werden. Im Gegensatz dazu ist das Geld den Waren (und der menschlichen Arbeitskraft!) haushoch überlegen. Das Geld verfault ja nicht; es verrostet nicht und hat es darum auch nicht eilig. **Geld kann warten, der Apfel und die Arbeitslosen können es nicht!** Auf der Grundlage dieser Erkenntnis entwickelte der Sozial- und Geldreformer Silvio

Gesell *Die Natürliche Wirtschaftsordnung.* Seine bahnbrechenden und bis heute nicht widerlegten (!) Erkenntnisse könnten die **Vollbeschäftigung** zu einer kaum vermeidbaren Selbstverständlichkeit werden lassen. »Nur« ein paar Reiche und Superreiche werden in erträglicher Weise Federn lassen müssen, damit die soziale Gerechtigkeit nicht – wie bisher – immer nur in Lippenbekenntnissen gefordert, sondern schon bald – und zwar endgültig – verwirklicht werden kann.

So weit dieser Brief. Andere Zielgruppen, z.B. Hochschulen, Naturschutzverbände und Parteien werden in den kommenden Jahren ebenfalls mit maßgeschneiderten Apfel-Briefen bundesweit »bedient«. Interessierte Leser/innen können sich – wie bisher – an der inhaltlichen Gestaltung dieser Briefe beteiligen. Das Motto der Apfel-Brief-Aktionen heißt zunächst einmal nur: »Silvio Gesell in aller Munde«. Ich setze natürlich den langen Atem meiner Mitstreiter/innen voraus und die Fähigkeit, ein betretenes Schweigen der Briefempfänger als völlig normal und nicht etwa gleich als Rückschlag einzustufen.

Angeblich ist die Zeit des Briefeschreibens längst vorbei. Die Leute telefonieren lieber, faxen in der Welt herum und beharken sich gegenseitig mit E-Mails. Das tue ich übrigens auch. Doch gerade weil heute kaum noch »richtige« Briefe im Briefkasten landen, fallen diese natürlich um so mehr auf. Den Teilnehmern der Apfel-Brief-Aktionen empfehle ich die Verwendung von Fensterbriefen (das übliche Lang-DIN-Format). Richtig gefaltet und eingetütet, schaut aus dem Fenster jetzt nicht mehr die langweilige Adresse, sondern der Apfel in seiner ganzen Pracht heraus. Die Anschrift des Empfängers setzen wir handschriftlich rechts daneben. Frankiert wird grundsätzlich nur mit möglichst schönen Sonderbriefmarken. Damit hebt sich unser Brief von den üblichen Postwurfsendungen wohltuend ab. Ich möchte den Politiker, Pfarrer, Professor oder Naturschützer sehen, der diesen Brief nicht sofort aufschlitzen würde! Nachforschungen haben ergeben, dass die Apfelbriefe auch gelesen werden. Das ist heute keine Selbstverständlichkeit mehr. Werbebriefe, und in diese Kategorie wird ein Brief sehr schnell geschoben, landen immer häufiger ungelesen und sogar ungeöffnet im Papierkorb. Wenn das beim Apfel-Brief anders ist, bedeutet das aber noch nicht, dass er auf Anhieb so etwas wie Freude oder gar Dankbarkeit auslöst.

Die Empfänger fühlen sich zum Teil ertappt, sehen aber nicht ein, weshalb sie uns auf den Leim kriechen sollten. Wir dürfen also nicht erwarten, dass eine uns wichtig erscheinende Angelegenheit sofort eine nennenswerte Reaktion auslöst. Also doch Papierkorb? Ja, zum Teil durchaus; aber diese Leute werden danach nie wieder sagen können, von den Möglichkeiten der NWO oder von Silvio Gesell noch nie etwas gehört zu haben! Wohlgemerkt, wir dürfen nicht erwarten, von diesen Leuten gleich ernstgenommen zu werden. Aber ab und zu wird auch mal eine Perle gefunden: Ein bis zwei Prozent der Angeschriebenen erbitten weitere Informationen. Dann ist eine Nachfaßaktion fällig, auf die man vorbereitet sein sollte. Wer jetzt mit einer extrem kurzen Darstellung der NWO »nachlegen« kann, darf darauf vertrauen, dass sich alles Weitere wie von selbst ergibt. Wir haben es schließlich mit erwachsenen Menschen zu tun, die – sobald sie eine gewisse Hemmschwelle überwunden haben – keiner weiteren Appetitanregung bedürfen. Eine gebrauchstüchtige und schon heute lieferbare NWO-Kurzdarstellung hat mein Mitstreiter Klaus Müller unter dem Titel »Frieden durch Gerechtigkeit« herausgebracht (siehe Literatur).

Faltblätter, die preisgünstigste Form der gezielten Werbung, werden vom *DEUTSCHEN FREIWIRTSCHAFTSBUND e.V.* laufend weiterentwickelt (auf Erfahrung gestützte Optimierung) und zum Selbstkostenpreis zur Verfügung gestellt. Ob als Briefbeilage oder zur Erinnerung an »gute Gespräche« (z.B. während einer Bahnfahrt) hinterlassen wir mit diesen Werbemitteln eine Spur, die sich so schnell nicht wieder ausradieren lässt und bestenfalls der Freiwirtschaft neue Mitstreiter/innen zuführt.

Günstige Gelegenheiten pflegen unverhofft aufzutreten; daher sollte man einen kleinen Vorrat entsprechender »Wertpapiere« immer bei sich haben. Die Deutsche Bahn AG sieht es nicht gern, kann es andererseits aber auch nicht verhindern, wenn wir den überall ausliegenden »Zugbegleiter« mit diesem Wertpapier vorsichtig oder offen und demonstrativ komplettieren. Etwas mehr Mut erfordert eine Direktansprache in Fußgängerzonen, auf Bahnhöfen oder vor Arbeitsämtern. Man gebe dem Bettler vor der Bank nicht immer nur die eine Mark, pardon – 50 Cent, sondern grundsätzlich auch dieses »Begleitschreiben«, denn warum sollte wohl ausgerechnet er nicht wissen, dass ihm ein Leben ohne Armut zusteht und bestenfalls sogar bevorsteht? Auch an großen Bushaltestellen, vor Gymnasien, Berufsschulen und Hochschulen, überall klagen uns ungenutzte Kontaktmöglichkeiten an. (siehe Beispiele im Kapitel »Was werden wir tun?«). Wer bisher meinte, ein T-Shirt von Coca-Cola oder Borussia Dortmund durch den Sommer tragen zu müssen, sei an jene Shops erinnert, die uns für wenig Geld einen beliebigen Text auf das Hemd knallen. Die netten Leute an den Info-Tischen der Parteien und Verbände müssen so lange mit der Frage nach Silvio Gesell auf die Probe gestellt werden, bis die endlich mal gemerkt haben, dass ihnen noch eine Schraube im Getriebe fehlt. Richtig Spaß machen die Umfragen in Fußgängerzonen und dort speziell vor Banken und Sparkassen. Nein, dass von der Miete im Schnitt jeden Monat 70 % auf die Konten der Zinseszinsler fließen, das wird uns beim ersten Interview in den allermeisten Fällen noch nicht abgenommen.

Aber dann, beim zweiten Male, beginnt sich die kleine Mühe schon auszuzahlen: Der oder die Interviewte braucht zwischenzeitlich zu Hause nur mal im Lexikon nachgeschaut haben, ob denn dieser Gesell auch tatsächlich drinsteht. Beim Kauf eines neuen Lexikons daher grundsätzlich erst einmal unter »G« nachschlagen. Fehlt die Eintragung »Gesell«, dann nicht etwa nur den Buchhändler für diese Unterschlagung büßen lassen, indem wir unter Hinweis auf diese Manipulation auf den Kauf verzichten, sondern dem Lexikonverlag auf einer netten Karte noch zusätzlich die Quittung geben. Man kauft sich doch auch keine Bibel, in der das Wort Jesus kurz vor der Drucklegung noch schnell elektronisch getilgt wurde!

Nicht alle Menschen, die wir mit der Frage nach Silvio Gesell in Verlegenheit bringen, sind uns dankbar. Wer will denn auch schon zugeben, sein Leben lang die schönste Blume im Garten seiner Möglichkeiten übersehen zu haben? Man lernt aber relativ schnell, sich die besonders lohnenden Gesichter aus der Menge herauszupicken und freut sich dann natürlich besonders über jene Kontakte, die unter normalen Bedingungen gar nicht zustandegekommen wären. Fortgeschrittene setzen sich der Flut von Möglichkeiten aus, die der sonntägliche Kirchgang bietet. Wie ein Autofahrer, der auf einer einsamen Landstraße geduldig anhält, um eine Schafherde an seinem hochwertigen Mittelklassewagen beidseitig und lackschonend vorbeifluten zu lassen, teilt er die nach Hause eilenden Kirchgänger breitbeinig wie ein Felsen im Meer. Er wird bald umringt sein von Personen, die ihn bei der ersten Faltblattübergabe kaum beachtet haben, jetzt aber bereit sind, sich auf ein gutes Gespräch einzulassen. Man unterschätze dann auch nicht die Bedeutung und Breitenwirkung einer Einladung, und sei es die, vor den Senioren einer Altentagesstätte oder einfach nur in einer Familie sprechen zu dürfen. Vor einer Jugendstrafanstalt könnte sich vormittags das Warten auf sogenannte Freigänger lohnen, die in der Regel sehr erstaunt darüber sind, dass sich auch außerhalb der Mauern mal einer für sie interessiert. Hier lassen wir nicht locker, bis uns ein Freigänger den Kontakt mit einem Sozialarbeiter der Strafanstalt hergestellt hat. Unser Ziel ist klar: Vor einem kleinen Kreis innerhalb der Mauern einen kurzen Vortrag mit anschließender Diskussion halten zu dürfen. Man lasse diese Personen dann aber selbst auf den Gedanken kommen, dass viele von ihnen niemals straffällig geworden wären, wenn ihnen die Gesellschaft Arbeit, gerechten Lohn und eine bezahlbare Wohnung geboten hätte.

Da sich diese Selbstverständlichkeiten im Vergleich mit der traurigen Wirklichkeit der meisten Strafentlassenen geradezu utopisch ausnehmen, darf es bei dieser einen aufwühlenden Begegnung natürlich nicht bleiben. Wer es sich leisten kann, spendiere der Anstaltsbibliothek zumindest das vorliegende Buch oder ein Rundbrief-Abonnement. Vor dem Sozialamt treffen wir später einen Teil dieser Leute wieder und begegnen dort aber auch Menschen, die eine Straftat erst noch begehen werden, weil die von der Zinswirtschaft deformierte Gesellschaft diesen Menschen kaum noch eine nennenswerte Chance bietet. Niemand fühle sich gezwungen, gerade an diesen Brennpunkten tätig zu werden; es gibt schließlich noch so viele andere und vor allem auch leichtere Kontaktstellen; doch den Mutigen sei gesagt, dass an kaum einer anderen Stelle der sozialen Erosion eine so wertvolle, notwendige und auch dankbare Aufklärungsarbeit geleistet werden kann wie hier.

Aus den Fußballstadien quellen nicht nur grölende Jugendliche, die natürlich wie Juckpulver zu meiden sind; doch so manches nachdenkliche Gesicht lässt sich mit etwas Übung davon überzeugen, dass wir keine Versicherungen oder Lamadecken zu verkaufen haben, sondern die selbsternannte Speerspitze einer breit gefächerten Bewegung sind. Wer mit der Bahn zur Arbeit fährt, befindet sich – wie schon angedeutet – in einem Schlaraffenland besonders leicht erreichbarer Ziele, während Busse und Straßenbahnen weniger geeignet sind, weil der hier zur Verfügung stehende Raum zum Ausweichen zu klein ist und die Gefahr besteht, die kritische Distanz zu unterschreiten, was die Angesprochenen unbewusst zu instinktiven Abwehrreflexen verleitet, die dann auch nicht überwunden werden dürfen. Es gilt also jene Fehler zu vermeiden, die uns auch nur dem Anschein nach in die Nähe der Zeugen Jehovas oder abgebrühter Hausierer bringen könnten. Ich sage es noch einmal: Mutigsein macht Spaß, will aber auch gelernt sein; also üben, üben, üben!

Die Gegenseite, das große Kapital, wird uns zunächst ignorieren, dann aber sorgfältig beobachten. Es ist davon auszugehen, dass hinter den Kulissen bereits beraten wird, wie eine solche Bewegung möglichst klein gehalten werden kann, nachdem es ja ganz offensichtlich nicht gelungen ist, sie schon im Keim zu ersticken. So wäre es beispielsweise möglich, und für das große Kapital überhaupt kein Problem, ganze Auflagen von Büchern einfach vom Markt zu nehmen, also aufzukaufen, wie es die Industrie mit Erfindungen zu tun pflegt, die ihr nicht ins Konzept passen. So manches Patent wurde einfach aufgekauft oder durch geheime Absprachen gegen den Willen des Erfinders auf Eis gelegt. So kann beispielsweise in Deutschland das ganze Land auch weiterhin mit hässlichen Hochspannungsmasten verschandelt werden, obwohl das Patent für ein überlegenes Erdkabelsystem seit Jahrzehnten auf die längst fällige Nutzanwendung wartet. Der Erfinder, ein Diplomingenieur, kann also gnadenlos um die Früchte seiner bahnbrechenden Lebensleistung gebracht werden, weil Industrie und großes Kapital in der Presse und in der gleichgültigen Bevölkerung (!) immer noch genügend Verständnis für den tausendfachen Vogelmord an völlig überflüssigen Hochspannungsleitungen finden. Ganze Wälder von Strommasten und Leitungen verschandeln die Landschaften in Deutschland und werden dennoch widerspruchslos hingenommen, während ein paar zusätzliche Windkraftanlagen durch alle Instanzen gezwungen und wie ein drohendes ästhetisches Unglück behandelt werden.

1993 hat DIE ZEIT erstmalig einigermaßen seriös über Silvio Gesell berichtet (und dann nie wieder). Andere Zeitungen werden folgen, wenn das Verschweigen der NWO von aufgeklärten Lesern und Abonnenten nicht länger hingenommen wird. Von der Schafsgeduld ihrer Leser verwöhnt, sehen die Redaktionen zur Zeit natürlich keinen Handlungsbedarf. Also wird man ihnen eine brennende Kerze unter den Stuhl stellen müssen. (siehe Kapitel »Was werden wir tun?)

Nach Schopenhauer stünde uns nach dem Verschweigen die Phase II bevor, und zwar das Lächerlichmachen des nicht mehr Verschweigbaren durch Krisengewinner, die sich in ihrem Schmarotzertum von einer neuen Bewegung bedroht fühlen. Ich rechne z. B. immer mit Diskussionsbeiträgen vereinzelter Hörer im Saal, die versuchen, den Referenten argumentativ zur Strecke zu bringen und dafür möglicherweise auch noch bezahlt werden. Diese Querschüsse müssen ernst genommen und sorgfältig analysiert werden, damit uns schon beim nächsten Auftritt das Ärgernis erspart bleibt, auf die berechtigte Frage eines »Experten« vor dem Publikum keine überzeugende Antwort geben zu können. Meine Erfahrungen mit Besuchern, die mir nicht wohlgesonnen oder völlig anderer Auffassung sind, gehen dahin, dass immer wieder die gleiche Platte aufgelegt wird, also nur zwei oder höchstens drei Feuerproben durchgestanden werden müssen, um mit diesen Leuten auch argumentativ und dann ein für allemal fertig werden zu können. (Siehe Literatur, Schleisiek: »*Übliche Einwände gegen die Freiwirtschaft*«) Ich habe nicht genug Fantasie, um mir vorstellen zu können, dass es dem großen Kapital und der Presse in der heutigen Zeit auf Dauer gelingen könnte, Silvio Gesell und seine Anhänger lächerlich zu machen, denn diesen Kapitalisten bleibt doch nur die Hoffnung, durch ständiges Wirtschaftswachstum so viel Wohlstand wenigstens für einen Teil der Bevölkerung zu schaffen, dass mit Hilfe der satten Bürger die immer größer werdende Zahl der Zukurzgekommenen untergebuttert werden kann – wie bisher.

Dass dieser unverantwortliche Wachstumswahnsinn ein Verbrechen an der Umwelt, an den Armen und an kommenden Generationen ist, daran ändern auch die frisch gebügelten Roben der obersten Bundesrichter nichts, die sich ja immer noch als »die höchste Instanz der besten aller möglichen Gesellschaftsordnungen« begreifen und trotzdem (oder gerade deswegen?) diese Wachstumsverbrechen mit einem glatten Freispruch durchgehen lassen. Auch an diese Richter sind bei passender Gelegenheit Apfel-Briefe zu »richten«, die dem leuchtenden Rot der Roben das zarte Rosa einer Schamröte zur Seite stellen. Wenn diesen Richtern erst einmal klargeworden ist, dass der Respekt vor der höchsten Instanz nicht so sehr von der Farbe der Roben, sondern vom Farbebekennen der Robenträger abhängt, schwindet die Hoffnung der Politiker und Kapitalisten, sich bei Bedarf auch in Zukunft immer wieder jede Umweltsauerei und jede soziale Ungereimtheit höchstrichterlich absegnen lassen zu können! Bei aller Kritik an dieser Bundesbehörde darf andererseits aber auch nicht übersehen werden, dass diese Richter durchaus in der Lage waren und sind, dem Gesetzgeber tüchtig eins hinter die Löffel zu hauen. Leider geschieht das in überlebenswichtigen Fragen noch viel zu selten und in der Geldsystemfrage bisher noch nie!

Die Gründe dafür liegen auf der Hand: Anstatt nur die angesehensten und fähigsten Juristen in ein solches Amt zu wählen, überlässt man die Auswahl ausgerechnet jenen Kreisen, die traditionell bedenkenlos mit der Umwelt und den Interessen kommender Generationen umspringen! Nicht nur hohes Ansehen, besondere Tüchtigkeit, ein scharfer Verstand und edle Gesinnung der Kandidaten geben den Ausschlag, sondern auch und vor allem das Parteibuch der Kandidaten und die Parteibücher der Auswahlgremien. Von Fall zu Fall entscheidet aber auch eine alte Männerfreundschaft, machtpolitische Zuverlässigkeit und der verbriefte Glaube an ein unaufhörliches Wirtschaftswachstum.

Fassen wir das 11. Kapitel noch mal zusammen:

a) Reiche werden systembedingt immer reicher und nicht etwa auf Grund einer speziellen Begabung oder Tüchtigkeit. Aus dem gleichen Grunde werden Arme immer ärmer (und zahlreicher!) und dies in der Regel nicht durch eigenes Versagen oder Verschulden. Die Kluft zwischen arm und reich wird somit zwangsläufig, d.h. systembedingt immer größer.

b) Die Angst, eine Möglichkeit zum schnellen Reichtum verpassen zu können, treibt auch Rentner, Arbeitslose und Sozialhilfeempfänger in die Vortragssäle der Abzocker und Scharlatane. Sie blättern 350 Euro für eine Eintrittskarte hin, um nach der Vorstellung festzustellen, dass sie auf eine besonders unterhaltsame Weise verarscht worden sind.

c) Der Mangel an Mut in der Bevölkerung ist die Voraussetzung für den Ausbeutungserfolg der Zinseszinsler. Also kann es kaum eine sinnvollere Aufgabe geben, als das Mutigwerden zu erlernen und das Mutigsein bei jeder sich bietenden Gelegenheit zu üben.

d) Die Kirche gehört als Gralshüter der Moral und der sozialen Gerechtigkeit auf den Prüfstand. Helfen wir ihr, den unübersehbaren Nachholbedarf beim Mutigsein (gegenüber dem

Großkapital und den Medien) zu erkennen. Siehe Apfel-Brief-Aktion »Kirche«.

e) Die Sehnsucht nach einem Leben in Würde und Gerechtigkeit für alle wird ohne eine Land- und Geldreform nur ein frommer Wunsch bleiben.

f) Überall klagen uns ungenutzte Möglichkeiten an, die NWO und Silvio Gesell ins Gespräch zu bringen. Sorgen wir dafür, dass am Ende ein ehrenvoller Freispruch steht!

g) Viele Mitglieder der Umweltverbände BUND und NABU (zusammen etwa 500.000 Mitglieder) sehen inzwischen ein, dass ein unaufhörliches Wirtschaftswachstum und der Wachstumszwang für Mensch und Natur nur in einer Katastrophe enden kann. Aus noch nicht ganz geklärten Gründen werden die Ursachen dieser katastrophalen Entwicklung von den Vorständen und den Mitgliedszeitschriften der Naturschutzverbände jedoch tabuisiert. Mit einer ganz speziellen Apfel-Brief- und Internet-Aktion werden wir auch dieses Problems zu lösen versuchen.

h) Auch die Träger roter Roben haben allen Anlass, über die Schamröte nachzudenken.

Noch kein Anlass zur Sorge

»Gesell erkannte, dass Krisen und Kriege hauptsächlich durch Störungen im Geldkreislauf verursacht werden: Die private Hortbarkeit des öffentlichen Tauschmittels »Geld« ermöglicht es, durch Geldverleih Zinsen und Zinseszinsen zu erpressen. So kommt es zu einer sich fortlaufend beschleunigenden Umverteilung des Geldes von den Arbeitenden zu den Geldbesitzenden: eine geradezu teuflische Ungerechtigkeit.«

(Prof. Dr. Eckhard Grimmel)

Natürlich wird in den Chefetagen der Großbanken auch schon mal die Frage diskutiert, wie lange sich die Menschen das wohl noch gefallen lassen werden. Doch Anlass zur Sorge besteht im Moment noch nicht, weil die Medien den Banken nach wie vor treu zur Seite stehen (müssen).

Eine gelbe Kugel für Indien

12 Die Nebel lichten sich. Vor unseren Augen taucht nun endlich eine Landschaft auf, die den Verheißungen Silvio Gesells entspricht. Hier und da werden Häuser gebaut und ältere Wohnungen liebevoll restauriert. Die Dächer ganzer Siedlungen sieht man unter dem Kristallblau der Solaranlagen verschwinden. Der Arbeitsmarkt ist leergefegt; aber nicht wie früher, sondern umgekehrt: Handwerksmeister und Vertreter der Behörden und Industrie gehen in die Schulen, um attraktive Lehrstellen anzubieten. Zwei Jahre vor der Schulentlassung liegen den Schülern die ersten Stellenangebote vor. Junge Menschen spüren auf Schritt und Tritt, dass sie gebraucht werden, erwünscht sind und einer gesicherten Zukunft entgegenwachsen. Jetzt glauben auch sie: »*Das ist unser Land, unsere Zukunft!*« Man kann sich jetzt auch kaum noch vorstellen, dass Millionen Frauen und Männer früher chancenlos gewesen sind und von den Arbeitsagenturen mit Ein-Euro-Jobs ins Kreuz getreten wurden. Sie können heute ihre Berufserfahrung, ihre Zuverlässigkeit und Leistungsbereitschaft voll einbringen. Konnte der ehemalige Kanzlerberater und Finanzexperte Prof. Dr. Rürup aus Darmstadt im Jahre 2001 noch schwadronieren, dass es kaum möglich sei, auch »Schwervermittelbaren« eine berufliche Perspektive zu bieten, stellt sich jetzt heraus, dass keineswegs alle ihren Arsch breitstudiert haben müssen, sondern dass auch Leute gebraucht werden, die in Fabriken, auf Baustellen, in Gärtnereien, in der Holzindustrie, in der Landwirtschaft und im Naturschutz auch ohne Studium oder abgeschlossene Lehre einer sinnvollen Tätigkeit nachgehen können. Hilfreich war sicher auch die Entscheidung, die so genannte Kanzlerberatung nicht länger auf »Schreibtischtäter« zu beschränken. Ich meine, darauf hätte ja auch früher schon mal einer kommen können!

Die Hotels sind fast überall ausgebucht. Journalisten, Gewerkschaftler, Wirtschaftsprofessoren, »Analysten« der großen Schmarotzerfonds, die ihre Felle davonschwimmen sehen und Wirtschaftsminister aus aller Herren Länder gehen staunend und fragend durch deutsche Städte und Dörfer, um sich von den Auswirkungen der Geld- und Landreform ein eigenes Bild zu machen – wie seinerzeit in Wörgl. Kinderreiche Familien, die in den meisten Ländern der Welt nach wie vor mit den kleinsten und ungesündesten Wohnungen vorliebnehmen müssen, können sich bei uns in Deutschland jetzt Wohnungen leisten, die den berechtigten Ansprüchen großer Familien entsprechen.

Vor den Standesämtern balgen sich die Versicherungs- und Sparkassenvertreter um die Gelegenheit, den jungen Paaren besonders günstige Finanzierungsangebote für den neuen Hausstand zu überreichen; zinslos versteht sich und nur mit einer kleinen Versicherungs- und Bearbeitungsgebühr belastet. Die Kriminalitätsrate sinkt; die Gefängnisse und Arbeitsämter leeren sich zusehends. Da gibt es dann auch schon mal Härtefälle; und so manch einer muss sich nach einer neuen beruflichen Aufgabe umsehen oder sehnt sich zurück nach der »guten alten Zeit«. Völlig neue Fragen tauchen auf: Was machen wir z. B. mit den Arbeitsämtern bzw. Arbeitsagenturen? Man kann nicht überall – wie ich das zunächst noch vermutet hatte – die Rollläden einfach nur herunterlassen, um in den verwaisten Amtsstuben auf präparierten Strohballen garantiert cadmiumfreie Pilze zu züchten. Frauenhäuser gibt es nun auch nicht mehr. Man hat sie in Auffang- und Zwischenlager für prügelkranke Ehemänner verwandelt, denen anschließend in speziellen Heimen professionell geholfen wird. Diese Entwöhnungsanstalten werden übrigens von den Brauereien und von der deutschen Schnapsindustrie bezahlt. Überall werden Strommasten umgelegt. Nicht etwa von Terroristen, sondern von Spezialisten der alternativen Energiewirtschaft. Manche Gegenden, z. B. die um Mannheim herum, sind hinterher kaum noch wiederzuerkennen. Statt dessen werden Kabel verlegt und 120.000 zusätzliche Arbeitsplätze allein dadurch geschaffen.

An manchen – nicht vorhersehbaren – Tagen herrscht bei den Sparkassen und Banken mehr Betrieb als üblich. Gibt es dort etwas umsonst? Das nun auch wieder nicht. Das Deutsche Währungsamt, Nachfolger der überflüssig gewordenen Deutschen Bundesbank, hat diesen Ansturm auf die Bankschalter durch eine gelbe, blaue, rote oder grüne Kugel ausgelöst. Eine der vier bunten Kugeln wird vor den Augen der ganzen Nation – wie heutzutage beim Ziehen der Lottozahlen üblich – nach ein paar Umdrehungen der Lottomaschine – und selbstverständlich unter notarieller Aufsicht – in den Schacht fallen. Wird beispielsweise eine gelbe Kugel gezogen, müssen innerhalb einer noch festzulegenden Frist (voraussichtlich eine Woche) alle ungültig gewordenen Banknoten (und zwar die mit einer gelben Kontrollnummer!) gegen neue, also gültige Banknoten ausgetauscht werden. Erzbischof Wichmann aus dem 1. Kapitel lässt grüßen! Geldscheine mit gelben Nummern werden danach nur noch mit einem hohen Abschlag in Zahlung genommen; nach einem Monat sind sie gänzlich verfallen. Also werden alle schnell mal nachschauen, ob sich unter den Geldscheinen in der Brieftasche ärgerlicherweise auch ein paar »gelbe« befinden. Ganz Schlaue haben ohnehin dafür gesorgt, dass sie keine unnötig großen Barbeträge mit sich herumschleppen oder auf dem Girokonto geparkt haben, sondern nur das übliche Haushaltsgeld. Was aber machen diejenigen, die das Geld koffer- oder palettenweise ins Ausland geschafft haben? Die mieten sich voraussichtlich einen Bus, fahren mit Nachbarn, Kind und Kegel nach Luxemburg oder Liechtenstein und fischen in Tag- und Nachtschichten aus den Geldbündeln alle Banknoten mit der gezogenen Verfallfarbe heraus, um das schöne Geld zu retten. Auf der Heimfahrt versprechen sie ihren Kindern (da bin ich mir ganz sicher) hoch und heilig, das Geld nie wieder am Finanzamt vorbei außer Landes zu schaffen. So einfach ist das. Ansonsten geht das Leben aber seinen gewohnten Gang. Wer vor der Geldreform Mundgeruch hatte oder Mäuse im Keller, wird sich vermutlich auch weiter damit herumschlagen müssen, denn alles kann diese Reform natürlich nicht leisten. Die Besucher aus dem Ausland geben in der Regel nach ein paar Tagen oder Wochen den Versuch auf, wenigstens einen gravierenden Nachteil dieser seltsam ruhig verlaufenden Geld- und Landreform zu finden. Sehr enttäuscht werden ausländische Fernsehstationen sein, die ihre besten TV-Teams mit großem Kosten- und Erwartungsdruck nach Deutschland schicken, um das Debakel brühwarm in die Wohnstuben der kapitalistischen Länder senden zu können.

Man fühlt sich an jene englischen TV-Aufnahmeteams erinnert, die am 3. September 1967 wie Heuschrecken über die größten Städte Schwedens hergefallen sind, um ein mit Sicherheit vorausgesagtes Blutbad auf schwedischen Straßen und Autobahnen zu filmen. Doch die perfekt geplante Umstellung von Links- auf Rechtsverkehr verlief seinerzeit völlig problemlos, also ohne Verkehrsunfälle! Als Opfer waren lediglich Journalisten aus England zu beklagen, die sich in Stockholmer Hotelbars vor lauter Enttäuschung bis zur Bewusstlosigkeit dem damals noch sündhaft teuren schwedischen Fusel (»Renat«!) hingegeben hatten. Ähnliches dürfte bei der NWO-Einführung zu erwarten sein, denn in den Augen der Zinseszinsler wird selbstverständlich zunächst nicht wahr sein können, was nicht wahr sein darf.

Es wird auch keine Überhitzung der Konjunktur geben, da bei sich abzeichnender inflationärer Tendenz (die Preise ziehen an) die Geldmenge sofort verkleinert würde, während sie bei sinkenden Preisen genau so unproblematisch und wohldosiert rechtzeitig (!) vergrößert werden könnte. Es wird auch gar nicht so einfach sein, wenigstens ein paar Leute zu finden, die von den Segnungen der neuen Geld- und Verteilungsgerechtigkeit prinzipiell ausgeschlossen wären. Dem Währungsamt wird es keine Schwierigkeiten bereiten, die Geldwertstabilität in der von Silvio Gesell vorausgesagten Präzision zu sichern (siehe dazu 18. Kapitel). Unsere Kanzlerberater werden das zunächst bestreiten und sogar Konrad Adenauer bemühen (keine Experimente!), müssten sie doch andernfalls zugeben, jahrzehntelang eine durch und durch falsche Meinung vertreten zu haben (die sich noch dazu verhängnisvoll und für die Arbeitslosen sogar verheerend und tragisch ausgewirkt hat).

In Deutschland hat sich dankenswerterweise schon seit 1995 der Hamburger Universitätsprofessor Dr. Eckhard Grimmel mit der Notwendigkeit befasst, die Bundesbank durch ein Währungsamt zu ersetzen. In einem Artikel der Zeitschrift DER 3. WEG hat er diese besonders wichtige Forderung Gesells auf den Punkt

gebracht. Die nun folgende Gegenüberstellung der (kursiv gesetzten) Passagen von Silvio Gesell mit den entsprechenden Kom-
mentaren von Prof. Grimmel sind für das Verständnis der NWO
von größter Bedeutung und haben es daher verdient, in den unver-
lierbaren Wissens- und Argumentationsschatz der Leserschaft
dieses Buches aufgenommen zu werden.

Das Geld muss verstaatlicht werden!
Anmerkungen zum Freigeld Silvio Gesells
von Eckhard Grimmel

Schon sehr früh hat Silvio Gesell (1862–1930) erkannt, dass das
Geldwesen nur dann gesellschaftsverträglich funktionieren kann,
wenn es vom Staat verwaltet wird: Bereits im Jahre 1892 veröf-
fentlichte er in Buenos Aires im Selbstverlag eine Abhandlung
mit dem bezeichnenden Titel *»Die Verstaatlichung des Geldes«*
(Gesell, Bd. 1). Mit der ihm eigenen gedanklichen und sprach-
lichen Präzision fasste er die Essenz seiner Abhandlung auf der
Titelseite mit einem einzigen Satz zusammen:
*»Das Geld soll wie die Eisenbahn sein, weiter nichts als eine
staatliche Einrichtung, um den Warenaustausch zu vermitteln; wer
sie benutzt, soll Fracht zahlen.«* Am Ende dieser Abhandlung findet man folgende Kernaussage:
*»Sodann verfertigt der Staat Geld aus Papier und erklärt die-
ses Geld als staatliche Verkehrseinrichtung, für deren Benutzung
er Fracht erhebt, d.h. für Benutzung des Geldes erhebt er täglich
in Form der Wertabnahme des Geldes eine Abgabe. Dieses Geld
bringt der Staat in Umlauf, erstens indem er als Käufer für das als
gewöhnliche Ware erklärte Gold auftritt, zweitens indem er große
staatliche Bauten unternimmt, drittens durch Zahlung der Beam-
tengehälter.«* (Bd. 1, S. 257)
Dieses später von ihm so genannte »Freigeld« hat Gesell im
vierten Teil seines klassischen Werkes *»Die Natürliche Wirtschaftsordnung durch Freiland und Freigeld«* (NWO) (Gesell Bd. 11)
unter den Punkten 2 (*»Wie der Staat das Freigeld in Umlauf*

setzt«) und 3 (*»Wie das Freigeld verwaltet wird«*) folgenderma-
ßen beschrieben:

*»Mit der Einführung des Freigeldes wird der Reichsbank das
Recht der Notenausgabe entzogen, und an die Stelle der Reichsbank tritt das Reichswährungsamt, dem die Aufgabe zufällt, die täg-
liche Nachfrage nach Geld zu befriedigen. Das Reichswährungsamt
betreibt keine Bankgeschäfte … Das Reichswährungsamt gibt Geld
aus, wenn solches im Lande fehlt, und es zieht Geld ein, wenn im
Lande sich ein Überschuß zeigt … Um das Freigeld in Umlauf zu
setzen, werden alle Staatskassen angewiesen, das bisherige Metall-
geld und die Reichskassenscheine zum freiwilligen Umtausch anzunehmen …* (S. 246/47)

*»Nachdem das Freigeld in Umlauf gesetzt … ist, wird es sich
für das Reichswährungsamt nur mehr darum handeln, das Tausch-
verhältnis des Geldes zu den Waren (allgemeiner Preisstand der
Waren) zu beobachten und durch Vermehrung oder Verminderung
des Geldumlaufs den Kurs des Geldes fest auf ein genau bestimm-
tes Ziel, die Festigkeit des allgemeinen Preisstandes der Waren, zu
lenken. Als Richtschnur dient dem Reichsgeldamt* (Anm: = Reichswährungsamt) *die … Statistik für die Ermittlung des Durchschnitt-
spreises aller Waren. Je nach den Ergebnissen dieser Ermittelung,
je nachdem der Durchschnittspreis Neigung nach oben oder nach
unten zeigt, wird der Geldumlauf eingeschränkt oder erweitert. Um
die Geldausgabe zu vergrößern, übergibt das Reichswährungsamt
dem Finanzminister neues Geld, der es durch einen entsprechenden
Abschlag von allen Steuern verausgabt. Betragen die einzuziehen-
den Steuern 1.000 Millionen und sind 100 Millionen neues Geld in
Umlauf zu setzen, so wird von allen Steuerzetteln ein Abzug von
10 % gemacht.«* (S. 248) *»Das Reichswährungsamt beherrscht also
mit dem Freigeld das Angebot von Tauschmitteln in unbeschränk-
ter Weise. Es ist Alleinherrscher, sowohl über die Geldherstellung,
wie über das Geldangebot. Unter dem Reichswährungsamt brauchen wir uns nicht ein großartiges Gebäude mit Hunderten von
Beamten vorzustellen, wie etwa die Reichsbank* (Anm. H. Benjes:
Die Deutsche Bundesbank hatte 18.000 (!) Mitarbeiter/innen
auf ihrer Gehaltsliste stehen). *Das Reichswährungsamt betreibt*

keinerlei Bankgeschäfte. Es hat keine Schalter, nicht einmal einen Geldschrank. Das Geld wird in der Reichsdruckerei gedruckt; Ausgabe und Umtausch geschehen durch die Staatskassen; die Preisermittelung findet im Statistischen Amt statt. Es ist also nur ein Mann nötig, der das Geld von der Reichsdruckerei aus an die Staatskassen abführt, und der das für währungstechnische Zwecke von den Steuerämtern eingezogene Geld verbrennt. Das ist die ganze Einrichtung. Eine Presse und ein Ofen. Einfach, billig, wirksam.« (S. 248/249)

Wer diesen ebenso genialen wie klar und teilweise ironisch formulierten Gedanken Gesells folgt, der erkennt, woran das Geldwesen damals schon krankte und heute immer noch krankt, nämlich an der »Unabhängigkeit« der Banken, d.h. an deren Unabhängigkeit vom Staat. Die letzte Konsequenz, nämlich auch noch zu fordern, die Verwaltung des Geldes insgesamt in die Hände des Staates zu legen, also auch die Geschäftsbanken in Filialen des staatlichen Währungsamtes umzuwandeln, hat Gesell leider nicht explizit gezogen, obwohl er das aus Gründen ordnungspolitischer Effizienz und Transparenz hätte tun sollen.

Um das Wesentliche noch einmal zu betonen: Gesell hat zweifelsfrei die Verstaatlichung des Geldwesens gefordert, ebenso wie er im zweiten Teil seiner NWO die Verstaatlichung des Landes (= Grundflächen + Rohstoffquellen) gefordert hat. Anders ausgedrückt: Geldschöpfung, Geldmengenregulierung und Geldumlaufsicherung sind Staatsaufgaben. Dazu gehört selbstverständlich auch die Konsequenz, dass das vom staatlichen Währungsamt herzustellende Geld nicht über private Geschäftsbanken, sondern nur über Staatsorgane in den Geldkreislauf eingespeist werden darf, und zwar schuld- und zinsfrei. Ob das nun in der Weise geschieht, wie es Gesell skizziert hat, also durch Finanzierung von Staatsaufgaben, oder beispielsweise auch durch Auszahlung von Kopfgeld, darüber kann selbstverständlich neu nachgedacht werden. Wichtig ist dabei auf jeden Fall, dass das Währungsamt die Geldmenge so dosiert und deren Umlauf durch Erhebung von Hortungsgebühren so sichert, dass der Preisindex konstant bleibt. Entscheidend ist also, dass es sich beim Währungsamt um eine staatliche

Behörde (= Amt) handeln muss, die allen Bürgern des Staates dient, nicht jedoch, wie die heutige Zentralbank, ausschließlich den privaten Geschäftsbanken, welche das Geld nur gegen Zins und Zinseszins an Produzenten, Konsumenten und Staatsorgane (!) verleihen und deshalb absurder Weise insgesamt mehr Geld zurückverlangen, als sie jemals ausgeliehen haben. Dass die Aufgaben eines Währungsamtes gesetzlich präzise gefasst werden müssen, ist selbstverständlich, denn sonst wäre dieses Amt eventuellen freigeldwidrigen Anweisungen der einen oder anderen Staatsregierung ausgesetzt.

Um keine Missverständnisse aufkommen zu lassen, sei abschließend zur Verdeutlichung hervorgehoben, dass Gesells Forderung einer Verstaatlichung von Geld und Land auf keinen Fall kommunismusverdächtig ist. Ganz im Gegenteil: Durch den Zinseszinsmechanismus bedingtes exponentiell wachsendes leistungsloses Einkommen aus Geld- und Landbesitz führt zu einer fortschreitenden Polarisierung der Gesellschaft in wenige reiche Herrscher und viele arme Beherrschte, also zu einer Plutokratie. Gerade diese ungerechte Polarisierung ist es, die bekanntlich zu Revolutionen mit nachfolgender kommunistischer oder anderer Diktatur führen kann. Die Forderung einer Verstaatlichung von Land und Geld beinhaltet selbstverständlich nicht eine Verstaatlichung von Produkten und Produktionsmitteln; denn alle auf menschlicher Arbeit basierenden Güter müssen grundsätzlich das Privateigentum derjenigen Menschen bleiben, welche diese Güter hergestellt haben.

Nur eine Verstaatlichung von Land und Geld kann also das »Magische Sechseck« (siehe Abbildung) der Ökonomie stabilisieren und somit die unverzichtbare Grundlage für eine unverfälschte freie und soziale Marktwirtschaft liefern, welche allen Menschen gerechte Lebenschancen bieten würde. Nur in einer solchen Gesellschaft kann eine echte Demokratie dauerhaft etabliert werden.

Das heutige leistungslose Einkommen aus Geld- und Landbesitz ist für die fortschreitende Polarisierung der Gesellschaft in wenige Reiche (= Herrscher) und viele Arme (= Beherrschte)

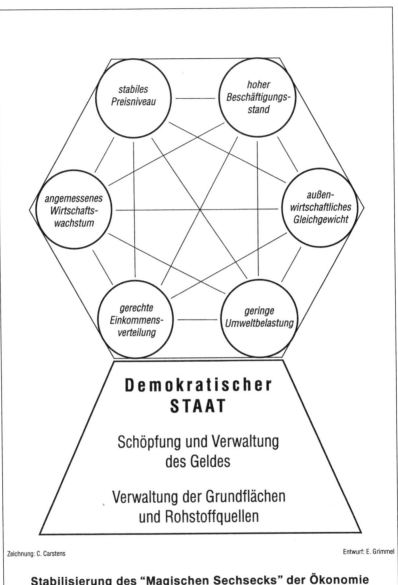

Zeichnung: C. Carstens

Entwurf: E. Grimmel

Stabilisierung des "Magischen Sechsecks" der Ökonomie durch Freiland und Freigeld nach Silvio Gesell (1862-1930)

verantwortlich! Erst eine Verstaatlichung, d.h. Vergemeinschaftung von Land und Geld würde die unverzichtbare Grundlage für eine freie und soziale Marktwirtschaft liefern und das »magische Sechseck« der Ökonomie stabilisieren (siehe Abbildung).«

So weit der Artikel von Prof. Dr. Eckhard Grimmel. Während ich seit 1998 versuche, die unteren Etagen der politischen und gesellschaftlichen Entscheidungsträger mit maßgeschneiderten Apfel-Briefen zu erreichen (und bei der ersten Apfel-Brief-Aktion »SPD« von 115 Leserinnen und Lesern dieses Buches unterstützt wurde!), hat sich Prof. Grimmel der oberen Etagen angenommen: Führende Persönlichkeiten der Bundesregierung in Berlin, der Europäischen Kommmission in Brüssel und der Vereinten Nationen in New York sind von Prof. Grimmel mit Denkschriften auf das Krisenbewältigungspotential (!!) der NWO Silvio Gesells aufmerksam gemacht worden – mit auffällig positiven Reaktionen aus Brüssel und New York! Diese bewährte Arbeitsteilung zwischen oben und unten wird fortgesetzt.

Gesell hat als Unternehmer schon früh erkannt, dass es darauf ankommt, die Kaufkraft des Geldes konstant zu halten. Dem Wunsch und der Hoffnung, diese Stabilität sichern und sogar garantieren zu können, ist Gesell mit großem Gespür für das Wesentliche nachgegangen. Dieser Vision verdankte er seine bahnbrechenden Ideen, Erkenntnisse und Lösungen am Ende des 19. Jahrhunderts. Was diese Stabilität für uns heutige Konsumenten bedeuten würde, lässt sich mit einem Satz umreißen: Ein Liter Milch würde noch in 50 oder 100 Jahren genau so viel kosten wie heute! Das – und nichts anderes – ist Geldwertstabilität, die diese Bezeichnung verdient.

Die Herren der Deutschen Bundesbank haben diesen Traum von einer immer währenden (Währung kommt von währen!!) Geldwertstabilität oft im Munde geführt, doch was haben sie in Wirklichkeit erreicht? Innerhalb von 50 Jahren (ich habe es doch selbst erlebt!) hat die Deutsche Bundesbank den Wert (die Kaufkraft!) der DM von 100 Pfennig auf 26 Pfennig herunterinflationiert! Wie man angesichts dieser »Leistung« dennoch »stolz auf das Erreichte« sein kann, entzieht sich scheinbar allen Regeln der Logik und Vernunft. Aber nur scheinbar: Denn hätte die Bundesbank mit dieser »kontrollierten Inflation« nicht fein dosiert gegengesteuert, wären wir mit der D-Mark Achterbahn und schließlich sogar an die Wand gefahren. Als Geisel der Zinswirtschaft und des Wachstumszwangs musste die Bundesbank also den Wert des Geldes allmählich verkommen lassen, um den Absturz der Wirtschaft in die Rezession zu verhindern!

Als Erfüllungsgehilfen und Steigbügelhalter des herrschenden Geldes haben die Bundesbanker also eine recht ordentliche Arbeit abgeliefert; sie werden ja auch nicht müde, sich immer wieder stolz und zufrieden auf die eigene Schulter zu klopfen. Um es mit einem Satz zu sagen: Die Bundesbanker haben auf Kosten der Allgemeinheit ein Problem gelöst, das es in der Freiwirtschaft gar nicht geben würde! Währungspfuschereien und ihre Folgen haben sich schon immer völlig unproblematisch auf die breite Bevölkerung abwälzen lassen und werden traditionell von den unteren Einkommensschichten ausgebadet und »aufgefangen«! Und warum lassen die sich das gefallen? Weil sie – man kann es nicht oft genug sagen – als absolute Analphabeten des Geldes aus Schule und Universität entlassen werden (Hans Kühn).

Wie gesagt, nach Einführung der NWO werden die Katastrophenmelder wohl mit leeren Händen den Heimflug antreten müssen und ihre fassungslosen Auftraggeber an der Wall Street in Panik versetzen. Werden die Nutznießer der globalen Zinsknechtschaft diese Kriegserklärung an den Götzen Mammon kampflos hinnehmen? Zur Schonung meiner Nerven (und der meiner Leser/innen) möchte ich diese Frage zum jetzigen Zeitpunkt noch nicht in Form einer hypothetischen Antwort zu Ende denken. Wir wären schlechte Lebenskünstler, würden wir in dieser Lage nicht Zuflucht nehmen zu einem passenden Sprichwort – und wäre es auch noch so simpel: »Kommt Zeit, kommt Rat«. Ich halte nichts davon, sich selbst jene Angst einzujagen, die – wenn überhaupt – das Problem der Zinseszinsler und nicht etwa unser Problem sein wird. Also gehe ich davon aus, dass in die Familien der Reichen und Superreichen schon bald wieder Ruhe einkehren wird. Sie werden es vermutlich gar nicht fassen können, aus dieser Geld- und Landreform so gut wie ungeschoren davongekommen zu sein; sie bekommen dann aber auch zu spüren, dass es gar nicht so einfach ist, das viele Geld vor dem Abschmelzen durch die Umlaufgebühr zu bewahren. Da das Geld nicht länger für sie »arbeitet«, also weder Zinsen heckt noch Zinseszinsen erzwingen kann, müssen jetzt alle Multimillionäre und Milliardäre zur Kenntnis nehmen, dass ihre Vermögen nicht weiterwachsen, also stagnieren. Sie leben dann eben von der zusammengerafften Substanz und lassen einen Teil ihres Vermögens durch Müßiggang und Konsum friedlich und arbeitsplatzschaffend dahinschmelzen. Wäre die Lebensspanne dieser Personen nicht so überaus tragisch begrenzt, könnten Milliardäre von ihrem Vermögen gut und gerne 500 Jahre lang eine Million Euro pro Jahr verbraten. Sollte sich aber einer unter ihnen mit einer Arbeiterwitwenrente zufrieden geben, könnte dieser Milliardär sogar 250.000 Jahre alt werden, ohne befürchten zu müssen, den eigenen Kindern einmal zur Last zu fallen. Apropos Kinder: Weil es dann auch allen Kindern (zumindest finanziell) gut geht und die Elendsquartiere Zug um Zug in begehrte Wohnlagen verwandelt werden können (mit dem Geld, das die Reichen und Superreichen jetzt zähneknirschend der Wirtschaft zur Verfügung stellen müssen, um es zu retten), müssen sich die Kinder der Reichen nicht länger ihres Reichtums und die Kinder der vormals Armen sich nicht länger ihrer Armut schämen.

Voller Argwohn und Neid werden die übrigen Länder der EU verständlicherweise auf diesen deutschen Alleingang blicken (wer vorangeht, geht immer allein!), den professorale »Experten« zunächst als unverantwortliches Experiment, dann aber als das deutsche Wunder bezeichnen werden, denn der vorausgesagte Zusammenbruch wird verdächtig lange auf sich warten lassen, wird von Tag zu Tag unwahrscheinlicher und entpuppt sich schließlich als reines Wunschdenken der um ihre Goldeseleien gebrachten Zinseszinsler. Natürlich ist bei der Einführung der NWO auch eine gewisse Eile und Wachsamkeit geboten, denn die Europäische Union und die Europäische Zentralbank (EZB) werden sich wohl nicht auf Strafandrohungen gegen Deutschland beschränken, sondern die NATO und schlimmstenfalls sogar die USA um Beistand bitten, um einen deutschen Ausbruchversuch aus der weltweiten Zinsknechtschaft notfalls auch mit Gewalt, also militärisch zu ersticken.

Schade, jetzt ist mir ja doch noch herausgerutscht, was ich Ihnen eben noch zu verschweigen versprach. Aber wie man in Norddeutschland zu sagen pflegt: *Watt mutt, datt mutt!*

Sie halten diese Annahme für stark übertrieben? Übertrieben – vielleicht, doch nicht von der Hand zu weisen: Man denke nur an Winston Churchill, der Adolf Hitler bis 1937 (!) alles, aber auch wirklich alles verzeihen konnte und ihn bei der Überwindung der Massenarbeitslosigkeit in Deutschland sogar überschwänglich lobte und seinen Landsleuten als Vorbild für England empfahl! Doch eins verzieh dieser Hochgrad-Freimaurer den Nazis nicht: Den deutschen Alleingang im Geldwesen. Das schöne Stammtischthema, *»Wäre die Kriegserklärung Englands an Deutschland zu verhindern gewesen«* wird sich also auch bei der Einführung der NWO nicht völlig ausblenden lassen und sollte vorsichtshalber berücksichtigt werden. Ein erfahrener Freiwirt schrieb mir: *»Auf den letzten hundert Metern wird geschossen!«* Die Welt wird jedenfalls den Atem anhalten, und unsere Kanzlerberater werden ihren letzten gemeinsamen Auftritt haben: In feinstes Tuch gekleidet und zur besten Sendezeit wird man sie noch ein allerletztes Mal ihre Sprüchlein aufsagen lassen, und dann ist auch dieser Grundpfeiler der heutigen Zinswirtschaft hoffentlich nur noch Geschichte.

Belgien macht voraussichtlich den Anfang. Immerhin ist Silvio Gesell im belgischen St. Vith geboren und dort unter glücklichen Umständen aufgewachsen. Ausgerechnet in der EU-Hochburg Brüssel beginnt sich die Einsicht durchzusetzen, dass die Natürliche Wirtschaftsordnung (NWO) auf alle Länder der Welt übertragen werden kann und übertragen werden muss! Spekulanten und andere Schmarotzer sehen ihre letzten Felle davonschwimmen, denn schon setzt sich in Holland eine Partei durch, die mit dem Versprechen, Deutschland wenigstens versuchsweise nachzueifern, die absolute Mehrheit erringt. Die Schweiz, schon immer eine Hochburg der Freiwirtschaft, scheitert möglicherweise in einer Volksabstimmung nur ganz knapp mit 49,8 % der Stimmen, weil das große Kapital panikartig fast eine Milliarde Franken in den ungleichen Wahlkampf warf, um das Rad der Geschichte noch einmal aufzuhalten.

Delegationen aus Staaten der ehemaligen UdSSR, die – getrieben von einer nach Gerechtigkeit und Wohlstand schreienden Bevölkerung – keine Zeit mehr zu verlieren haben, sondern endlich zur Sache kommen möchten, machen regelrecht Jagd auf Spezialisten der Freiwirtschaft, denen lukrative Beraterverträge angeboten werden (mir hoffentlich auch). Sie haben längst eingesehen, dass es ein Fehler war, die kommunistische Cholera durch die kapitalistische Pest ersetzt zu haben. Auch wenn es heute keiner mehr wahrhaben oder hören will: 1990 ist der damalige Bundeskanzler Helmut Kohl mit einer ganzen Flugzeugladung voller Banker, Wirtschaftskapitäne und Zinsschmarotzer nach Moskau geflogen, um Kredite in Milliardenhöhe anzubieten – unter der Bedingung versteht sich, dass Russland ab sofort dem Kapitalismus die schon damals wachsbleichen Füße zu küssen hat.

Wird Deutschland nach Einführung der Land- und Geldreform von Wirtschaftsflüchtlingen und Asylanten aus aller Welt überflutet? Nicht in dem Maße, wie es eigentlich zu erwarten wäre, denn der deutsche Staat wird gleichzeitig damit aufhören können, Arbeitslosigkeit, Ausbeutungsmethoden und Kriegswaffen in ärmere Länder zu exportieren. Für die Entwicklungshilfe stehen dann jene Milliarden zur Verfügung, die wir heute den Amerikanern als Kampfbeihilfe für Afghanistan und Irak hinten reinschieben, obwohl sie vorne in Form von Kriegsverbrechen wieder herauskommen, oder ist der amerikanische Einsatz von Splitterbomben und Streuminen etwa kein Kriegsverbrechen? Für die USA nicht, weil sie eine UN-Resolution, an die sich fast alle Staaten der Welt gebunden fühlen, nicht unterschrieben hat. »Beamtentechnisch« gesehen darf unser Außenminister Joschka Fischer also auch noch stolz darauf sein, den Amerikanern diese Kriegsverbrechen durchgehen zu lassen. Moralisch spottet sein unterwürfiges Verhalten gegenüber den USA jedoch jeder Beschreibung.

Eine vom Zins befreite Entwicklungshilfe ermutigt und befähigt potentielle Asylanten, die Heimat doch lieber mit der eigenen Kraft zu düngen. Im Klartext: In jedem Entwicklungsland kursieren dann eigene nationale Währungen, die systembedingt im Lande bleiben (kreisen) und weder von außen noch innerhalb des jeweiligen Landes aus dem Kreislauf und aus der Verteilungsgerechtigkeit (!) spiralenförmig herausgeschleudert werden können – wie das heute weltweit geschieht. Die UNO warnt möglicherweise zunächst vor dem Irrglauben, mit der Zinszertrümmerung ließen sich alle Probleme dieser Welt lösen, spricht aber gleichzeitig die Empfehlung aus, die Einführung der NWO weltweit zu fördern. Auch die Kirche wird dann hoffentlich begreifen, dass die Neigung der Arbeitslosen, aus der Kirche auszutreten, mit der Vollbeschäftigung wirkungsvoller bekämpft werden kann als mit Ratlosigkeit, Mitleid und Zinsverharmlosung.

Für ein Land wie z.B. Indien käme diese Reform sozusagen in allerletzter Minute. Dieses herrliche Land bedroht sich selbst durch eine Übervölkerung, die mit den zur Verfügung stehenden Mitteln und Methoden nicht mehr beherrscht werden kann und darum unweigerlich in eine Katastrophe führt, von der übrigens schon heute weit über 100 Millionen Inder betroffen sind. In Indien geht es also nur noch um die Frage, wann wird aus dem schwelenden Feuer ein unaufhaltsamer Flächenbrand.

Die Keimzelle einer Lösung des indischen Problems liegt ausgerechnet in dem am dichtesten bevölkerten Bundesstaat Kerala! Nicht nur die enorme Fruchtbarkeit des Bodens und die Bodenschätze dieser Region sind eine Erklärung für den relativ hohen Wohlstand in Kerala. Hier ist vor allem die Rolle der Frau zum Schlüssel eines hoffentlich auf ganz Indien übertragbaren menschenwürdigen Lebens geworden. Im Gegensatz zu anderen Bundesstaaten stehen nämlich in Kerala die Frauen den Männern gleichberechtigt gegenüber und können z.B. nicht nur über die Zahl der Kinder mitentscheiden, sondern auch über die Verwendung des verfügbaren Geldes! Geld, über das die Frauen frei verfügen können, ist – und war es übrigens schon immer – die beste Geburtenkontrolle. Die hohe Bevölkerungsdichte erklärt sich hier nicht etwa mit dem unverantwortlichen Kinderreichtum der einzelnen Familien (die hier deutlich weniger Kinder haben als in den übrigen Bundesstaaten!), sondern mit der Sogwirkung, die dieser von der Natur bevorzugte Landstrich auf das ärmere Indien schon immer ausgeübt hat. Mit dem normalen Schuldgeld, das die indische Notenbank oder die Weltbank wie üblich gegen Zinsen zur Verfügung stellt, wird Indien nicht mehr zu retten sein, sondern mit Freigeld, das vom indischen Währungsamt eines Tages wie eine hochwertige Blutkonserve dem ausgetrockneten Kreislauf der ganzen Bevölkerung zinslos (!) zugeführt wird. Heute wird Indien – wie in der kapitalistischen Welt üblich – ganz legal zur Ader gelassen. Das Land blutet aus, weil der Zinskapitalismus seine Infusionen (Kredite) mit der größten Selbstverständlichkeit doppelt und dreifach zurückfordert, indem er seine Saugrüssel so schamlos wie rücksichtslos in den Blutkreislauf der vom Schuldgeld abhängig gemachten Privatpersonen, Firmen und Städte senkt. Nach Einführung der Freiwirtschaft werden Armut, Hunger, Kinderarbeit und Analphabetismus schon nach einer Generation von der Problemliste Indiens gestrichen werden können. Damit wären dann auch die wichtigsten Voraussetzungen für die Lösung der Übervölkerungsproblematik erfüllt. Warum sollten indische Kinder in Fabriken arbeiten, wenn die Eltern Arbeit haben und gut verdienen? Warum sollten indische Kinder nicht zur Schule gehen, wenn der Staat moderne Schulen und hoch motivierte (gut bezahlte!) Lehrer/innen mit dem Geld finanziert, das bisher in die Taschen der Renditejäger und Zinseszinsler geflossen ist? Warum sollten Grenzstreitigkeiten mit Nachbarländern und religiöse Gegensätze innerhalb des Landes fortbestehen, wenn eine materiell abgesicherte Bevölkerung in Würde (!) leben kann und den Frieden auf das Fundament der andauernden Zufriedenheit aller stellt?

Hoffentlich werden die Inder dann auch nicht vergessen, sich immer wieder zu fragen: Wer hat eigentlich den Anstoß zu dieser Wende gegeben? Wer hat diesen Wohlstand für alle auf eine rechtliche Grundlage gestellt? Wer hat die Ausbeutung der Massen für immer beendet? Wer hat den Blutsaugern die Saugrüssel gekappt? Wer oder was war ausschlaggebend für die Rettung Indiens? Wem ist dieses Wunder zu verdanken?

Wehe den Menschen, die undankbar und gleichgültig die Quelle ihrer Wohlfahrt in Vergessenheit geraten lassen – wie die Bewohner der englischen Kanalinsel Guernsey, die ihren Leichtsinn mit einem Absturz in die katastrophale Ausgangslage bezahlen mussten (siehe 15. Kapitel). Die indischen Schulbücher werden auf diese vorher nie gestellten Fragen präzise Antworten geben und auch Namen nennen, besonders den einen natürlich: Silvio Gesell!

Ich habe diesen durchaus ernst gemeinten Vorbeiflug an einem der größten Probleme unserer Zeit hier mit eingeflochten, um jene zu beschämen, die noch nicht einmal für möglich halten, dass das im Vergleich zu Indien geradezu lächerlich kleine Deutschland von seinen gefährlichsten Zecken, der Bodenrente und dem Zins, befreit werden kann. Uns Deutschen und Europäern bleibt ja möglicherweise und hoffentlich noch etwas Zeit, die Reformen Gesells in Ruhe und vor allem ohne Blutvergießen in die Tat umzusetzen. Es darf aber hier bei uns weder der Erfolg ausbleiben, noch darf ein Übergreifen der Natürlichen Wirtschaftsordnung auf andere Länder und Erdteile hinausgezögert werden, weil für Indien die Zeit des ruhigen Nachdenkens und lässigen Planens ja schon abgelaufen ist. Das ist eigentlich schade, nein, es ist schlimm, denn alles wäre so viel einfacher, wenn uns die Zeit im Wettlauf mit der Übervölkerungskatastrophe auf der Erde nicht so drängen würde. Aber vielleicht ist ja gerade dieser Zeitdruck auch der allerletzte Knoten im Ariadnefaden, der uns nun endlich vom Zins befreit und aus dem Labyrinth hinaus ins Freie führt – d.h. in die Befreiung von Armut und Krieg.

Fassen wir das 12. Kapitel noch mal zusammen:

a) Wie eine wunderschöne neue Melodie, die gleich nach Bekanntwerden der ganzen Welt gehört, wird sich die NWO nicht auf ein Land beschränken lassen. Darum reicht es, wenn ein Land mit gutem Beispiel erfolgreich vorangeht.

b) Das Geld gehöre – wie die Autobahn – dem Staat, der es der ganzen Bevölkerung zinslos (doch keineswegs völlig kostenlos) zur Verfügung zu stellen hat.

c) Statt dessen das Geld den Geschäftsbanken gegen Zinsen zu »verkaufen« und diesen zu erlauben, das von vornherein als Schuldgeld auftretende Geld der Wirtschaft und der Bevölkerung gegen möglichst hohe Zinsen zur Verfügung zu stellen, ist in Anbetracht der bekannten Folgen volkswirtschaftlicher Unsinn.

d) Eine Währung hat zu währen. Bei unveränderlicher Kaufkraft lohnt sich das Sparen – auch ohne Zinsgeschenke. Die Zinsgeilheit der Bevölkerung ist eine Folge der von der Bundesbank veranlassten allmählichen Geldentwertung. Also versuchen alle, den Wertverlust der Spareinlagen durch möglichst hohe Zinsen oder Renditen zu kompensieren.

e) Für Länder wie Indien wird es eng. Der Katastrophenfall muss dort nicht mehr an die Tür klopfen, der ist bereits eingetreten. Dieser »Hausfriedensbruch« lässt sich weder moralisch noch militärisch lösen. Mit der NWO ließe sich der ungebetene Gast ein für alle mal vertreiben. Mit der NWO wäre das übervölkerte Indien noch zu retten. Noch!

Was ist die Frage?

Würde der deutsche Bundeskanzler – wer immer das gerade ist – das Nähen langer Unterhosen (grau meliert und innen doppelt aufgeraut) zur Chefsache erklären, seinen Beraterstab zusammentrommeln und anschließend auf einer Pressekonferenz deutsche Erfinder dazu aufrufen, eine Maschine zu entwickeln, die den Hausfrauen das mühsame Nähen von Hand ersparen würde, er stünde nicht dümmer da, als würde er schon wieder dazu aufrufen, einen gangbaren Weg aus der Arbeitslosigkeit zu suchen. Zum Thema lange Unterhosen müsste ihm mal jemand sagen, dass es die von ihm gesuchte Nähmaschine schon seit 1830 gibt. Aber auch bei der Suche nach einem Weg aus der Massenarbeitslosigkeit sollte ihm schonend beigebracht werden, er möge auch diesen Suchvorgang so unauffällig und so schnell wie möglich beenden, denn als Kulturvolk sind wir Deutschen es der Welt und unserem Ansehen eigentlich schuldig, den eigenen Kanzler nicht länger suchen zu lassen, was längst gefunden wurde! Was also ist zu tun? Sollte man dem Bundeskanzler das vorliegende Buch über den Schädel knallen?

Nun, es wäre schade um das schöne Buch, und außerdem wollen wir doch gewaltfrei bleiben. Wie aber bringt man einen halsstarrigen Bundeskanzler dazu, sich mit dem Thema Freiwirtschaft zu befassen?

Das ist die Frage!

Dreieckige Räder

Kanonen und Granaten kosten Geld. Bevor Menschen damit umgebracht werden können, muss also Geld geflossen sein, erst dann kann das Blut fließen. Schulen, Kindergärten und Wohnungen kosten ebenfalls Geld. Bevor Kinder darin einer gesicherten und glücklichen Zukunft entgegenwachsen können, muss Geld bereitgestellt worden sein, denn nur mit Geld lassen sich derartige Albträume und Träume verwirklichen. Da sich das Geld für Gut und Böse, Himmel und Hölle gleichermaßen zur Verfügung stellt, also scheinbar völlig neutral ist, hat sich die Kritik an diesem Phänomen verständlicherweise auf den lebendigen Menschen konzentriert, der das tote und vermeintlich so unschuldige Geld ganz nach Belieben zum Segen oder zum Fluch werden lässt.

Es bedurfte der überragenden Genialität eines völlig unvoreingenommenen Denkers, dieses tiefverwurzelte Denkschema zu durchbrechen. Hätte Silvio Gesell nie gelebt, wir würden bis auf den heutigen Tag (und wer weiß wie viele Jahrhunderte noch!) an das unverdächtige Märchen von der völligen Unschuld des Geldes glauben und den Menschen, und nur ihn allein, für all das Unmenschliche auf dieser Welt verantwortlich machen! Ohne Gesell bliebe uns nur das aussichtslose und lächerliche Warten auf den Tag und auf den Sieg der guten über die angeblich so bösen Menschen. Das sei übrigens auch denen gesagt, die in Büchern, Artikeln, Analysen und Vorträgen »ihren eigenen Laden aufmachen«, indem sie Silvio Gesell als entbehrlich erscheinen lassen oder sogar ganz verschweigen, obwohl sie mit ihrem Wissen auf seinen Schultern stehen und ohne Gesell ganz gewöhnliche Mitläufer, Opfer oder sogar Täter der Zinswirtschaft geblieben wären!

Fast jeder Verhaltensforscher wird uns bestätigen, dass der Mensch nicht »besser« werden kann; Silvio Gesell hat uns gezeigt, dass er nicht besser werden muss! Das geradezu gotteslästerliche Herummäkeln an der Güte des Menschen kann mit sofortiger Wirkung beendet werden, denn Silvio Gesell fand einen Weg, der von der Entmachtung des Geldes direkt zur Entlastung und Befreiung des Menschen führt.

In letzter Zeit sind die oben erwähnten »Ladeninhaber« zu allem Überfluss auch noch in die Rolle der freiwirtschaftlichen Bedenkenträger geschlüpft, um aus dieser Position heraus Behauptungen widerlegen zu können, die niemand aufgestellt hat! Besonders beliebt ist die Zurückweisung der Behauptung, mit der Einführung der NWO ließen sich alle Probleme der Welt lösen. Das Problem: Niemand behauptet das! Auch ich habe immer wieder darauf hingewiesen, dass uns Mundgeruch, Haarausfall, Fußpilz, Erdbeben und Glatteis erhalten bleiben werden. Was also mag der Grund dafür sein, dass sich Autoren aufgerufen fühlen, die »Gesellianer« auf den Teppich herunter zu holen? Es ist die Unfähigkeit dieser Leute, sich die Auswirkungen und Begleitumstände einer naturverträglichen Vollbeschäftigung ohne Wachstumszwang vorzustellen. Wer das nicht kann, hält logischerweise auch daran fest, z.B. das Recht auf sinnvolle Arbeit für eine überzogene Forderung zu halten! Sie haben also nichts aus der Tatsache gelernt, dass z.B. ein Michael Gorbatschow der ganzen Welt zeigen konnte, was es heißt, ein nicht für möglich gehaltenes Wunder eintreten zu lassen. Wer hätte im Jahre 2000 voraussagen können, dass der BSE-Skandal Millionen Verbraucher (und ein paar Politiker), die bisher im Supermarkt verludert sind, jetzt über den ökologischen Landbau nachdenken lässt? Und wer hätte sich vor dem Terroranschlag auf das World Trade Center in New York vorstellen können, dass die deutsche Bundesregierung, der das Geld für Altenpfleger und Lehrer fehlt, die dafür fehlenden Millionenbeträge nun plötzlich doch auftreiben kann, um den Amerikanern in Afghanistan und im Irak beim Einsatz weltweit geächteter Antipersonenminen, Splitter- und Uranbomben finanzielle und moralische Rückendeckung geben zu können? Wenn – wie bei diesen heimtückischen Waffen in Vietnam, Irak und Bosnien tausendfach geschehen – spielenden Kindern und pflügenden Bauern noch Jahre nach dem Krieg die Füße und Beine abgerissen werden, sollen wir Deutschen dann wieder mächtig stolz darauf sein, diesen Opfern mit erstklassigen Prothesen unter die Arme zu greifen, *»die in diesen*

*Ländern in der erforderlichen Qualität gar nicht produziert wer-
den könnten«?* Aus freiwirtschaftlicher Sicht bleibt immer wieder
nur zu sagen: Nicht den bösen Buben gehört mit einem scharf-
kantigen Lineal eins auf die Pfötchen gehauen, sondern dem
zinsgebärenden Geld, das uns dazu zwingt, die Lebensgrundlagen der Menschheit zu zerstören. Armut schafft nicht nur Resignation; Armut schafft auch Fanatismus! Wer sich wie die USA an
dieser Tatsache vorbeistehlen will, braucht Vasallen, die sich mit
Geld und Soldaten einspannen lassen. Uns fehlt jetzt eigentlich
nur noch, dass der deutsche Bundeskanzler seinen Außenminister in Washington einmal ganz vorsichtig vorfühlen lässt, ob dort
eigentlich ernsthafte Bedenken dagegen bestehen, Deutschland
als 52. Bundesstaat in die Vereinigten Staaten von Amerika auf-
gehen zu lassen. Meine Frau und ich glauben nicht, dass deutsche
Soldaten nach Afghanistan oder in den Irak geschickt würden,
wenn die Mitglieder der Bundesregierung Söhne im wehrfähi-
gen Alter hätten und diese als Vorauskommando irgendwo in den
Bergen vor Kabul absetzen müssten. Kaum zu glauben, dass auch
dieser tragische Krieg in erster Linie wieder ein Krieg des Geldes,
der Aktien und des Zinses ist.

Das Geld in seiner jetzigen Form ist satanisch; seinen Versuchungen zu widerstehen – fast unmöglich; seinen Versuchungen
zu erliegen – nur allzu menschlich. Mit der sensationellen Entdeckung des unscheinbaren Webfehlers in der Struktur des vor-
herrschenden, kriegerischen und herrschsüchtigen Geldes wird
Gesell zum größten Helfer der Menschheit. Den Fluch des Geldes
jetzt ganz leicht abstreifen und in einen Segen des Geldes verwandeln zu können, gibt Milliarden und aber Milliarden Menschen
auf dieser geschundenen Erde zu den größten Hoffnungen Anlass.
Die Wünsche und Rechte der Gedemütigten und Entrechteten
mussten in der Zinswirtschaft zwingend auf taube Ohren stoßen;
jetzt aber finden sie Gehör, weil sie mit Freigeld und Freiland
erfüllbar werden. Nicht nur Menschen haben sie daran gehindert,
am allgemeinen oder erst noch zu schaffenden Wohlstand teilzu-
nehmen, sondern auch und vor allem das von Menschen gemachte
Schuldgeld. Das vorherrschende Geld – egal ob Euro, Dollar oder

Rubel – ist in der Lage, die Gerechtigkeit mit Hilfe der Bodenrente und des Zinses zu verkrüppeln. Das zinserzwingende Geld wählt den Weg der Ausbeutung und des Krieges so selbstverständlich und einleuchtend wie ein tosender Gebirgsbach die Gefällstrecke sucht und bis zu seiner Mündung mit traumwandlerischer Sicherheit auch findet. Wie ein guter Chirurg, der die Geschwulst gerade noch rechtzeitig entdeckt und herausschneidet, müssen wir das Geld – so lehrt uns Gesell – von seiner teuflischen Eigenschaft der Hortbarkeit und Zweckentfremdung befreien. An Hand von zwei Beispielen möchte ich diese Aussage unterstreichen. Zunächst ein Beispiel aus Japan, das zu Beginn des Jahres 2001 erneut (!) vor einer Wirtschaftskrise stand. Die japanischen Wirtschaftsweisen übersehen mit der gleichen Sturheit wie unsere Kanzlerberater die unausweichlichen Folgen der kapitalistischen Zinswirtschaft. In Japan tut sich erneut das folgende Problem auf: Die japanischen Konsumenten haben jegliches Vertrauen in die korrupten Banken, in eine hilflose und unbelehrbare Wirtschaftswissenschaft und deren politische Hampelmänner verloren. Die Japaner hamstern also das sauer verdiente Geld und holen es nur noch bei dringendem Bedarf unter der Matratze hervor. Die Wirtschaft bleibt also auf einem Warenberg sitzen und reagiert natürlich mit dem Abbau von Arbeitsplätzen.

In dieser Situation empfiehlt die herkömmliche Lehre, die Zinsen drastisch zu senken, um der Industrie Anreize für Investitionen zu bieten! Die lehnt das in dieser Situation natürlich dankend ab, denn was nützt ein Zins um 0 %, (den die Japaner jetzt tatsächlich erreicht haben!), wenn die Konsumenten im Kaufstreik verharren und nur darauf lauern, dass die ständig sinkenden Preise für begehrte Waren noch tiefer in den Keller rutschen?! Japan bietet also erneut den Anschauungsunterricht für die auch weiter totgeschwiegene Tatsache, dass nur mit einer Umlaufgebühr dem Geldstreik der Konsumenten beizukommen ist. Hatte ich die Leserschaft bisher schon mehrfach darauf hingewiesen, dass normalerweise das große Kapital in den Geldstreik tritt, um sich diese geradezu kriminelle Haltung auch noch mit einer erzwungenen Zinserhöhung belohnen zu lassen, zeigt die japanische Problemvariante, dass auch Konsumenten der Wirtschaft, sich selbst und der Wohlfahrt ihres Landes schweren Schaden zufügen können, wenn sie den Geldkreislauf verlangsamen oder zeitweise sogar ganz unterbrechen. Anstatt nun aber den Gutmenschen zu fordern, der doch bitte so vernünftig sein möge, endlich wieder sein Geld in die Geschäfte zu tragen, damit wenigstens die Ladenbesitzer ihre Angestellten nicht auf die Straße setzen müssen, können wir Freiwirte doch nur lachen über diese Neuauflage nutzloser moralischer Appelle. Es genügt vollauf, dem japanischen Konsumenten eine brennende Kerze unter den Korbstuhl zu stellen! Sobald es ihm nämlich untenherum zu warm wird, wird er (weil die Umlaufgebühr sein gehortetes Geld dahinschmoren lässt) auch ohne Appelle an Moral und Vernunft »ganz von allein« seinen qualmenden Hintern hochkriegen und das Geld wieder brav in den Kreislauf zurückführen. Wer in dieser Situation – wie in Japan nun erneut geschehen – die Zinsen bis auf Null absenkt, bestärkt die Konsumenten natürlich noch zusätzlich in ihrem unerhört gefährlichen Tun, weil diese sich jetzt nämlich zu Recht sagen: »*Siehste, auf der Bank kriege ich auch keine Zinsen, meine Matratze heckt keine Zinsen; also ist es doch scheißegal, wo ich mein Geld aufbewahre!*« Das ist es in diesem Falle jedoch nicht, denn während das Geld unter der Matratze noch relativ sicher ist, stehen zahlreiche japanische Banken schon wieder kurz vor der Pleite, weil faule Kredite (an Geschäftsfreunde der Bankdirektoren!) die Konten auch der Privatkunden mit in den Strudel der Zahlungsunfähigkeit zu reißen drohen. So gesehen verhalten sich die vorsichtigen japanischen Konsumenten eigentlich »systemgerecht« und durchaus vernünftig. In einem Akt nackter Verzweiflung wurden bei der vorletzten Bankenkrise (1999) statt dessen Kaufgutscheine gedruckt und vom Staat kostenlos (!) an die Bevölkerung verteilt, um wenigstens den Einzelhandel zu retten. Wie nicht anders zu erwarten, wurden diese Gutscheine auch gern gegen Waren eingelöst. Konnte die Nachfrage dadurch endlich wieder gesteigert werden? Selbstverständlich nicht, denn die schlauen Japaner nutzten diese Geschenkaktion natürlich dazu, das durch die Gutscheine eingesparte »richtige« Geld auch noch zu hamstern! Im Klartext: Sie nahmen dankbar die Gelegenheit wahr, dem Kreislauf jetzt noch mehr Geld zu entziehen. Man fragt sich angesichts dieser hausgemachten Katastrophe, was in Japan eigentlich noch alles passieren muss, bis dieser kostspielige (!) Gutscheinunfug endlich mal durch ein echtes Freigeldexperiment mit der treibenden Kraft einer Umlaufgebühr abgelöst wird. Zweites Beispiel: Um den Niedergang der US-Wirtschaft aufzuhalten, sah sich US-Notenbankchef Alan Greenspan im Jahre 2001 gezwungen, die Zinsen in nicht weniger als zehn Schritten von 6,5 % auf 2,0 % herabzusenken! Als ob sie nicht gewusst hätten, was zeitgleich in Japan geschah, begann in den USA nun das allgemeine Warten auf einen Konjunkturaufschwung. Das hatte doch früher immer so schön geklappt! Die amerikanischen Konsumenten unterließen es jedoch, sich mit billigem Geld zu verschulden, um in den verordneten Kaufrausch zu treten. Und warum taten sie das nicht? Sie hatten sich doch bisher sogar bei zwei- bis dreifach höheren Zinsen verschuldet! Weil sie auf Grund hoher Schulden – mit entsprechenden Zinszahlungen versteht sich – nicht mehr bereit waren, sich weitere Schulden aufbuckeln zu lassen! Greenspan musste also lernen, was sein japanischer Notenbankkollege inzwischen kapiert hatte: Ab einer gewissen Schuldenhöhe können selbst extrem niedrige Zinsen die Menschen nicht mehr darüber hinwegtäuschen, dass dies ja auch alles einmal zurückgezahlt werden muss! Die den japanischen Verhältnissen immer ähnlicher werdende Folge war, dass sich zahlreiche US-Firmen gezwungen sahen, Hunderttausende ihrer Mitarbeiter/innen auf die Straße zu setzen, während Greenspan, der angeblich beste Notenbankchef der Welt, ja gehofft hatte, sie würden sich statt dessen mit billigem Geld versorgen, um die Produktion anzukurbeln und neue Arbeitsplätze zu schaffen. Die geradezu lachhafte Bekämpfung der amerikanischen Rezession könnte uns Freiwirten eigentlich egal sein, wenn es nicht so wäre, dass die Gefahr einer weltweiten Depression nicht mehr von der Hand zu weisen ist. Damit entsteht in den USA eine hypergefährliche Situation, wie wir sie vor dem Zweiten Weltkrieg gehabt haben: Erst mit Hilfe der gewaltigen Kriegsproduktion konnte damals die US-

Konjunktur wieder angekurbelt werden. Die Sache hatte seinerzeit (1941) allerdings einen Haken: Das amerikanische Volk
wollte sich nicht schon wieder in einen Weltkrieg hineinziehen lassen, denn an vielen Straßenecken bettelten damals noch immer
beinamputierte Opfer des ersten Weltkrieges. Roosevelt hat es
jedoch verstanden, das Problem der amerikanischen Kriegsmü-
digkeit »elegant« zu überwinden, indem er die Japaner zunächst
so lange provozierte, bis Japan nach zahlreichen diplomatischen
Vorstößen keinen anderen Ausweg mehr sah, als mit einem Überfall auf die amerikanische Pazifikflotte in Pearl Harbor zu reagieren. Der gerade erst geknackte Geheimcode der japanischen
Marine versetzte Roosevelt in die komfortable Lage, den angeblich überraschenden Überfall auf die US-Marinebasis Pearl Harbor auf die Stunde genau vorherzusagen. Das Problem des Präsidenten bestand nur noch darin, der Admiralität auf Pearl Harbor
die drohende Vernichtung der im Hafen von Pearl Harbor friedlich liegenden Pazifikflotte zu verschweigen. Es gelang Roosevelt
tatsächlich, dieses »kostbare« Wissen auf einen zur Geheimhaltung verpflichteten Funker, auf seinen Generalstabschef und späteren Friedensnobelpreisträger (!) General Marshall und auf sich
selbst zu beschränken. Aus heutiger Sicht unvorstellbar, hinderte
Roosevelt den befehlshabenden Admiral Kimmel daran, die
gewaltige Flotte noch rechtzeitig aus dem Hafen von Pearl Harbor auslaufen zu lassen. Es wäre dem Admiral ein Leichtes gewesen, den japanischen Angriff ins Leere gehen zu lassen oder sogar
erfolgreich abzuschlagen; es hätte dazu nur einer rechtzeitigen
Vorwarnung bedurft. Die japanische Armada konnte sich also
ungehindert heranschleichen und fast die gesamte Pazifikflotte
handstreichartig und spektakulär vernichten. Damit hatte der von
Churchill in den Krieg gedrängte Roosevelt sein Ziel erreicht:
*»Die Empörung der amerikanischen Bevölkerung über diesen fei-
gen japanischen Überfall«* ließ sich – wie von Roosevelt erwartet –
problemlos in die Bereitschaft des Kongresses ummünzen, einer
sofortigen Kriegserklärung an Japan zuzustimmen. »Nur« 2.349
Marinesoldaten waren in Pearl Harbor im Bombenhagel der Japaner umgekommen; für Roosevelt ein akzeptabler Preis für einen

»sauberen« Kriegseintritt mit steigenden Aktienkursen und sofort einsetzender Hochkonjunktur im ganzen Land. Was hat dieses »Kriegsverbrechen der besonderen Art« mit dem Terrorangriff auf das World Trade Center in New York zu tun? Ich fürchte – eine ganze Menge. Das Jahr 2001 begann in Japan, in Argentinien und in den USA konjunkturell so bedrohlich, dass in den Denkfabriken der USA Überlegungen angestellt wurden, die im Rahmen so genannter Brainstormings auch vor dem Undenkbaren nicht Halt machten. Schon Monate vor dem Anschlag auf das World Trade Center in New York sollen dem FBI Erkenntnisse über einen bevorstehenden Terroranschlag mit verheerenden Folgen für die Wirtschaft der USA vorgelegen haben. Eine Hardliner-Gruppe um den stellvertretenden US-Außenminister Paul Wolfowitz, konnte – aus welchen Gründen auch immer – schon kurz nach dem Anschlag auf das World Trade Center einen fix und fertigen Plan aus der Schublade ziehen, der schnell als »Krieg der Kulturen« von sich reden machte und darauf abzielte, nicht etwa nur Osama Bin Laden und seine Gefolgsleute zu jagen, sondern auch gleich die »Schurkenstaaten« Afghanistan, Irak und Sudan mit einzubeziehen, um sie die strafende Hand der Weltpolizei USA spüren zu lassen.

Die Eilfertigkeit, mit der die deutsche Bundesregierung damals in einer noch völlig unausgegorenen Situation sofort zur Stelle war, um dem US-Präsidenten Bush einen Blankoscheck der »uneingeschränkten Unterstützung« förmlich aufzudrängen, hat die Ursachen des Terroranschlags und seine Vorhersehbarkeit durch das FBI etwas in den Hintergrund treten lassen. Das ist auch kein Wunder, denn jetzt geht es ja erst einmal um die Frage, ob, wo und wie deutsche Soldaten für amerikanische Interessen verheizt werden sollen. Mich stört daran vor allem, dass den Ursachen des Terrorismus wieder einmal keine Beachtung geschenkt wird. Wir erinnern uns: Armut schafft Fanatismus. Bisher fehlte weltweit das Geld, um Armut und Hunger wirkungsvoll zu bekämpfen; und jetzt stellt sich plötzlich heraus, dass Geld wie durch ein Wunder in Hülle und Fülle zur Verfügung steht, wenn es darum geht, Menschen in Krüppel zu verwandeln und die

Städte und Dörfer Afghanistans und des Irak in Schutt und Asche zu legen. Und damit wären wir auch schon wieder beim Thema Geld gelandet; und wenn ich Geld sage, dann meine ich natürlich »gutes« Geld, also Freigeld.

Freigeld taugt nur noch zum Tausch von Waren und Dienstleistungen; zum Horten und zum Töten ist es nicht geeignet. Also Geld gegen Ware oder Geld gegen Dienstleistung. Aus – fertig! Heute wird die absurde Fähigkeit des Geldes, zum Schaden der Allgemeinheit ganz nach Belieben in den Kaufstreik treten zu können, per Gesetz geschützt, während die alles entscheidende Tauschfunktion von Kapitalisten und auf Niedrigpreise spekulierende Konsumenten straflos ausgehebelt werden kann. Freigeld schützt uns also vor denen, die den Tausch unterbrechen, um mit dem Geldstreik höhere Zinsen, die z. B. in der Kriegswaffenindustrie zu erzielen sind, erpressen zu können. Freigeld und Freiland lassen also gnadenlose Blutsauger, die ihren unersättlichen Saugrüssel in den Geldkreislauf eines Volkes senken, auf Granit stoßen. Ein Geld, das nur noch ein Tauschmittel ist, sichert den störungsfreien Geldumlauf und damit eine blühende Wirtschaft – auch ohne Krisen und so ganz ohne Krieg!

Die Deutsche Bundesbank konnte und die Europäische Zentralbank kann den gleichmäßigen Umlauf des Geldes primitiverweise nur durch eine stetige (beabsichtigte!) Inflation in Gang halten. Man ließ also den Wert der DM und lässt den des Euro bewusst und gezielt allmählich verkommen, um das Geld der Spekulanten in den Kreislauf zurück zu locken; und die Spekulanten rücken schließlich das Geld heraus, um den inflationären Wertverlust durch Zinsforderungen kompensieren oder überkompensieren zu können. Alle Kleinsparer und Menschen, die keine Schulden haben, werden somit um einen bedeutenden Teil ihrer Arbeit und Ersparnisse betrogen. Monat für Monat gibt das Statistische Bundesamt in Wiesbaden bekannt, um wie viele Prozent wieder alles teurer geworden ist und liefert damit den Beweis für den Wertverfall des Geldes durch die Maßnahmen der Bundesbank bzw. der EZB. Um das zu verharmlosen, ist bei der Bekanntgabe im Fernsehen immer nur von den leicht gestiegenen Preisen die

Rede, während es doch eigentlich heißen müsste: *Der Wert des Euro, also seine Kaufkraft, ist bedauerlicherweise erneut um 2 % gesunken.* Wer daran Anstoß nimmt, wird von den Experten darüber belehrt, dass die kapitalistische Marktwirtschaft (gemeint ist immer die Zinswirtschaft!) in der schleichenden Inflation das kleinere Übel zur Normalität erhebt, um einer Konjunkturkatastrophe größeren Ausmaßes (sinkende Preise, Absatzstockungen, Konkurse, noch höhere Arbeitslosigkeit) zu entgehen. Das also ist der Preis und die Strafe für eine Gesellschaft, die ein *Geld ohne Zinsen und Inflation* (Margrit Kennedy) haben könnte, von dieser Möglichkeit aber keinen Gebrauch macht, weil die Medien die NWO verschweigen und nicht damit aufhören, dem Kapital die Füße zu küssen. Weder Bundesbank, EZB, die Wirtschaftswissenschaft oder unsere »Spitzenpolitiker« haben sich bei der Suche nach einem Ausweg aus diesem Dilemma übernommen,

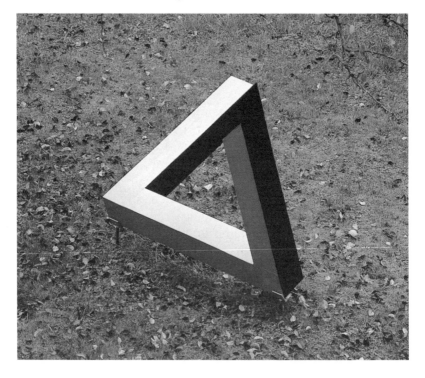

geschweige denn mit Ruhm bekleckert. Sie machen insgesamt einen desolaten Eindruck, für den der Freiwirt und Volkswirtschaftler Prof. Dr. Felix Binn die folgenden Worte fand: *»Ihre Arbeits- und Denkergebnisse auf die Ingenieurswissenschaft übertragen, hätten uns heute noch nicht das Rad beschert, allenfalls ein dreieckiges.«* Ungeachtet ihrer peinlichen Untüchtigkeit genehmigen sich die Herren der Deutschen Bundesbank und der EZB märchenhafte Gehälter und Pensionen, die (wie bei den Politikern und Gewerkschaftsbossen) den Blick für die Nöte der Menschen verstellen und die Gefahr, in der wir alle schweben, nicht mehr erkennen lassen. *»Wir leben in keiner normalen Zeit«*, mahnt der Freiwirt Hans-Joachim Führer (ein Sohn Silvio Gesells), *»sondern in einer Zeit der letztmöglichen Abkehr vom programmierten Untergang der Menschheit.«*

Alles läuft zur Zeit darauf hinaus, den Wirtschaftskoloss Europa noch brutaler als bisher gegen die Konkurrenz aus den ärmeren Teilen der Welt in Stellung zu bringen. Der – an der Umweltzerstörung gemessen – schon viel zu hohe Export Europas soll, nein muss noch mehr wachsen, damit die Rechnung der Zinseszinsler auch aufgeht und der rülpsende Riese Europa zu einem nur noch furzenden Ungeheuer aufgebläht werden kann. Es sind ja nicht etwa ethische, moralische, kulturelle, friedenspolitische, religiöse oder ökologische Vorstellungen, die den geistigen Horizont Europas beherrschen, sondern die schlichte Frage, wie z.B. mit noch mehr Exportautos die Zahlungsbilanz geschönt, die Etatlöcher gestopft und das Weltklima endgültig ruiniert werden können.

Das Urlaubsparadies und Euroland Italien ist inzwischen so hoch verschuldet, dass die gesamten Deviseneinnahmen aus dem auf Fleiß und Tüchtigkeit basierenden Tourismusgeschäft für Zinszahlungen verschwendet werden müssen! Darum kann überhaupt keine Rede davon sein, den heilsamen Schock der NWO Silvio Gesells auf den Standort Deutschland zu begrenzen. Wie eine wunderschöne neue Melodie, die gleich nach Bekanntwerden der ganzen Welt gehört, hat Silvio Gesell nie einen Zweifel daran gelassen, für die ganze Welt gedacht und gewirkt zu haben.

Das vom Zins befreite Geld wird aus gutem Grund im Lande kreisen und eben nicht wie das heutige Geld in Form einer Spirale über die Grenze hinausgeschleudert werden können; dafür sorgt schon die »Gefahr« einer unvorhersehbaren Umtauschaktion. Aber Einfluss und Wirkung dieser Reform werden unaufhaltsam über die Grenzen schwappen. Diese Reform hat es nicht nötig, mit Gewalt erzwungen zu werden, denn weder muss dem Verdurstenden das köstliche Wasser, noch dem Hungernden das herrlich duftende Brot aufgezwungen werden: Sie nehmen es freiwillig, stellen keine Bedingungen und werfen uns hinterher auch nicht vor, wir hätten uns mit diesen Gaben geradezu aufgedrängt.

Aber: Wenn die Mehrheit der Bevölkerung (nach erfolgter Aufklärung) dem Sumpf der Ausbeutung durch den Zins gar nicht entkommen will, wenn das Heer der Arbeitslosen seine Bereitschaft zum Dulden und Leiden sogar noch weiter ausbauen möchte, indem es beispielsweise ausdrücklich darum bittet, sich auch weiterhin vor den Geßlerhüten des Kapitals verneigen zu dürfen; wenn die Wohnsitzlosen und Sozialhilfeempfänger die bezahlbaren neuen Wohnungen und ein ausreichendes Einkommen gar nicht haben wollen, dann, aber bitte auch erst dann, sollten auch wir mit dem römischen Rechtsgelehrten Ulpianus sagen und erkennen: *»Dem, der es so haben will, geschieht kein Unrecht.«*

Fassen wir das 13. Kapitel noch mal zusammen:

a) Der Mensch ist gut genug. Nicht ihm müssen die faulen Zähne gezogen werden, sondern der Zinswirtschaft, die uns von Etikettenschwindlern noch immer als »soziale« Marktwirtschaft verkauft wird.

b) Die japanische Wirtschaft pfeift selbst bei einem Zins um 0 % noch aus dem letzten Loch, weil sie den Konsumenten und Spekulanten das Schlupfloch der Geldzurückhaltung offen lässt. Anstatt nun dieses Geld mit einer Umlaufgebühr schnell wieder in den Wirtschaftskreislauf zu zwingen, raten japanische Wirtschaftswissenschaftler ihrer Regierung statt dessen Weltbankkredite aufzunehmen, die das Land unnötigerweise über den Zins noch weiter ausplündern werden und nur die Zinsschmarotzer jubeln lassen.

c) Nach Ansicht von Prof. Dr. Felix Binn gleicht die Wirtschaftswissenschaft einem Wagen, der mit dreieckigen Rädern ausgerüstet wurde. Das japanische Beispiel zeigt, dass sich daran bis heute nicht allzu viel geändert hat.

d) Zum Himmel schreiende Ungerechtigkeit, Armut, Hunger und Kältetod sind Vorstufen für Fanatismus, Terror und Krieg. Wer diesen Teufelskreis durchbrechen will, kommt an der sozialen Gerechtigkeit für alle nicht vorbei.

e) Italien hat sich bei den eigenen Zinskassierern so hoch verschuldet, dass die gesamten Einnahmen aus dem gewaltigen Tourismusgeschäft für die Kapitalbedienung (Zinsen!) verschwendet werden müssen aber schon bald nicht mehr reichen werden, weil sich die Schuldenspirale systembedingt unaufhörlich weiterdreht.

Das Geld der ganzen Welt in einer Hand

Wenn jedes Land sein eigenes Geld hat, Freigeld versteht sich, also ein Geld ohne Zinsen und Inflation, haben Spekulanten, Zinsschmarotzer und Kriegstreiber das Nachsehen. Die Finanzgewaltigen wissen das natürlich und versuchen, uns den umgekehrten Weg einzureden: Erst den Euro, und daraus hervorgehend dann eines Tages das längst geplante Weltgeld (voraussichtlich der amerikanische Dollar). Damit befände sich das Geld der ganzen Welt in einer Hand bzw. in den Händen jener zwölf Privatbanken, die sich 1913 handstreichartig in den Besitz der amerikanischen Notenbank gebracht haben. Man mag zu den so genannten *Protokollen der Weisen von Zion* stehen wie man will: Unbestreitbare Tatsache ist, dass einige der schlimmsten dort angekündigten Maßnahmen zur Beherrschung und Versklavung der ganzen Menschheit nicht nur auf den Weg gebracht wurden, sondern längst vollstreckt worden sind: Zum Beispiel die Weltpolizei-Anmaßung der USA und die unfassbare Konzentration der Hälfte aller Geldvermögen in der Welt auf nur noch 350 »Familien«.

14 Das Ei des Columbus

Mit der Entdeckung Amerikas durch den italienischen Seefahrer Christoph Columbus stieg der Ruhm dieses Mannes am Hofe der spanischen Königin Isabella I. weit über jenes Maß hinaus, das seine Neider und die Schmeichler der Königin einem Ausländer gerade noch zubilligen konnten. Um die Gunst der Königin nicht zu verlieren, gaben sie die Parole heraus, mit einer gut ausgerüsteten Flotte hätten natürlich auch sie den Seeweg nach Indien (Amerika!) gefunden. Anlässlich eines Empfangs, zu dem der Kardinal Mendoza Columbus und seine Gegner bei Hofe eingeladen hatte, setzte Columbus dieser Herabwürdigung seiner historischen Leistung eine nicht weniger dreiste Behauptung entgegen: Seinen Gegenspielern – so ließ er verbreiten – fehle für eine vergleichbare Entdeckertat eine seltene, doch ausschlaggebende Fähigkeit. Natürlich waren die persönlich gemeinten Gäste des Kardinals außer sich vor Zorn, zumal Columbus darauf bestand, diesen bedeutsamen Unterschied nicht etwa in Worte zu kleiden, sondern mit Hilfe eines Experiments vor aller Augen in Erscheinung treten zu lassen! Alles, was er dazu benötige, sei ein Tisch mit einer spiegelblanken Marmorplatte – und ein Hühnerei. Der Kardinal ließ beides herbeischaffen.

Unter den Augen seiner Eminenz und der hohen Gäste versuchte nun einer nach dem andern die von Columbus gestellte Aufgabe zu lösen: Das Ei auf seine Spitze zu stellen! Wie nicht anders zu erwarten, wollte dies keinem der stolzen Admirale und Kapitäne der spanischen Flotte gelingen. Wie sehr sie sich auch bemühten, das Ei fiel immer wieder um und kullerte – naturgesetzlichen Regeln gehorchend – auf die Seite. Dann trat Columbus erhobenen Hauptes an den Marmortisch. Er nahm das Ei, schlug es mit der Spitze auf die Marmorplatte, und siehe da – es stand! In heller Empörung über diesen faulen Trick behaupteten nun natürlich alle, das ebenfalls zu können. Sinngemäß soll Columbus darauf erwidert haben: *Ja, aber erst nachdem ich es euch vorgemacht habe!*

Sein spektakulärer Auftritt konnte natürlich nur gelingen (und der Königin umgehend hinterbracht werden), weil dem Kardinal und seinen Gästen im Gegensatz zu Columbus offenbar nicht bekannt war, dass diese berühmte »Eierprobe« schon Jahrzehnte zuvor vom florentinischen Architekten Brunelleschi (1377–1446) mit ähnlich großem Erfolg eingesetzt worden war, um einem zögernden Auftraggeber die Überlegenheit seiner berühmten Kuppelgewölbe zu demonstrieren. Während sich Brunelleschi seinerzeit auf die der Statik innewohnenden Naturgesetze der Eiform verließ, nutzte Columbus die »Eierprobe« zur Unterstreichung seiner Pfiffigkeit in scheinbar auswegloser Lage.

Seit 500 Jahren ist »das Ei des Columbus« zum Synonym frappierend einfacher Lösungen geworden. Weil sich diese aber bei näherer Betrachtung oft genug als Scheinlösungen entpuppten, ist der Begriff zumindest unter Wissenschaftlern in Verruf geraten; besonders dann, wenn einem Außenseiter gelingt, was eigentlich Aufgabe der Wissenschaft gewesen wäre. Das wird dann auch schon mal richtig übel genommen. Kein Wunder also, dass der schwedische Sozialreformer und Steuerexperte Karl Gustafson die ihm gebührende Beachtung und Anerkennung noch immer nicht gefunden hat. Der Seiteneinsteiger Gustafson glaubt, so ein seltenes »Columbi ägg« gefunden zu haben; und ich glaube das inzwischen auch, sonst würde ich es hier ja nicht vorstellen. Von nur wenigen Mitstreitern in Skandinavien, Deutschland und Polen unterstützt, versucht er seit ca. 30 Jahren, das renovierungsbedürftige schwedische Steuer- und Sozialsystem zu reformieren.

Wer in der Länge dieses bisher so erfolglosen Kampfes (der natürlich auch gegen ideologische und parteipolitische Windmühlen geführt werden musste) einen Mangel in seinen wegweisenden Ideen zu erkennen glaubt, sei daran erinnert, wie lange die Frauen in der Schweiz auf ihr Wahlberecht warten mussten und seit wie vielen Jahren (es sind jetzt 100!) die Gesellianer schon auf den Durchbruch der Natürlichen Wirtschaftsordnung (NWO) Silvio Gesells warten! Wer immer glaubt, sein verblüffend einfaches Konzept widerlegen zu können, der möge es doch tun, schlägt Karl Gustafson vor. Bis heute ist dies keinem gelungen.

Alle bisherigen ökonomischen Theorien haben laut Gustafson einen fundamentalen Systemfehler. Ihnen fehle eine naturgesetzliche – also unumstößliche – Wertbasis. Er dagegen stellt seine Theorie auf das Fundament einer Naturkonstante, um sie festen Regeln unterwerfen zu können, die sich nicht von wechselnden Mehrheiten, Gruppeninteressen oder gekauften Experten beeinflussen lassen. Diese Konstante ist die uns täglich zur Verfügung stehende Zeit innerhalb einer Erdumdrehung (= 24 Stunden)! Daher nennt er sein System »Tids-faktor-ekonomie« (Tfe), also zu deutsch: Zeit-faktor-ökonomie (Zfö). Darin ist vorgesehen, die von allen (!) am Wirtschaftsleben teilnehmenden Personen und Gruppen zu erhebenden Steuern auf eine einheitliche Wertbasis zu stellen und zwar auf die der physischen Zeit, wie Gustafson es ausdrückt. Zur Erinnerung: Heute ist es üblich, dass sich z.B. der Lohn eines Arbeitnehmers mit der größten Selbstverständlichkeit aus den Faktoren *geleistete Arbeitsstunden* und *vereinbarter Stundenlohn* zusammensetzt. Miteinander multipliziert erhalten wir als Produkt den Stunden-, Wochen- oder Monatslohn (= Zeitlohn). Daran soll und wird sich auch nichts ändern, leuchtet doch schon jedem Schulkind ein, dass eine derartige Vergütung für den Arbeitnehmer gerecht und für das Finanzamt überschaubar ist. Da die so ermittelten Einkommen progressiv besteuert werden (Beziehern kleiner Einkommen wird prozentual angeblich weniger an Steuern abgezwackt), hält man diese Lösung für »sozial gerecht«, obwohl den Beziehern großer Einkommen die Möglichkeit geboten wird, der progressiven Besteuerung teilweise oder sogar ganz zu entgehen!

Das behalte man im Auge, wenn wir jetzt bei der Zeitfaktor-Ökonomie (Zfö) ins Detail gehen. Den Stundenlohn der Arbeiter mit der Zahl der geleisteten Stunden zu multiplizieren, ergibt also den Bruttolohn, und das ist in der Tat durchschaubar und gerecht. Warum – so fragt der Schwede Gustafson – ist dann das Steuersystem nicht auch so einfach, klar und gerecht? Und er findet auch die Antwort auf diese erstaunlich selten gestellte Frage: Unser Steuersystem ist ungerecht, ja es muss ungerecht sein, weil es den Faktor Zeit eben nicht berücksichtigt und statt dessen schwammige und zutiefst ungerechte, sich häufig sogar ändernde Prozentzahlen ins Spiel bringt, die je nach Wahlausgang, Konjunktur und Ansicht der gewählten Regierung dem Druck der jeweiligen Lobbyisten mal nach oben, mal nach unten »angepasst« werden. Das ist nicht nur ungerecht und kontraproduktiv, wie wir noch sehen werden, sondern das reinste Gift für ein friedliches Zusammenleben, weil die Gewinner immer schon vorher feststehen: Die Mächtigen, die Finanzgewaltigen, »die mit dem Durchblick«; also jene Privilegierten, die sich Fluchtgeldberater leisten können. Das sind besonders tüchtige Steuerberater, die dafür bezahlt werden, Reiche völlig legal arm zu rechnen. Wer sich die verheerenden Auswirkungen dieses Herumpfuschens an der sozialen Gerechtigkeit nicht vorzustellen vermag, überlege sich doch mal, was wohl passieren würde, wenn diese Leute statt an der Prozentschraube an der Zeitschraube drehen würden!

Man stelle sich vor, betuchte Steuerflüchtlinge würden mit Hilfe der Regierung in die Lage versetzt, die Rotationsgeschwindigkeit der Erde ganz nach Bedarf heute etwas zu bremsen und morgen bedarfsgerecht zu beschleunigen! Wer sich die katastrophalen (klimatischen) Folgen eines solchen Wahnsinns vorstellen kann, wird die zuverlässige Abfolge von Tag und Nacht um so höher einzuschätzen wissen und bekommt eine erste Vorahnung von den Wohlfahrtswirkungen der von Karl Gustafson vorgesehenen »Zeitsteuer«.

Um seine frappierenden Erkenntnisse begreiflich und vor allem handhabbar zu machen, führt Gustafson den überaus nützlichen, aber gewöhnungsbedürftigen Begriff *»Steuerstunde«* ein. Das ist nicht etwa eine Stunde, sondern jener Teil der Tagesarbeitszeit, den alle Arbeitnehmer, aber natürlich auch alle Arbeitgeber, Freiberufler und selbst Aktionäre (!) bereit sein müssen, dem Staat bzw. dem Finanzamt zur Verfügung zu stellen. War es bisher üblich, dem Staat einen windelweich festgelegten und darum höchst unterschiedlichen Geldbetrag zu opfern, der sich bei Beziehern hoher Einkommen trotz der angeblich sozialen Progression mit Hilfe von Fluchtgeldberatern bis auf den Nullpunkt herunterrechnen lässt, soll nach den Vorstellungen des

Schweden eine unüberbietbar exakte, gerechte (!) und für alle Bürger geltende Zeitsteuer das Ende der Selbstbedienung und Steuerbetrügereien herbeiführen.

Die Zeitfaktor-Ökonomie (Zfö) von Karl Gustafson sieht also vor, dass jeder Teilnehmer am Wirtschaftsleben dem Staat eine Zeitsteuer entrichtet, die seinem rechnerischen Stundenlohn – multipliziert mit der amtlich festgelegten *»Steuerstunde«* (!) – exakt entspricht. Vorausgeschickt sei, dass in dieser Steuer eines Tages alle Abgaben wie z. B. Kranken-, Pflege-, Arbeitslosen- und Rentenversicherung enthalten sind. Gehört der verbleibende Nettolohn dann aber auch wirklich zu 100 % den Empfängern? Zunächst leider noch nicht, denn die in den Preisen und Mieten nach wie vor versteckten Zinskosten werden uns noch eine Weile erhalten bleiben und sich natürlich erst mit Hilfe der Natürlichen Wirtschaftsordnung (NWO) allmählich, dann aber drastisch und schließlich ganz reduzieren lassen. Ich könnte mir aber vorstellen und ich hoffe, dass die Zfö von Karl Gustafson die Aussichten auf Einführung der NWO Silvio Gesells in Deutschland und in Europa deutlich verbessert und den toten Punkt überwinden hilft, der zu einem Dauerproblem geworden ist, weil in der NWO-Bewegung die Ratlosigkeit im Hinblick auf die Einführung der NWO nach so vielen Jahren vergeblichen Bemühens in Resignation und Verzweiflung umzuschlagen droht. Für mich liegt auf der Hand, dass sich NWO und Zfö wunderbar ergänzen! Um es salopp auszudrücken: Dieser Schwede hatte uns gerade noch gefehlt! Wie hat man sich die Zfö in der Praxis nun vorzustellen?

Dazu ein Beispiel: Ein Bauarbeiter habe einen Bruttoverdienst von 13 Euro pro Stunde. Bei einem 8-Stunden-Tag beträgt sein Bruttoeinkommen also $8 \times 13 = 104$ Euro pro Tag. Was bleibt ihm nach Abzug der Zeitsteuer? Das hängt von der für alle (!) geltenden Steuerstunde ab, die das Finanzministerium in enger Abstimmung mit Gewerkschaften, Arbeitgebern und Haushaltsexperten in diesem Jahr auf sagen wir mal 3,19 festgelegt hat. Das besagt: Dieser Bauarbeiter »opfert« (wie alle anderen Teilnehmer am Wirtschaftsleben!) 3,19 Stunden seines 8 Stunden-Tages der Steuer = $3,19 \times 13 = 41,47$ Euro pro Tag für den Staat. Der

Rest, also $8 - 3,19 = 4,81 \times 13 = 62,53$ Euro gehört ihm. Er zahlt also in diesem Beispiel 39,88 % an »Steuern«. Wem das zu hoch erscheint, der hat natürlich zu bedenken, dass Krankenversicherung, Arbeitslosen- und Rentenversicherung darin bereits enthalten sind. Seinem Vorgesetzten, einem leitenden Bauingenieur mit einem rechnerischen Stundenlohn von 54,00 Euro wären demnach $3,19 \times 54 = 172,26$ Euro an Steuern pro Tag vom Lohn abzuziehen. Man beachte, dass beide – trotz unterschiedlicher Einkommen – dem Staat die gleiche Zeitspanne ihres Lebens zu opfern haben, nämlich 3,19 von 8 Arbeitsstunden pro Arbeitstag. In der Budgetplanung des Finanzministeriums müsste künftig also nur noch der Landesdurchschnitts-Stundenlohn statistisch ermittelt werden, um mit der folgenden Berechnung, die auch schon begabten Grundschülern übertragen werden könnte, die für alle (!) gültige *»Steuerstunde«* des jeweiligen Jahres zu ermitteln. Der Finanzminister meldet beispielsweise für das kommende Jahr einen Bedarf von 369 Milliarden Euro an, lässt sich diesen Betrag vom Parlament genehmigen und teilt diese gewaltige Summe durch eine Milliarde! Die so erhaltene Zahl 369 teilt er anschließend durch den aktuellen *Landes-Durchschnitts-Stundenlohn,* in den selbstverständlich auch die »Stundenlöhne« aller Aktionäre, Millionäre und Milliardäre eingerechnet sind! Das Resultat dieser einfachen Rechenoperation ist die für alle geltende und durch nichts zu erschütternde *»Steuerstunde«,* die im kommenden Jahr exakt darüber entscheidet, wie viele Stunden des Arbeitstages für die Steuer zu berappen sind!

Wer – wie ich z.B. – von Natur aus etwas *»schwer von Begriff«* ist, möge bitte nicht schon an dieser Stelle verzweifeln oder durch voreilige Besserwisserei sich das Nach- und Weiterdenken ersparen, denn nicht alles unter der Sonne kann bei allen auf Anhieb einen geistigen Orgasmus durch das fernsehträge Gehirn rasen lassen. Auch ich habe bei der Zfö erst einmal tüchtig schlucken müssen. Richtig hart wird es natürlich für diejenigen, die auch noch in der Dämmerung mit einer ideologischen Sonnenbrille am Steuer sitzen und den Verkehr zusätzlich mit einem sozialpolitischen Brett vor dem Kopf gefährden. Ich könnte mir aber vorstellen, dass z. B. die stolzen Erfinder und Befürworter der Ökosteuer erkennen, dass ein prüfender Blick durch die Klarsichtbrille von Karl Gustafson auf das Thema Steuergerechtigkeit (!) nicht schaden könnte.

Wenn die Zeitfaktor-Ökonomie (Zfö) also fordert, dass alle Arbeitnehmer (und selbstverständlich auch alle Arbeitgeber, Freiberufler und Aktionäre) eine gleichlange Zeit ihres Arbeitslebens der Steuerbehörde zur Verfügung stellen, dann schwingt da natürlich auch die bisher völlig aus dem Blickfeld geratene Tatsache mit, dass allen Menschen nur eine ganz bestimmte Zeit auf Erden und nur dieses eine Menschenleben zur Verfügung steht! Niemand soll also künftig gezwungen sein, sich eine überdurchschnittliche Zeitspanne seines Lebens rauben bzw. einfach wegsteuern zu lassen – wie das heute unbeanstandet der Fall ist!

Wie sieht es in der ZfÖ mit der Besteuerung von Überstunden aus? Dazu ein Beispiel: Ein Bäckergeselle habe einen Stundenlohn von 10 Euro. Bei einem 8-Stunden-Tag hätte er also einen Bruttoverdienst von 8 × 10 = 80 Euro pro Tag. An Steuern werden fällig 3,19 × 10 = 31,90 Euro pro Tag. Sein Nettoeinkommen beträgt demnach pro Tag 80,00 – 31,90 = 48,10 Euro. Damit hat er sein Zeitopfer gegenüber Staat und Gesellschaft zu 100 % erfüllt. Und die Überstunden? Die bleiben dann selbstverständlich steuerfrei! Wer seine Steuerpflicht gegenüber dem Staat zu 100 % erfüllt, wie in diesem Beispiel, bei dem wird die Überstundenvergütung zu einem ungeschmälerten Zusatzeinkommen. Das ist dann zu 100 % sein Geld! Von den Überstunden bekommt der Finanzminister also nichts. Das will der übrigens auch gar nicht, und das muss er auch nicht, nein, er darf es nicht, wurde in diesem Beispiel doch gerade erst im Bundestag beschlossen, dass jeder Steuerzahler genau 3,19 Stunden pro Arbeitstag zur Ader gelassen werden darf und keine Sekunde länger! Wenn es also dem Bäckergesellen Spaß macht, nach Feierabend – und meinetwegen bis in die Nacht hinein – in seinem vorbildlich gepflegten Taubenschlag traumhaft schöne Raritäten zu züchten, die ihm auf Rassegeflügelschauen gegen ansehnliche Sümmchen aus den Händen gerissen werden, dann ist das sein ungeschmälerter Ver-

dienst, um den sich der Finanzminister sozusagen einen Tauben-
dreck zu kümmern hat! Begrenzt wird dieser »Preis für Fleiß«
erst dann, wenn das normale Arbeitsverhältnis betrügerisch, also
nur aus Steuerspargründen pro forma, beibehalten wird, um ein
wesentlich höheres »Nebeneinkommen« steuerfrei kassieren zu
können.

Wie hat man sich in der Zeitfaktor-Ökonomie die Besteuerung von Gewerkschaftsbossen oder Bankdirektoren vorzustellen, die am Jahresende mit vorschlagsweise 420.000 Euro nach
Hause kommen? Wie schon gesagt unterliegen auch sie dem
gesetzlichen Beschluss, pro normalem Arbeitstag mit dem 3,19-
fachen ihres rechnerischen Stundenlohnes blechen zu müssen. Da
Besserverdienende meist mit Monatsgehältern entgolten werden
und Überstunden in der ZfÖ grundsätzlich nicht besteuert werden, wird das familienfreundliche Jahreseinkommen von 420.000
Euro zunächst durch die Zahl geteilt, die den amtlich ermittelten Durchschnitts-Arbeitsstunden aller Werktätigen pro Jahr
entspricht. So ganz ohne Taschenrechner geht es also auch hier
wieder nicht. Angenommen, die statistisch festgestellte Zahl der
Arbeitsstunden pro Jahr läge im Durchschnitt bei 1660 Stunden,
dann wäre die spannende Frage, was diese Leute wohl so in der
Stunde verdienen, schnell ermittelt: 420.000 Euro : 1.660 = 253,01
Euro pro Stunde! Alle Achtung (in meiner norddeutschen Heimat
würde man *Donnerlütsch* sagen)! Dieser respektable Stundenlohn
wäre nun nur noch – wie beim Bäckergesellen – mit der amtlichen
Steuerstunde (= 3,19) zu multiplizieren, und schon haben wir Einblick in das, was der Finanzminister von diesen feineren Herr-
schaften pro Arbeitstag zu erwarten hätte, nämlich 253,01 × 3,19 =
807,10 Euro. Es verbleibt den zur Ader Gelassenen also deutlich
weniger als heute, wo sie im Windschatten eines tüchtigen Steu-
erberaters herzlich wenig oder gar keine Steuern zahlen.

Bevor ich darauf eingehe, wie ein paar (zum Glück nicht maß-
gebliche) Vertreter der deutschen Freiwirtschaftsbewegung auf
das schwedische Steuergerechtigkeitsmodell reagiert haben, sei
zusammenfassend also noch einmal darauf hingewiesen, dass
Spitzenverdiener in Deutschland (mit Hilfe von Steuerberatern)

dazu neigen, sich ihrer Steuerpflicht auf legalem (!) oder illegalem Wege zu entziehen. Laut SPIEGEL zahlen dann beispielsweise Einkommensmillionäre, wie z.B. ein dort genannter Chefarzt, an Steuern nicht etwa 800 Euro oder mehr pro Tag, sondern pro Jahr! Es kommt sogar vor, dass diese Unersättlichen gar keine Steuern zahlen oder – wie in Bad Homburg vor einigen Jahren geschehen – sich vom Finanzamt mit einer Gratifikation von ca. 100.000,– Euro auf das Angenehmste überraschen lassen. Derart zum Himmel stinkende Steuerverkürzungen, Steuerhinterziehungen und Verhöhnungen (!) ehrlicher Steuerzahler, wie sie in Deutschland und Schweden an der Tagesordnung sind, reißen natürlich große Milliarden-Löcher in den Finanzetat, die dann von den unteren Einkommensschichten brav gestopft werden müssen (weil die sich nicht wehren können). Die Zeitfaktor-Ökonomie (Zfö) würde damit endgültig Schluss machen – und das bei einem Minimum an Bürokratie! Gerechter, exakter und einfacher kann Steuerpolitik nicht sein: Man vergleiche den unsinnigen Verwaltungsaufwand des heutigen Steuersystems und die beschämende Tatsache, dass immer weniger Leute in der Lage sind, ohne fremde Hilfe eine 100%ig korrekte Steuererklärung abzugeben.

Mit der ZfÖ wird die Steuererklärung zum Kinderspiel: Wer also heute schon in der Lage ist, einen normalen Lottoschein ohne fremde Hilfe, also ganz auf sich alleingestellt, am Tresen der Lottoannahmestelle auszufüllen, der wird künftig auch keine Probleme mehr mit seiner Lohnsteuererklärung haben, denn selbst Legastheniker werden doch wohl in der Lage sein, ihren Stundenlohn in die dafür vorhandene Spalte einzutragen und das Ganze mit der eigenhändigen Unterschrift abzusegnen. Da Überstunden und kleinere Nebenverdienste grundsätzlich nicht angegeben werden müssen, reduziert sich das Interesse der Finanzbeamten im Normalfall (!) auf diesen einen Punkt. Für Steuerberater brechen also schwere Zeiten an, müssen sie sich doch künftig um die stark zusammengeschrumpfte Zahl jener Steuerzahler balgen, die auf Grund außergewöhnlicher Belastungen oder größerer Nebeneinkommen (z.B. Erbschaften, Erfindungen, Honorare) der Handreichung durch den Fachmann immer noch bedürfen.

Wie stellt sich der Schwede nun die Besteuerung der Unternehmer vor? Karl Gustafson war selbst ein Unternehmer, und das in Schweden! Er war viele Jahre Lieferant der schwedischen Verkehrspolizei, die sich ihre Motorradhelme von ihm mit ausgezeichneten Funksprechanlagen ausrüsten ließ, bis er schließlich von einem Konkurrenten ausgebootet wurde, der im Gegensatz zu ihm ganz souverän auf der Schmiergeldgeige fiedeln konnte. Er hat also an vorderster Steuer-Front gestanden und konnte wohl auch nur so zu Einsichten und Erkenntnissen gelangen, die einem pensionsberechtigten Beamten so schnell nicht eingefallen wären. Bei der Unternehmerbesteuerung überrascht Gustafson erneut mit einer brillanten Idee, auf die eben nur ein genervter Unternehmer kommen konnte (war nicht auch Silvio Gesell ein Unternehmer?!). Gustafson modifiziert seine Methode dahingehend, dass alle Unternehmer einen beliebig (!) großen Teil ihres Gewinns als persönlichen Unternehmerlohn abzweigen dürfen! Der helle Wahnsinn, oder ein weiteres Ei des Columbus? Urteilen Sie selbst:

Zur Ermittlung des Unternehmer-Stunden(!)lohns sind die privat abgezweigten Teile des Gewinns dann nur noch durch die Zahl der amtlich festgestellten Jahresarbeitsstunden (ohne Überstunden wohlgemerkt!) zu teilen, um auf den Unternehmer-Stundenlohn zu kommen. Mit der amtlich bereits festgesetzten und natürlich auch für Unternehmer geltenden *Steuerstunde* (in unserem Beispiel = 3,19) multipliziert, ist die pro Tag zu zahlende Unternehmerlohnsteuer (Zeitsteuer) leicht zu ermitteln und problemlos auf die monatliche Steuerlast hochzurechnen. Na schön, aber diese Beliebigkeit beim Abzweigen seines Privateinkommens, öffnet die dem Missbrauch nicht Tür und Tor? Keineswegs! Denn den restlichen Teil des Gewinns hat der Unternehmer auf einem gläsernen Investitionskonto zu parken! Das Finanzamt hat also jederzeit Einblick, nur eben kein Mitspracherecht! Dort steht der restliche Gewinn dem Unternehmer nicht nur bis zum Jahresende, sondern bis zum Ende des folgenden Jahres steuerfrei zur Verfügung, falls dieses Geld – und jetzt kommt der Knackpunkt – für Reparaturen, Modernisierungen, Produktentwicklungen und

Forschungen, kurz zur Schaffung und Erhaltung von Arbeitsplätzen herangezogen wird. Zahlt sich der Unternehmer »versehentlich« einen zu hohen Unternehmerlohn und stellt er im Laufe des Jahres fest, dass es für das Unternehmen eigentlich vorteilhafter gewesen wäre, einen Teil dieses an sich selbst bereits ausgezahlten Unternehmerlohnes doch besser in den Betrieb zu investieren, lässt das Finanzamt eine entsprechende Umschichtung problemlos zu und vergütet dann selbstverständlich auch die bereits (zuviel) gezahlten Zeitsteuern! Umgekehrt wird ihm natürlich auch gestattet, Teile aus dem gläsernen Investitionskonto auch noch nachträglich – also erst im Laufe des Jahres – dem privaten Unternehmerlohn zuzuschlagen; und er hat dann selbstverständlich auch die entsprechenden Steuern nachzuzahlen. Die besonders in Unternehmerkreisen übliche Selbstausplünderung durch Wochenendarbeit und 16-Stunden-Tage, die der Gesundheit, dem Betriebsklima und dem Familienleben so abträglich sind, kann dann aus eigener Kraft überwunden werden. Der Unternehmer kann es sich in der Zfö nämlich leisten, die Arbeit auf mehrere (gut bezahlte!) Schultern zu verteilen. Dieser vom Steuersystem ausgehende Zugewinn an Lebensqualität wird sich erfahrungsgemäß und voraussichtlich auf die Kreativität des Unternehmers und die seiner Mitarbeiter/innen sehr positiv auswirken.

Welche Folgen hätte das für die Wirtschaft? Die Selbstfinanzierungsmöglichkeit der kleineren und mittleren Unternehmen (die heute immerhin 80 % aller Arbeitsplätze zur Verfügung stellen) stiege beträchtlich; entsprechende Kredite müssten also nicht mehr oder jedenfalls in viel geringerem Maße in Anspruch genommen werden. Unternehmer, »die bei der Bank zur Miete wohnen«, also jahrelang praktisch nur noch für die Kapitalbedienung (=Zinsen!) arbeiten und produzieren, werden die Vorteile dieser Variante der Zeitfaktor-Ökonomie (Zfö) auf Anhieb erkennen. Auch eine deutlich größere Zahl junger Leute könnte den Schritt in die Selbstständigkeit wagen. Diese Jungunternehmer/innen würden dann nicht nur den Arbeitsmarkt entlasten (und als ehemalige Arbeitslose obendrein auch noch die Arbeitslosenversicherung), sondern mit der Schaffung neuer Arbeitsplätze zu einer dauerhaften Trendwende auf dem Arbeitsmarkt beitragen. Einem Zuviel an Arbeitslosen steht heute nämlich ein (in linken und grünen Kreisen traditionell verschwiegenes) Zuwenig an Arbeitgebern gegenüber! Genau hier setzt die Zfö den Hebel an.

Fassen wir zusammen: Die Zfö ist ein Reformkonzept von bestechender Eleganz, das sich dem 24-stündigen Takt der Erdumdrehung als unbestechliche Naturkonstante bedient. In der Schachliteratur werden die Großmeister mit einem »Schönheitspreis« geehrt, wenn ihnen einzigartige Schachzüge gelingen, die Fachjournalisten zu Begeisterungsstürmen hinreißen. Hat der schwedische Sozialreformer Karl Gustafson möglicherweise auch so einen Schönheitspreis verdient? Hat er eine bisher unbekannte Furt im Fluss der Möglichkeiten entdeckt und dazu die passenden Trittsteine gleich mitgeliefert? Ich bin überzeugt davon. So lange dieser Streiter für soziale, finanzielle und fiskalische Gerechtigkeit nicht widerlegt werden kann, bleibt uns gar nichts anderes übrig, als seine wirklich bahnbrechenden Erkenntnisse in Wort und Schrift zu verbreiten.

In der Zeitschrift DER 3. WEG (die 2001 in HUMANWIRTSCHAFT umbenannt wurde) habe ich die Arbeitnehmervariante der Zfö im Oktober 1997 und die Unternehmervariante im März 1998 vorgestellt. Die Resonanz auf diese beiden (hier jetzt zusammengefassten und modifizierten) Artikel war jedoch so dürftig, dass ich sie nur am Rande erwähnen möchte. Die abwegigste, um nicht zu sagen dümmlichste Einwendung gegen die Zeitfaktor-Ökonomie kam in Deutschland übrigens vom Vorsitzenden eines christlich angehauchten NWO-Vereins; einem Professor, der mir anlässlich eines Geldseminars der Stiftung für Demokratie und Ökologie (an dem wir beide einen Vortrag hielten) zu diesem Thema abwürgend sagte: *Die Zeit ist ein Gottesgeschenk. Der Mensch darf sie nicht besteuern!* So einfach ist es, den Kopf in den Sand, den eigenen Blickwinkel schmal, das eifersüchtig bewachte Territorium »rein« und auch eine klerikal getrübte Brille noch für klar zu halten.

Andere Kritiker glaubten mich darauf hinweisen zu müssen, dass bei Einführung einer für alle geltenden *Steuerstunde* die

Lohnsteuer prozentual doch für alle gleich sei! Da habe man nun jahrzehntelang dafür gekämpft, dass die kleinen Einkommen prozentual weniger belastet würden als die großen, und da käme nun dieser Schwede daher und würde das Rad der Geschichte wieder zurückdrehen. Diese Kritiker übersehen oder ignorieren, dass die großen Einkommen heute doch nur pro forma prozentual höher belastet werden als die kleinen; in Wirklichkeit aber – wie oben bereits geschildert – mit Hilfe tüchtiger Fluchtgeldberater problemlos von beispielsweise 45 % in Richtung 0 % heruntergefahren werden können, während bei Beziehern kleiner und mittlerer Einkommen die Forderung des Finanzamtes grundsätzlich und unentrinnbar zu 100 % durchgedrückt wird. Teile der deutschen NWO-Bewegung haben offenbar nicht ertragen können, dass die zweifellos vorhandenen Reformdefizite in der Steuergerechtigkeitsfrage durch das überraschende Auftauchen der Zfö erst so richtig zum Vorschein gekommen sind. Das längst fällige Buch von Karl Gustafson soll nun endlich 2005 unter dem schwedischen Titel »Alexanderhugget« (Der Alexanderhieb) erscheinen. Für alle, die es lieber etwas komplizierter haben möchten, kann ich schon heute verraten: Die Zfö wird natürlich nicht ganz so einfach sein, wie ich sie hier dargestellt habe, aber auf jeden Fall einfach genial!

Fassen wir das 14. Kapitel noch mal zusammen:

a) »Das Ei des Columbus« müsste eigentlich »das Ei des Brunelleschi« heißen. Columbus wusste jedoch den Umstand zu nutzen, dass die Kenntnis von der originellen »Eierprobe« des berühmten Architekten am spanischen Königshof noch nicht angekommen war.

b) Der schwedische Sozialreformer und Steuerexperte Karl Gustafson hatte als Erster die geniale Idee, die Erdumdrehung in den Dienst der Steuergerechtigkeit zu stellen. Darauf muss auch erst mal einer kommen!

c) Die Zeitfaktor-Ökonomie (ZfÖ) nutzt »ganz einfach« den unbestechlichen 24-Stunden-Takt der Erdrotation. Dagegen sind auch ausgefuchste Steuerhinterzieher machtlos, es sei denn, es gelänge ihnen, die Rotationsgeschwindigkeit der Erde ganz nach Bedarf und Belieben entweder zu beschleunigen oder zu verlangsamen.

d) Die ZfÖ trägt dem Umstand Rechnung, dass alle Menschen nur ein Leben haben. Dass die Menschen unterschiedlich hohe Einkommen beziehen, wird vom Urheber der ZfÖ akzeptiert, nicht aber die Ungerechtigkeit, dass die Menschen kleiner und mittlerer Einkommen einen wesentlich größeren Abschnitt ihrer Arbeitszeit der Steuer zu opfern haben als die Bezieher großer Einkommen. Das war bisher völlig übersehen worden.

e) Indem also alle eine gleichlange Zeit ihrer täglichen Arbeitszeit der Steuer opfern, fließen dem Staat Milliardenbeträge zu, die bisher legal oder illegal zurückgehalten werden konnten. Damit ist es dann vorbei.

f) Steuern, die nicht länger hinterzogen werden können, führen entweder zu einer spürbaren Steuerentlastung für alle am Wirtschaftsleben Beteiligten, oder der Staat verwendet sie zunächst zum Abbau seiner Schulden. Mehr noch: Der Staat muss dann auch keine neuen Schulden mehr aufnehmen und gewinnt (schon im Vorfeld der NWO-Einführung!) einen Teil seiner längst verlorengegangenen Handlungsfähigkeit zurück.

g) Die ZfÖ fördert das Unternehmertum und kurbelt auch dadurch die Wirtschaft an. Die heutige Situation des »Zuviel an Arbeitslosen« und des »Zuwenig an Arbeitgebern« wird durch die ZfÖ buchstäblich auf den Kopf gestellt.

h) Die Natürliche Wirtschaftsordnung (NWO) und die Zeitfaktor-Ökonomie (ZfÖ) werden sich voraussichtlich in idealer Weise

ergänzen, zumal die NWO-Bewegung beim Thema Steuergerechtigkeit bisher noch nicht überzeugen konnte, während der
ZfÖ die Gesell'sche Umlaufsicherung des Geldes fehlte.

Überlebenschance: 20 %!

In einer Jugendherberge auf der Insel Orust (vor der schwedischen Westküste) hing diese Fliegenklatsche an der Wand. Ein viereckiges Loch inmitten der Schlagfläche ließ mich stutzig werden. Dort stand, was ich nicht zu ahnen gewagt hätte, und das auch noch zweisprachig: *Give the fly a chance* und *Gib der Fliege eine Chance*. Ich habe die Klatsche natürlich sofort ausprobiert und konnte feststellen: Im Schnitt kommt etwa jede fünfte Fliege mit heiler Haut davon. Ob die Schweden aber 20 % tierfreundlicher sind als wir Deutschen, diese Frage ließ der Herbergsvater offen (Schweden sind höflich). Nach meinem Urlaub habe ich leider feststellen müssen, dass es sich nicht lohnt, im Familien- oder Freundeskreis von dieser Fliegenklatsche aus Orust in Schweden zu schwärmen, denn diese absolut wahre Geschichte hat einen kleinen Nachteil: Sie wird einem ohne Fotobeweis nicht geglaubt! Probieren Sie es aus; Sie werden es erleben! Das behalte man im Auge, wenn wir auf Leute stoßen, die auch die einfachsten Dinge, z.B. die Überwindung der Arbeitslosigkeit, entweder nicht glauben können, nicht glauben wollen oder nicht glauben dürfen.

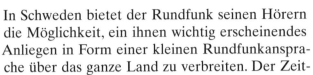

Nun mach mal!

In Schweden bietet der Rundfunk seinen Hörern die Möglichkeit, ein ihnen wichtig erscheinendes Anliegen in Form einer kleinen Rundfunkansprache über das ganze Land zu verbreiten. Der Zeitrahmen von zwei bis vier Minuten ist – gemessen an vergleichbaren Möglichkeiten in Deutschland – recht üppig; doch versuchen Sie mal, die NWO Silvio Gesells in diesen Fingerhut zu packen! Da meine Frau aber nicht locker ließ und die täglich gesendeten Beiträge nicht immer das Gelbe vom Ei waren (»das kannst du doch viel besser!«), habe ich es einfach mal getan. Man greift dann zum Telefonhörer, wählt die Nummer von Radio Malmö, Abteilung »Klarspråk« (Klartext) und spricht seinen Text auf ein automatisch zugeschaltetes Tonbandgerät des Senders. Dann aber Tag für Tag morgens und mittags darüber enttäuscht sein, dass der Beitrag ja immer noch nicht gesendet wurde, ja so hatte ich mir die letzte Woche unseres Schwedenurlaubs nun auch wieder nicht vorgestellt. Aber das Warten hat sich dann doch gelohnt. Zwei Tage vor unserer Heimfahrt nach Deutschland wurde meine kleine Rundfunkansprache sowohl morgens als auch zur Mittagszeit landesweit ausgestrahlt. Und – hat es was gebracht? Ich mache es kurz: Es folgten Einladungen zu insgesamt zwölf Vorträgen in Gymnasien und Hochschulen von Göteborg über Stockholm bis hoch hinauf nach Sundsvall! Honorar, Kilometergeld, Schiffspassagen und Hotelübernachtungen wurden von der JAK-Bank gesponsert, der einzigen Bausparkasse Schwedens übrigens, die Bauherren zinslos (!) zu einem Eigenheim verhilft (und sich zu gegebener Zeit auch in Deutschland niederzulassen gedenkt). Im Rahmen dieser Vortragsreisen (1998, 1999, 2002) lernte ich die noch in den Anfängen steckende NWO-Bewegung Schwedens kennen, u.a. auch den Steuerexperten und Sozialreformer Karl Gustafson, der meinen Beitrag über Silvio Gesell zufällig (?) im Radio gehört hatte und mich bei unserem ersten Treffen in Stockholm noch mit der Bemerkung genervt hat, uns Freiwirten fehle die naturgesetzliche Verankerung. Heute wissen wir, was er damit meint.

Inzwischen hatte ich meinen Radiobeitrag aus dem Schwedischen auch ins Deutsche übertragen, in der Zeitschrift DER 3. WEG publiziert und meinem treuen Mitstreiter Hans-Joachim Rynalski *(»Unser Mann in Polen«)* in Breslau zur Verfügung gestellt. Ihm gefiel die kurze Rede so gut, dass er sie gleich ins Polnische übersetzen ließ und – von einem Begleitschreiben flankiert – den polnischen Bischöfen, der Gewerkschaft Solidarnos und hohen Persönlichkeiten des öffentlichen Lebens in Polen zukommen ließ. Und das alles doch nur, weil meine schwedische Frau im offenbar richtigen Moment gesagt hatte: »Gör något!« (»Nun mach mal!«) Dieses Beispiel eines zufälligen Aktivgewordenseins zeigt, um welche Möglichkeiten wir in Deutschland z. Zt. noch betrogen werden, wenn sich die Redaktionen der Radio- und TV-Sendeanstalten und die der Printmedien auch weiterhin darauf einigen, das Thema Geldsystemkritik nur unter Vorbehalt oder lieber gar nicht aufzugreifen. Während ich bei meiner Ankunft in Linköping von einem Aufnahme-Team des 1. Schwedischen Fernsehens bereits im Hotel erwartet und noch vor meinem Vortrag interviewt wurde, ist das Thema *Arbeit und Wohlstand für alle* in Deutschland – trotz der über fünf Millionen Arbeitslosen – für das deutsche Fernsehen offenbar nicht aktuell genug oder ein zu heißes Eisen. Dass sich diese beschämende Situation schon in absehbarer Zeit ändern wird, davon bin ich fest überzeugt. Es kommt jetzt also darauf an, die »Zwischeneiszeit« so gut wie möglich zu nutzen!

Den Multiplikatoren unter meinen Leserinnen und Lesern möchte ich daher empfehlen, sich in Ruhe auf diesen Tag X vorzubereiten, indem sie ihr Argumentationsarsenal auf den neuesten Stand bringen. Dass diese Argumente gerade auch dann Außenstehende zu überzeugen vermögen, wenn sie schon älteren Datums sind, möchte ich mit der nun folgenden Rundfunkansprache des bekannten amerikanischen Kongressabgeordneten Charles G. Binderup beweisen, dem damals (kurz nach dem 2. Weltkrieg) auch nur wenige Minuten zur Verfügung gestellt wurden. Der kanadischen Zeitschrift »Michael« sei für die Wiederentdeckung dieser schon in Vergessenheit geratenen Perle herzlich gedankt. Gedankt sei aber auch meinen Mitstreitern Prof. Dr.

Eckhard Grimmel, der sie mir ins Deutsche übersetzte, und Klaus Müller, der für die Verbreitung dieser Radioansprache in Form eines bei ihm erhältlichen Faltblattes sorgt (siehe Literatur).

Wie Benjamin Franklin Neuengland zur Blüte verhalf
Von Charles G. Binderup

Vor dem amerikanischen Unabhängigkeitskrieg (1776) war der kolonisierte Teil dessen, was heute die Vereinigten Staaten von Amerika sind, im Besitz von England. Er wurde Neuengland genannt und bestand aus 13 Kolonien, welche die ersten 13 Staaten der großen Republik wurden.

Um 1750 war dieses Neuengland sehr wohlhabend. Benjamin Franklin konnte folgendes schreiben:

»Es gab Überfluss in den Kolonien, und Friede herrschte an allen Grenzen. Es war schwierig, ja sogar unmöglich, eine glücklichere und blühendere Nation auf der ganzen Erde zu finden. In jedem Heim war Wohlstand vorherrschend. Im allgemeinen hielt das Volk die höchsten moralischen Maßstäbe ein, und Erziehung war weit verbreitet.«

Als Benjamin Franklin nach England hinüberfuhr, um die Interessen der Kolonien zu vertreten, begegnete er einer völlig anderen Situation: die arbeitende Bevölkerung dieses Landes war von Hunger und Armut zerrüttet.

»Die Straßen sind voll von Bettlern und Landstreichern«, schrieb er. Er fragte seine englischen Freunde, wie England trotz all seines Reichtums so viel Armut in seinen Arbeiterklassen haben konnte.

Seine Freunde erwiderten, dass England das Opfer einer schrecklichen Situation sei: es habe zu viele Arbeiter! Die Reichen sagten, sie seien bereits mit Steuern überlastet und könnten nicht noch mehr bezahlen, um die Massen von Arbeitern von deren Nöten und Armut zu befreien. Mehrere reiche Engländer jener Zeit glaubten wirklich, zusammen mit Malthus, dass Kriege und Seuchen nötig seien, um das Land von Arbeitskraftüberschüssen zu befreien.

249

Danach wurde Franklin von seinen Freunden gefragt, wie die amerikanischen Kolonien es organisierten, genug Geld zu sammeln, um die Armenhäuser zu unterstützen und wie sie die Armutsseuche bezwingen würden. Franklin erwiderte:

»Wir haben in den Kolonien keine Armenhäuser; und falls wir welche hätten, gäbe es niemanden, den wir einweisen müssten; denn wir haben nicht eine einzige arbeitslose Person, weder Bettler noch Landstreicher.«

Seine Freunde glaubten, ihren Ohren nicht zu trauen und verstanden noch weniger diese Tatsache. Als die englischen Armenhäuser und Gefängnisse zu unruhig wurden, verschiffte England diese armen Wichte und Penner wie Vieh und lud diejenigen, welche die Armut, den Schmutz und die Entbehrungen der Reise überlebt hatten, an den Kais der Kolonien ab. Zu jener Zeit wurden in England alle diejenigen ins Gefängnis geworfen, die ihre Schulden nicht bezahlen konnten. Deshalb fragten sie Franklin, wie er sich den bemerkenswerten Wohlstand der Neuengland-Kolonien erklärte. Franklin antwortete:

»Das ist ganz einfach. In den Kolonien geben wir unser eigenes Papiergeld heraus. Es wird Colonial Scrip (= Kolonialaktie) genannt. Wir geben es in angemessener Menge heraus, damit die Waren leicht vom Produzenten zum Konsumenten übergehen. Indem wir auf diese Weise unser eigenes Papiergeld schöpfen, kontrollieren wir seine Kaufkraft, und wir haben an niemanden Zinsen zu zahlen.«

Diese Informationen wurden den englischen Bankiers bekannt, sie waren auf der Hut. Sie ergriffen sofort die nötigen Gegenmaßnahmen, um das britische Parlament zu veranlassen, ein Gesetz zu verabschieden, das den Kolonien verbot, ihr Colonial Scrip zu benutzen und das sie anwies, nur das Gold- und Silbergeld zu benutzen, welches von den englischen Bankiers in unzureichender Menge zur Verfügung gestellt wurde. Danach begann in Amerika die Pest des Schuldgeldes, das seither dem amerikanischen Volk soviel Flüche eingebracht hat.

Das erste Gesetz wurde 1751 verabschiedet und dieses durch ein noch restriktiveres Gesetz 1763 vervollständigt. Franklin berichtete, dass im Jahr nach dem Vollzug des Verbotes des Kolonialgeldes die Straßen der Kolonien mit Arbeitslosen und Bettlern besetzt waren, genau wie in England, weil es nicht genug Geld gab, Waren und Arbeit zu bezahlen. Das zirkulierende Tauschmittel war auf die Hälfte reduziert worden. Franklin fügte hinzu, dass dieses der eigentliche Grund für die Amerikanische Revolution war – nicht die Teesteuer und nicht das Steuergesetz, wie es immer wieder in den Geschichtsbüchern gelehrt worden ist. Die Finanziers schaffen es immer wieder, dass aus allen Schulbüchern alles das entfernt wird, was Licht auf ihre eigenen Pläne werfen könnte, und was die Glut, die ihre Macht schützt, beschädigen könnte. Franklin, der einer der Hauptarchitekten der amerikanischen Unabhängigkeit war, sagte es deutlich:

»Die Kolonien hätten gern die geringe Steuer auf Tee und andere Materialien ertragen, wäre es nicht die Armut gewesen, verursacht durch den schlechten Einfluss der englischen Bankiers auf das Parlament, welche in den Kolonien den Hass gegen England und den Revolutionskrieg ausgelöst hat.«

Dieser Gesichtspunkt von Franklin wurde bestätigt durch große Staatsmänner dieser Ära: John Adams, Thomas Jefferson und mehrere andere. Ein bemerkenswerter englischer Historiker, John Twells, schrieb über das Geld der Kolonien, den Colonial Scrip:

»Es war das Geldsystem, unter dem Amerikas Kolonien in einem solchen Ausmaß aufblühten, dass Edmund Burke schreiben konnte: ›Nichts in der Geschichte der Welt gleicht ihrem Fortschritt. Es war ein vernünftiges und wohltätiges System, und seine Auswirkungen führten zum Glück des Volkes‹.« John Twells fügte hinzu:

»In einer schlimmen Stunde nahm das britische Parlament Amerika sein repräsentatives Geld, verbot jegliche weitere Herausgabe von Geldscheinen, ließ diese Geldscheine aufhören, legales Geld zu sein, und verlangte, dass alle Steuern mit Münzen bezahlt werden sollten. Bedenken Sie jetzt die Konsequenzen: Diese Restriktion des Tauschmittels lähmte alle industriellen Energien des Volkes. Die einst blühenden Kolonien wurden ruiniert. Schlimmste Not suchte jede Familie und jedes Geschäft heim. Aus Unzufriedenheit wurde

Verzweiflung, und die erreichte den Punkt, in dem sich die mensch-
liche Natur erhebt und ihre Rechte beansprucht, um die Worte von
Dr. Johnson zu gebrauchen.«
Ein anderer Schriftsteller, Peter Cooper, äußerte sich in gleicher Weise. Nachdem er ausgeführt hatte, wie Franklin dem Londoner Parlament den Grund für die Blüte der Kolonien erklärt
hatte, schrieb er:
»Nachdem Franklin die Erklärungen zum wahren Grund der
Blüte der Kolonien abgegeben hatte, erließ das Parlament Gesetze,
die den Gebrauch dieses Geldes für die Steuerzahlungen verboten.
Diese Entscheidung brachte so viele Nachteile und so viel Armut
über das Land, dass sie zum Hauptgrund für die Revolution wurde.
Die Vernichtung des Kolonialgeldes war ein viel wichtigerer Grund
für den allgemeinen Aufstand als das Tee- und Stempelgesetz.«

So weit die Radioansprache des amerikanischen Kongressabgeordneten Charles G. Binderup. Wir haben also an einem weiteren
Beispiel erkennen können, wie verheerend sich ein Geld auswirkt,
das künstlich verknappt wird, um dadurch einen möglichst hohen
Knappheitspreis, sprich: Zins, erpressen zu können; und wir haben
weiter gesehen, mit welcher Brutalität englische Bankiers buchstäblich über Leichen gegangen sind, um ihre Ziele in Amerika
zu erreichen. Wie falsch und verlogen die Ursachen für den Ausbruch des Nordamerikanischen Unabhängigkeitskrieges (1775–
1783) an deutschen Schulen zum Teil auch heute noch dargestellt
werden, ist den meisten Schulbüchern und Nachschlagewerken zu
entnehmen. Ich empfehle Eltern schulpflichtiger Kinder, diesen
Hinweis zu überprüfen und ggf. mit den Geschichtslehrern ihrer
Kinder mal ein ernstes Wort zu reden. Mit dem Kauf eines neuen
Lexikons sollte man so lange warten, bis sich die Redaktion des
Lexikonverlages bereiterklärt, auf eigene Kosten eine Berichti-
gung vorzunehmen: Der Lexikonverlag liefert also für die entsprechende Seite eine korrekte Textpassage zum nachträglichen
(passgenauen!) Einkleben, was mit heutiger Klebe-, Druck- und
Computertechnik überhaupt kein Problem darstellt. Sollte dieser

berechtigte Kundenwunsch abgelehnt werden, würde ich auf den Kauf eines neuen Lexikons verzichten und einer kostengünstigen Alternative vom Trödelmarkt zumindest vorübergehend den Vorzug geben. Siehe dazu auch Kapitel »*Was werden wir tun?*«

Zu den herausragenden Erkenntnissen und Beobachtungen von Benjamin Franklin gehört die Tatsache, dass der für Engländer unfassbare Wohlstand in Neuengland dem einfachen Umstand zu verdanken war, dass die sich damals ihr eigenes Papiergeld gedruckt haben! Das sollten sich die Skeptiker, Bedenkenträger und Besserwisser einmal ganz dick hinter die Ohren schreiben, anstatt sich hinter Sprüchen zu verkriechen (»So einfach ist es ja nun auch wieder nicht!«), die nicht nur dumm, sondern nachweislich auch falsch sind. Während England seine Arbeitslosen wie Vieh nach Australien verschiffte, »*hielt das Volk* (in Amerika) *die höchsten moralischen Maßstäbe ein, und Erziehung war weit verbreitet.*« Hier tritt doch überdeutlich zu Tage, dass der Mensch moralisch nicht nachgebessert werden muss, wenn ihm ein gutes Geldsystem das Leben lebenswert erscheinen lässt. Mit einem weiteren Beispiel, das uns die Bedeutung eines dienenden Geldes und die Skrupellosigkeit englischer Bankiers vor Augen führt, möchte ich diese Grundthese untermauern:

Das Mirakel von Guernsey

Unglaublich, aber wahr: Schon 47 Jahre bevor Silvio Gesell auf die Welt kam und 117 Jahre vor dem Experiment von Wörgl ging das mit Abstand erfolgreichste Freigeldexperiment der Geschichte über die Bühne. In der freiwirtschaftlichen Literatur wird selten versäumt, auf die lehrreiche und äußerst aufschlussreiche Brakteatenzeit hinzuweisen. Im 12. Jahrhundert war es dem Magdeburger Erzbischof Wichmann bekanntlich gelungen, dem Erfahrungsschatz der Menschheit eine besonders schöne Perle hinzuzufügen (siehe 1. Kapitel).

800 Jahre später ließ der Bürgermeister Michael Unterguggenberger in der österreichischen Stadt Wörgl mit seinem Frei-

geldexperiment die Fachwelt aufhorchen und staunen. Aber: zwischen der Brakteatenzeit und Wörgl liegen sieben Jahrhunderte – eine geradezu verdächtig große Zeitspanne; finden Sie nicht auch? Erste »richtige« Freigeldexperimente – so haben wir bisher geglaubt – nahmen in den dreißiger Jahren des vorigen Jahrhunderts ihren Anfang. Diese Annahme ist falsch. Sie kann und muss ab sofort korrigiert werden! Ob Silvio Gesell, Fritz Schwarz, Karl Walker, Hans Kühn, Günter Bartsch, Hans Weitkamp, Werner Zimmermann oder Werner Onken, sie alle haben übersehen, dass es schon vor 180 Jahren eine »Wunderinsel Barataria« wirklich gegeben hat! (»Die Wunderinsel Barataria« ist ein schönes und lehrreiches Märchen von Silvio Gesell. Um seinen Lesern die Auswirkungen der NWO besonders eindringlich und überzeugend darstellen zu können, verlegte er die Handlung einfach auf eine kleine überschaubare Insel.)

Im Jahre 1815 (!) waren die Folgen der napoleonischen Kriege noch längst nicht überwunden. Armut machte sich breit in Europa, und besonders schlimm, ja katastrophal, traf es die englische Kanalinsel Guernsey. Vom milden Golfstrom umspült, mit fruchtbarem Boden gesegnet und klimatisch begünstigt (Guernsey bleibt durch den Golfstrom von strengen Wintern verschont) bot die Insel seit Menschengedenken eigentlich ideale Voraussetzungen für Fischfang, Landwirtschaft, Obst- und Gartenbau.

Die Inselbewohner galten als fleißig und tüchtig. Sie produzierten weit über den Eigenbedarf hinaus und hätten durch den Gemüse- und Fischexport nach London (und durch den Schmuggel mit Frankreich!) reich werden können, wenn es nicht zu diesem »unerklärlichen« Geldmangel gekommen wäre, der den Gemüseanbau schließlich zusammenbrechen ließ, die Menschen zur Verzweiflung brachte und die Inselverwaltung in den Konkurs trieb. Die vom englischen Mutterland eingetriebenen Steuern und die Zinszahlungen an Londoner Banken brachten den Zahlungsverkehr schließlich ganz zum Erliegen. 1815 hatte der Schuldendienst solche Ausmaße erreicht, dass die Zinsforderungen Londoner Banken durch das gesamte Steueraufkommen der Inselbewohner nicht mehr bedient werden konnten.

In dieser Lage sah sich der Gouverneur von Guernsey, Daniel de Lisle Brock, nach einem rettenden Ausweg um. Es fehlten ihm 4.000 Pfund, mit deren Hilfe er eine Markthalle bauen wollte, die – da war er sich ganz sicher – dem daniederliegenden Fisch-, Fleisch- und Gemüseumschlag bei jedem Wetter und zu jeder Jahreszeit neuen Auftrieb geben würde. Der Gouverneur ließ die gesetzgebende Versammlung der Insel in St. Peter Port zusammentreten und zählte zunächst die Probleme auf: Das Ziegelwerk von Guernsey saß auf einem großen Vorrat gebrannter Ziegel, die keiner kaufen konnte, weil das Geld extrem knapp geworden war. Dem Kalk der Kalkbrennerei war ebenfalls nur mit Geld beizukommen. Tüchtige Handwerker und fleißige Arbeiter ließen sich nur mit Geld aktivieren. Geld, das der Inselbevölkerung nicht mehr in ausreichender Menge zur Verfügung stand und aus den geschilderten Gründen selbst gegen hohe Zinsen nicht mehr aufzutreiben war. Eine Markthalle, rechnete der Gouverneur vor, würde für 4.000 Pfund Sterling zu haben sein und sich über Mieteinnahmen innerhalb von wenigen Jahren bezahlt machen. So weit konnten die Abgeordneten ihrem Gouverneur noch folgen und zustimmen, aber dann verschlug es ihnen die Sprache:

Daniel de Lisle Brock machte der Versammlung den Vorschlag, sich diese 4.000 Pfund doch einfach selber zu drucken und als Zweitwährung neben dem englischen Pfund frei zirkulieren zu lassen! Sei die Halle erst mal da und habe sich durch Mieteinnahmen amortisiert, könnte man diese »falschen« 4.000 Pfund Sterling ja wieder aus dem Verkehr ziehen und restlos verbrennen! Da die Menschen damals offenbar noch an Wunder glaubten und dennoch ihren Verstand beisammen hatten, leuchtete den meisten ein, dass der Traum von einer eigenen Markthalle auch mit »unschönem« Geld verwirklicht werden konnte, zumal dieses Notgeld ja anschließend auch wieder verschwinden würde; das hatte der Gouverneur doch ausdrücklich versprochen. Von der ganzen Aufregung würde nur die Markthalle übrigbleiben und der Inselwirtschaft neue Impulse geben. Es gab aber auch heftige Kritik von Abgeordneten, die den Vorschlag einfach nur lächerlich, dumm, absurd, undurchführbar und vor allem auch gefährlich fanden.

Doch die Kritik an diesem Wagnis verstummte, als sich herausstellte, dass die Voraussagen des Gouverneurs voll eintrafen: Der Gemüseanbau kam wieder in Schwung, und die Markthalle hatte sich nach nur fünf Jahren voll amortisiert. Derart auf den Geschmack gekommen, wurden nun erneut 4.000 Pfund Sterling gedruckt, um den Bau einer Straße in Auftrag geben zu können.

Der Gouverneur von Guernsey, Daniel de Lisle Brock, druckte sich — am britischen Pfund vorbei – sein eigenes Inselgeld und führte damit die verarmte und verzweifelte Bevölkerung über die allmählich einsetzende Vollbeschäftigung zu ungeahntem Wohlstand.

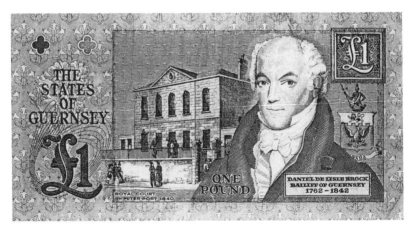

Damals – so haben Reisende berichtet – versank die Insel im Morast kaum noch benutzbarer Straßen. Auch die Geldscheine dieser Serie wurden nach Fertigstellung der Straße wieder aus dem Verkehr gezogen und durch neue ersetzt. Überall auf der Insel wurden jetzt Projekte in Angriff genommen, die nicht länger am fehlenden Gelde scheiterten, da man inzwischen gelernt hatte, sich dieses unter bestimmten Voraussetzungen selbst zur Verfügung zu stellen und vorsichtig dosiert in Umlauf zu setzen. So wurde beispielsweise eine Geldserie gedruckt – und zwar 5.000 Pfund Sterling – um eine lästige Restschuld in England tilgen zu können. Da der englische Kreditgeber natürlich nur an echten Pfund Sterling interessiert war, die Gemüseexporteure auf Guernsey aber gern das in England verdiente Geld gegen das bewährte Inselgeld tauschten, war man auch diese Schmarotzer eines Tages los und konnte sich fortan ungeschmälert der Inselwirtschaft widmen. Eine Geldserie nach der anderen wurde jetzt – immer projektbezogen – gedruckt und nach erfolgreicher Arbeit wieder vernichtet. 10.000 Pfund Sterling für den Bau einer Schule, 12.000 für die Sanierung von Häusern im Umfeld der immer bedeutsamer werdenden Markthalle.

Gouverneur Daniel de Lisle Brock achtete jedoch streng darauf, dass nie mehr als 60.000 Pfund Sterling auf der Insel gleichzeitig kursierten. Möglicherweise steht diese kluge Geldmengenbegrenzung im Zusammenhang mit der inzwischen eingetretenen Vollbeschäftigung. Oder erkannte er bereits die Gefahren der Inflation? Die erst jetzt einsetzende Forschung auf diesem jungfräulichen Gebiet der Geschichte des Geldes wird uns hoffentlich bald näheren Aufschluss darüber geben. Ganze Slumquartiere konnten jetzt schrittweise in Siedlungen mit hellen, modernen Häusern und Wohnungen verwandelt werden. Anstatt wie bisher das teure englische Mehl zu importieren, wurden gleich mehrere (!) Windmühlen gebaut und damit die Abhängigkeit vom Diktat der englischen Lieferanten und Mühlenbesitzer beendet. Weitere Schulen konnten errichtet werden. Die bei Regen kaum passierbaren Straßen auf Guernsey galten schließlich als die besten Europas! Innerhalb von zehn Jahren hatte sich Guernsey in eine blühende Insel verwandelt und geriet dadurch in das Blickfeld geldgieriger Spekulanten und Banken.

Obwohl es jetzt allen Inselbewohnern so gut ging wie nie zuvor, gab es natürlich Leute, die von Zinsen und sonstigen arbeitsfreien Einkommen und Reichtümern träumten. Bei diesen Leuten fanden die Bankiers genau das, was sie suchten: Mitstreiter für einen der niederträchtigsten Angriffe auf die Unabhängigkeit ahnungsloser Menschen. Das Londoner Bankhaus Finkelstein & Co. machte den Anfang und errichtete in der Inselhauptstadt St. Peter Port eine prachtvolle Bankfiliale. Kurz darauf folgte ihr die Commercial Bank. Mit einem für damalige Verhältnisse großen Propagandaaufwand wurde der Bevölkerung auf Guernsey von beiden Bankhäusern ein »besseres« Geld in Aussicht gestellt; ja sogar ein »lebendiges« Geld, das sich nicht nur ganz von allein vermehren würde, sondern vor allem auch mit einer ewigen Gültigkeit lockte. Obwohl der Gouverneur wie ein Löwe für seine Inselwährung gekämpft haben soll, fiel die vom Wohlstand wohl etwas träge gewordene Bevölkerung auf die heimtückischen Versprechungen der beiden Banken herein.

Zum Entsetzen des Gouverneurs führten die Lügen und Intrigen der Bankiers schließlich zu einer folgenschweren Entscheidung der gesetzgebenden Versammlung: Auf Anraten der hinterhältigen Bankiers wurde die umlaufende Geldmenge von 60.000 Pfund Sterling auf 40.000 Pfund Sterling reduziert. (Wir erinnern uns: Mit einer vergleichbaren Geldverknappung lösten englische Bankiers genau 50 Jahre zuvor den Nordamerikanischen Unabhängigkeitskrieg aus.)

Der sofort einsetzende und in jedem Haushalt spürbare Geldmangel musste nun durch Bankkredite »ausgeglichen« werden! Bevor sich die Folgen und Lasten der Zinswirtschaft erkennbar auswirken konnten, hatte sich das überrumpelte Volk von Guernsey von der segensreichen Inselwährung verabschiedet und bekam schon bald die Knute des herrschenden Kapitals zu spüren.

Nachforschungen meiner skandinavischen Freunde haben u.a. ergeben, dass es seinerzeit auch zu einer verhängnisvollen Komplizenschaft zwischen den beiden Banken und den Schmugglern der Insel gekommen war. Die zwischen Frankreich und England sehr günstig gelegene Insel war damals wie heute ein Schmugglerparadies. Die panische Angst vor drakonischen Strafen und die freundliche Zusicherung der Banken, bei Wohlverhalten im Parlament mit dem Schmuggeln ungestört fortfahren zu können, trieb die einflussreiche Zunft der Fischer und Schmuggler in die Arme des Kapitals.

1835 hatten die Banken ihr Ziel erreicht: Das Mirakel von Guernsey wurde endgültig im »Anspruch auf Zins« ertränkt. Nach dem Tode des Gouverneurs geriet das Inselgeld in Vergessenheit und der allgemeine Wohlstand nahm wieder englische Verhältnisse an:

Bittere Armut unter der Landbevölkerung, extremer Reichtum auf Seiten der Landlords.

Heute gleicht die Insel einem Bankenzoo und steht im harten Wettbewerb mit den Steuerfluchtburgen Liechtenstein und Luxemburg. Wie in der Stadt Wörgl in Tirol sind sich die Bewohner der Stadt St. Peter Port auf Guernsey der Bedeutung ihrer Stadt für die Geschichte der Menschheit und des Geldes nicht oder kaum bewusst. Helfen wir mit, diese Erfahrungsschätze dem Vergessen zu entreißen!

Fassen wir das 15. Kapitel noch mal zusammen:

a) Eine Kettenreaktion lässt sich auch mit einfachen Mitteln auslösen (Telefonanruf). Darum sei uns keine Erfolgsaussicht zu klein. Das allmähliche Wachsen der Bedeutung einer uns zunächst noch gering erscheinenden Maßnahme, ist der Lohn für den ersten Schritt, und auf den kommt es bekanntlich an.

b) In den Kolonien Neuenglands herrschte im Vergleich zum Mutterland England ein unvergleichlicher Wohlstand, weil sich die Kolonialverwaltung ihr eigenes Geld druckte und diese »Colonial Scrip« der ganzen Bevölkerung zinslos zur Verfügung stellte.

c) Mit dem Verbot des Colonial Scrip zwang das von Bankiers schlecht beratene englische Parlament den Amerikanern das englische Münzsystem auf. Um hohe Zinsen erpressen zu können, wurden die Gold- und Silbermünzen von vornherein in viel zu geringer Stückzahl (– 50 %) auf den Markt gebracht. Innerhalb nur eines Jahres verwandelte sich der Wohlstand in Hunger, Elend, Aufruhr und Krieg.

d) Darum sollten Geschichtslehrer, Historiker und Lexikonverlage nicht länger die vom Bankensystem lancierte Behauptung verbreiten, der Amerikanische Unabhängigkeitskrieg sei die Folge einer empörenden Teesteuer gewesen. Diese brachte lediglich das Fass der vom Zins geknebelten und geplünderten Bevölkerung endgültig zum Überlaufen.

e) Mit der Einführung eines projektgebundenen Inselgeldes, das sich die Verwaltung der Insel Guernsey sozusagen selbst (und selbstverständlich zinslos) zur Verfügung stellte, entstand aus bitterster Not durch Vollbeschäftigung ein nie zuvor gekannter Wohlstand.

f) Das Mirakel von Guernsey wurde durch zwei Londoner Banken beendet, die – wie 50 Jahre zuvor in Neuengland – die nichts Böses ahnende Bevölkerung von Guernsey innerhalb weniger Jahre vom allgemeinen Wohlstand zurück in die Zinsknechtschaft führten.

g) Das Mirakel von Guernsey ist erst vor einigen Jahren wiederentdeckt worden. Es kommt daher in den Lehrplänen professoraler Wirtschaftswissenschaftler noch nicht vor. Selbst in der NWO-Bewegung ist dieses sensationelle Freigeldexperiment bisher unbekannt gewesen. Ich selbst verdanke diese Informationen meiner Mitstreiterin Åsa Brandberg aus Stockholm, die ihrerseits auf dänische und englische Quellen zurückgreifen konnte.

Kaufkraftbeständiges Geld

Eine Stunde wird vermutlich auch in Zukunft aus 60 Minuten bestehen. Auch an den 1.000 Gramm, die ein Kilo normalerweise auf die Waage bringt, wird voraussichtlich nicht gerüttelt werden. Beim laufenden Meter bin ich mir da aber nicht so sicher, denn es wäre der Deutschen Bundesbank durchaus zuzutrauen, dass sie den Meter bei erstbester Gelegenheit auf beispielsweise 99,4 cm reduziert. Entsprechende Erfahrungen stehen dieser Behörde bei der DM ja reichlich zur Verfügung. Die Studenten der Volkswirtschaftslehre (VWL) werden daher schon im ersten Semester behutsam an die erstaunliche Tatsache herangeführt, dass an der Währung eines Landes hoheitlich und regelmäßig herumgepfuscht werden darf. So wurde die Kaufkraft der DM seit 1949 von 100 Pfennig – schön langsam versteht sich – bis zur Einführung des Euro auf ca. 26 Pfennig Kaufkraft abgesenkt. Das wird dem Euro nicht anders ergehen. Eine Gesellschaft, die das geniale Konzept der NWO ignoriert, hat sich dann natürlich auch damit abzufinden, dass ihr die Nutznießer dieser absichtlichen (!) Geldentwertung auf der Nase herumtanzen. Zwar würden die heutigen Profiteure der Zinswirtschaft eine verlässlich stabile Währung durchaus begrüßen, doch selbstverständlich nicht um den Preis, künftig auf Zinsgeschenke verzichten zu müssen! Es blieb Silvio Gesell vorbehalten, die Kaufkraft einer Währung auf die Rangstufe unantastbarer Maßeinheiten zu stellen! Sein Konzept der absoluten Werterhaltung des Geldes könnte die lächerliche Rat- und Hilflosigkeit der »Experten« (gegenüber dem Auf und Ab der Wirtschaftskonjunkturen) schlagartig beenden. Die Lösung dieser schicksalhaften Frage ist dem Geldreformer Gesell nämlich dermaßen einfach (= genial!) gelungen, dass sie auch einfach erklärt werden kann – siehe 18. Kapitel. Studenten der VWL diese bahnbrechende Lösung eines bisher unlösbar erscheinenden Problems zu verschweigen, darf unter keinen Umständen länger hingenommen werden! Darum ist vorgesehen, eine der nächsten Apfel-Brief-Aktionen den Professoren (und Studenten!) der VWL ins Nest zu legen. Hatte man ihnen bisher lauter faule Eier untergeschoben, wird es sich dann zum ersten Male lohnen, den interessanten Brutvorgang penibel zu beobachten und das Schlüpfen der Küken voller Vorfreude abzuwarten.

Maßnahmen und Ausnahmen

Wer Maßeinheiten und Messgeräte manipuliert, bekommt
es mit der Polizei zu tun und muss mit empfindlichen Strafen rechnen; »*und das ist auch gut so*«. Von dieser Strafandrohung nicht berührt, sind EZB und Bundesbank. Die
dürfen! Kaum ist der Euro auf dem Tisch, ist seine Kaufkraft nicht mehr frisch.

16 Was werden wir tun?

Früher schrieben Prozessbeobachter, der Angeklagte sei auf krumme Gedanken gekommen und anschließend vom geraden Weg der Tugend abgewichen. Heute drückt man sich anders aus, meint aber das Gleiche: Krumm ist schlecht und gerade ist gut. Die negative Bewertung nahezu alles Krummen merkt sich unser Unterbewusstsein natürlich und stellt die Antennen und Weichen dann vorsorglich schon mal auf kerzengerade und geradeaus. Kein Wunder also, dass es einiger Bewusstheitsübungen bedarf, um sich von Fall zu Fall immer »richtig«, also angemessen zwischen gerade und krumm, kurz und lang, bekömmlich und unbekömmlich entscheiden zu können. Unterbleiben derartige »Übungen«, kann das nicht ohne Folgen bleiben, und eine davon ist die Chancenblindheit. Sie fristet ihr Dasein im Verborgenen und wird in der Regel erst durch Hinweise von außen erkannt und dann entweder dankbar zur Kenntnis genommen oder »das Gesicht wahrend« heftig abgestritten.

Wenn also die Erfolge ausbleiben – wie bei den bisherigen Bemühungen, die NWO einzuführen, muss davon ausgegangen werden, dass ein wirksamer Mangel (oder sogar ein ganzer Strauß wirksamer Mängel) das Weiterkommen »erfolgreich« verhindert hat. Sagt ein Virus etwa laut und deutlich: »Hallo, da bin ich!«? Nein, ein Virus arbeitet lieber unerkannt im Verborgenen und gibt sich erst nach Jahren in Form einer heimtückischen Krankheit zu erkennen. Oft ist es dann bereits zu spät. Mit der gleichen Hinterhältigkeit sorgen unentdeckte, aber hochwirksame (!) Mängel dafür, dass uns die Arbeit zur Vorbereitung der NWO wie eine Sisyphusarbeit »von der Hand geht«; durchaus vergleichbar mit der vergeblichen Mühe des Königs von Korinth, der (zur Strafe für einen durch Hinterlist errungenen Sieg) einen Felsblock den Berg hinaufzuwälzen hatte. Der griechischen Sage nach ist ihm der Stein – kurz vor dem Gipfel angekommen – immer wieder aus den Händen geglitten und ins Tal der Tränen zurückgepoltert. Natürlich hinkt dieser Vergleich, denn nichts liegt uns ja ferner, als durch Hinterlist voranzukommen. Ganz im Gegenteil kämpfen wir – im Unterschied zu den meisten Gegnern der NWO – mit offenem Visier, legen also alle unsere Karten auf den Tisch, sagen klipp und klar was wir wollen, wie ich das in diesem Buch doch auch tue.

Wenn aber alles Denken, Reden, Schreiben, Lesen, Überzeugen, Taktieren, Bangen, Hoffen, Mahnen und Kämpfen schließlich doch vergeblich war, was dann? Wenn wir auf diese Frage keine Antwort finden, war alles umsonst, auch dieses Buch! Ich hätte mich dann schon an dieser Stelle dafür zu entschuldigen, meiner Leserschaft für nichts und wieder nichts so viel Zeit für eine völlig sinnlose Lektüre gestohlen zu haben. Nur weil ich glaube, ja fest überzeugt davon bin, auf diese Gretchenfrage eine uns weiterführende Antwort geben zu können, ist das vorliegende Buch nun schon in 7. Auflage noch einmal gründlich überarbeitet, verschärft und aktualisiert worden. Und meine Antwort sieht so aus:

1. Wir geben selbstverständlich nicht auf. Niemals!
2. Wir bleiben andererseits aber auch nicht einfach stehen, um auf einen Wink des Schicksals zu warten oder auf ein Wunder zu hoffen (da könnten wir warten, bis uns schwarz vor Augen wird).
3. Wir schreiten auf dem »eingeschlagenen« (!) Weg *keineswegs* einfach weiter voran – wie in all den Jahren zuvor.
4. Wir gehen statt dessen ein gutes Stück des Weges noch einmal zurück und lassen dabei jene Aktivitäten und Ereignisse Revue passieren, »die es nicht gebracht haben«.
5. Wir nutzen »*die Zeit, den wertvollsten Rohstoff des Menschen*« (G. Großmann) so, wie es sich gehört für eine Idee, deren Zeit nun gekommen ist!
6. Gelassen wie ein Schwede, flexibel wie ein Italiener und zuverlässig wie ein Deutscher gehen wir mit Optimismus und Vorfreude erneut ans Werk.

Erinnern Sie sich zunächst Ihrer eigenen Ausgangslage! Wann sind Sie zum ersten Male mit den Gedanken Silvio Gesells in

Berührung gekommen? Sie nehmen mit diesem Rückblick keineswegs die alte Ausgangslage wieder ein, stehen Ihnen doch die
inzwischen gemachten Erfahrungen und Kenntnisse zur Verfügung, die z. B. vor der Lektüre dieses Buches möglicherweise noch
nicht vorhanden waren, die Ihnen jetzt aber von Anfang an (!) zur
Verfügung stehen. Das ist doch ein ganz erheblicher Unterschied,
den es natürlich auch zu nutzen gilt. Dieser »Rückschritt« bis zur
Ausgangslage wird uns davor bewahren, genau den gleichen Weg
– und sei es nur in Gedanken – noch einmal zu gehen. Kürzer wird
dieser neue Weg nicht sein können; dafür werde ich mit den weiter
unten aufgetischten Aufgaben und denen, die Ihnen selbst noch
einfallen werden, schon sorgen. Unser aller Weg wird also etwas
länger und auf jeden Fall ein krummer sein!

Es wird somit ein Umweg sein, den wir zurückzulegen haben.
Nicht irgendwann einmal, sondern vorschlagsweise jetzt oder
spätestens ab morgen! Der Mensch, also Sie und ich, wir alle,
neigen von Natur aus dazu, ein Ziel über Kimme und Korn ins
Auge zu fassen. *»Wie mit dem Lineal gezogen«* hieß es früher so
schön. Auch als Menschen des 21. Jahrhunderts bewegen wir uns
gedanklich und real noch immer gern *»wie von einem Laserstrahl
geführt«,* also auf einer schnurgeraden Linie zwischen Wunsch
und Wunscherfüllung. Es gibt natürlich auch Ausnahmen von
dieser Regel, die uns aber kaum bewusst sind und erstaunlicherweise auch nicht als »gegen den Strich« empfunden werden: Bei
einem erholsamen Spaziergang z. B. »klebt« unser Blick viel länger und intensiver an einem sich lieblich dahinschlängelnden Bach
als an einem sterilen Graben. Die nicht nur mit dem Harmonie-
bedürfnis eines mental gesunden Menschen erklärbare Bevorzu-
gung krummer Augenweiden bedeutet nun aber keineswegs, dass
der Mensch im beruflichen Alltag, in seinem Streben nach Erfolg
und auf der Suche nach Lebensglück die Geradlinigkeit instinktiv
oder intuitiv ablehnen würde. Das sicher auch schon deshalb nicht,
weil uns von Kindesbeinen an beigebracht worden ist, das Gerad-
linige als erstrebenswerte und vorbildliche Charakterhaltung zu
empfinden und bei anderen mit Hochachtung und Respekt zur
Kenntnis zu nehmen. »Gerade« auch bei der Frage, wie wir uns

zu erfolgreichen Wegbereitern der NWO entwickeln können, um einen respektablen Teil der in dumpfer Ahnungslosigkeit gehaltenen Bevölkerung endlich für die Natürliche Wirtschaftsordnung (NWO) gewinnen zu können, ist immer wieder zu bedenken, dass es in der Natur überhaupt keine völlig geraden Linien gibt. Seit Albert Einstein wissen wir sogar, dass nicht einmal das Licht gerade durch den Weltraum rast, sondern sich von der Schwerkraft schwarzer Löcher, Sonnen und Planeten wie eine Banane krümmen lässt!

Bei überschaubaren und einfachen Aufgaben (z.B. morgens schnell noch Brötchen holen) kann der direkte (gerade) Weg noch sinnvoll sein. Dann hat man es hinter sich und kann sich ohne Umschweife mit der Morgenzeitung an den gemütlichen Frühstückstisch setzen. Das Wort *schnurstracks* hängt vermutlich mit dem Lösen derart leichter (»gerader«) Aufgaben zusammen. Aber schon beim Überqueren der Straße (zum Bäcker gegenüber) könnte der kürzeste Weg auch der letzte in unserem Leben gewesen sein: Der Umweg bis zur Ampel zahlt sich aus, wenn uns eine leichtsinnige Abkürzung – zumal bei dichtem Verkehr – Kopf und Kragen kosten könnte. Bei Langzeitprojekten, wichtigen Teilaufgaben und Wunscherfüllungen von größter Bedeutung ist die Suche nach dem kürzesten Weg grundsätzlich die falsche Vorgehensweise und voraussagbar zum Scheitern verurteilt! Sie widerspricht dem komplizierten Regelwerk der erlernbaren (!) Erfolgsverursachung und der nicht ganz so einfachen Misserfolgsvermeidung, von den ungeschriebenen Gesetzen der Lebenskunst hier einmal ganz zu schweigen!

Davon können übrigens ungeduldige Männer ein Lied singen, die schon mal versucht haben, einem hochanständigen Mädchen aus gutem Hause etwas zu früh an die Wäsche zu gehen, also bevor das zeitraubende, »lästige«, aber eigenartigerweise unumgängliche Balzritual der Brautwerbung von A bis Z vorschriftsmäßig durchlaufen wurde. An der Bettkante seiner Auserwählten endlich angekommen, wird sich schon so mancher Mann an den Kopf gefasst und gefragt haben, ob dieses »Getue« denn nicht auch etwas rationeller und rascher zu haben gewesen wäre. Doch beim Balzen gilt – wie im Tierreich – die gnadenlose Regel: Entweder du machst es gleich richtig, oder du schaffst es nie! Ich weiß natürlich auch, dass es die leichteren und die mittleren Fälle gibt, also Mädchen oder Frauen, die meinetwegen schon nach einer feucht-fröhlichen Geburtstagsfete in schwüler Sommernacht den verzeihlichen Abstecher ins Heu oder den weniger schönen in die Besenkammer des Hotels für die natürlichste Sache von der Welt halten, aber ich möchte die freiwirtschaftlich ambitionierte Leserschaft dieses Buches dringend davor warnen, potentielle Interessenten an der NWO in ihrer Sprödigkeit zu unterschätzen! Unnahbar wie eine moralisch gefestigte, mit Korsettstangen gepanzerte und zu allem Überfluss auch noch mit dem Rückzug ins Kloster liebäugelnde Jungfrau, zwingen sie uns zu der schmerzlichen Einsicht, dass der Köder nach wie vor dem Fisch angepasst werden muss und nicht etwa dem Angler zu schmecken hat!

Beim inzwischen hundertjährigen Versuch, die NWO einzuführen, müssen also hochwirksame Mängel übersehen und schwere Fehler – auch im zwischenmenschlichen Bereich – gemacht worden sein, denn an der mangelnden Bedeutung und Attraktivität der NWO (Arbeit, Wohlstand und Frieden für alle Menschen auf der ganzen Erde!) kann es ja nun wirklich nicht gelegen haben. Sind also die tausendfältig gescheiterten Versuche des 20. Jahrhunderts innerhalb der NWO-Bewegung alle für die Katz gewesen? Scheinbar ja; in Wirklichkeit natürlich nicht, denn immerhin haben sie den Kopf der NWO sicher über Wasser halten helfen! Zu keiner Zeit soll zu befürchten gewesen sein (habe ich mir von NWO-Veteranen bestätigen lassen, die Silvio Gesell zum Teil noch persönlich gekannt haben), die NWO könne sang- und klanglos untergehen und der Menschheit wie eine unterdrückte Erfindung unwiederbringlich verloren gehen. Das zumindest wurde erreicht. Ein schwacher Trost? Nicht unbedingt.

Zwei weitere Faktoren – es handelt sich übrigens um die absoluten Renner und Klassiker unter den Ausreden, weshalb der Erfolg bisher ausgeblieben sei – haben inzwischen auch schon ca. achtzig Jahre auf dem Buckel: a) *Die Gegner der NWO sind einfach zu mächtig gewesen.* b) *Die Zeit war eben noch nicht reif dafür.*

In letzter Zeit ist sogar noch eine dritte Komponente dazugekommen: Linksradikale Splittergruppen, die aus dem Ende des »real existierenden« Sozialismus offenbar nichts gelernt haben, neiden der Freiwirtschaftsbewegung (also jedem von uns!) in zunehmendem Maße die unvergleichlich überzeugende Kapitalismuskritik Gesells. Es lässt sich ja leider auch nicht vermeiden: Wir mussten und wir müssen den Ultralinken (und sogar Teilen der SPD) die kardinalen Denkfehler von Karl Marx unüberriechbar unter die Nase reiben. Marx übersah bekanntlich, dass Unternehmer, die er sich ja nur als Ausbeuter der Arbeiterschaft vorstellen konnte, in der Zinsknechtschaft ebenfalls zu den Ausgebeuteten zählen – und zwar durch die »Kapitalbedienung«. Da Marx aber auf dem Geldsystem- und Zinsauge genau so blind war wie es die heutige Wirtschaftswissenschaft, die Linken, die Rechten, die Liberalen und die Grünen größtenteils immer noch sind, forderte Marx die Verstaatlichung der Produktionsmittel, während Gesell klar erkannte, dass die Ausbeutung der Massen gerade nicht von den Unternehmern ausgeht, sondern a) von einem Geld, das in der Lage ist, praktisch leistungslos einen Zins zu erpressen und b) von einem Landbesitz, der Pachtzahlungen ebenfalls so gut wie leistungslos erzwingen kann. Folgerichtig forderte Gesell, nicht die Fabriken zu verstaatlichen, sondern das Geld, den Boden und die Bodenschätze. Wer die Überlegenheit Gesells in dieser Frage nicht zu erkennen vermag oder einfach nicht begreifen will, weil er meint, als Marxist sein Gesicht wahren zu müssen und glaubt, den Marxismus trotz seiner kardinalen Mängel irgendwie doch über die Zeit retten zu können, der flüchtet sich dann eben in Ermangelung überzeugender Argumente in die Verleumdung und Bekämpfung der Freiwirtschaftsbewegung.

Da sich dieser Kampf natürlich nicht mit den Mitteln der Logik, der Moral und der Geistesschärfe führen und schon gar nicht gewinnen lässt, setzen unbelehrbare Marxisten auf das Mittel der Herabwürdigung und Verleumdung. Sie bedienen sich dabei der berüchtigten stalinistischen »Kontaktkettenmethode«, die in der UdSSR Hunderttausenden den Tod durch Genickschuss brachte und Millionen in die Verbannung führte. Und so funktioniert die Kontaktkettenmethode noch heute: *Die Autorin X hat sich beispielsweise in einem Fernsehinterview lobend über ein Gedicht von Herrn Y geäußert. Nun ist jedoch von einer Putzfrau im Papierkorb eines Herrn Z, der nachweislich ein Schwager von Herrn Y ist, die Deutsche Soldatenzeitung gefunden worden. Demnach wird man doch wohl davon ausgehen können, dass auch Herr Y nicht ganz koscher sein kann. Womit sich also der Verdacht erhärtet, dass auch die Autorin X ein rechtsradikales Problem haben dürfte!*

Sie bedienen sich obendrein einer total verquasten Sprache, die sich – wie zu Stalins Zeiten in der DDR – einen wissenschaftlichen Anstrich zu geben versucht und dabei so tut, als habe man es beim Marxismus mit einer ernst zu nehmenden Wissenschaft oder sogar mit einer naturgesetzlichen Unumstößlichkeit zu tun! Der Aufwand und die Mühe, ja die Meisterschaft, mit der hier Wahres und Selbstverständliches mit Irrtümern und Lügen zu einem Konglomerat von Unsinn und Wichtigtuerei vermengt werden, nötigt zumindest unter sprachkünstlerischen Gesichtspunkten einen gewissen Respekt ab. Andererseits haben natürlich auch die Marxisten inzwischen erkannt, dass »die Massen«, die ihnen ja traditionell so am Herzen liegen, auf Dauer wohl doch nicht massig und dumm genug sein werden, um den Marxisten noch einmal auf den tödlichen Lenin, pardon Leim zu gehen.

Wie ein Verein, der nur deshalb noch existiert, weil er nun einmal gegründet wurde und weil das letzte Vereinsmitglied, das sich mit den Regeln einer vorschriftsmäßigen Vereinsauflösung noch auskannte, inzwischen gestorben ist, haben die Linksradikalen in Deutschland ein Durchhalteproblem, um das sie ja weiß Gott auch nicht zu beneiden sind. So wie in der Weimarer Republik Kommunisten und Sozialdemokraten sich gegenseitig mit Besserwisserei überhäuften und bekämpften (und dabei die Arbeiterschaft und sieben Millionen Arbeitslose zugunsten der Nazis etwas aus den Augen verloren), so gehen jetzt von der Entwicklung im Osten maßlos enttäuschte Marxisten im Internet nicht etwa gegen das Großkapital vor, sondern gegen die NWO-Bewegung. Lachender Dritter vor 1933: die NSDAP. Lachender Dritter heute: das Großkapital. Dieses hoffentlich letzte Zucken einer politischen Bewegung, die durch den unbeschreiblichen Terror Lenins, Stalins und Maos auch moralisch völlig im Abseits steht, weil sie zu deren Verbrechen schweigt und an das unfassbare Leid der Überlebenden und deren Recht auf Wiedergutmachung (!) keinen gedruckten Gedanken verschwendet, wollte ich zumindest erwähnt haben, weil interessierte Leser/innen früher oder später auf die perfiden Beiträge dieser Unbelehrbaren im Internet stoßen werden und dann vorbereitet sein sollten. Die eigentlichen Gegner der NWO, also die Nutznießer der perversen Zinswirtschaft, brauchen somit weiter nichts zu tun, als dieses überflüssige Gerangel zweier Lager innerhalb der Kapitalismuskritik am Köcheln zu halten. In dieser Situation haben es die Linksradikalen im Gegensatz zu uns allerdings mit zwei Problemen zu tun, die kaum noch in den Griff zu kriegen sind:

1. Verschweigung, Vertuschung und Verdrängung der historischen Tatsache, dass der Weg zum Kommunismus bereits mit ca. 80 bis 100 Millionen Toten gepflastert ist und dass der von ihnen einmal so kritiklos gefeierte Marxismus in einem beispiellosen Fiasko zusammengebrochen ist, unter dem die Länder der ehemaligen Sowjetunion noch Generationen zu leiden haben werden. Man wird sich denken können, dass es gar nicht so einfach ist, diese unterbliebene Vergangenheitsbewältigung mit einem überzeugenden Internet-Auftritt vergessen zu machen. Aber – sie versuchen es!

2. Linksradikale lügen sich unter Zuhilfenahme der stalinistischen Kontaktkettenmethode Textstellen aus den Gesammelten Werken Silvio Gesells so geschickt zusammen, dass Gesell dabei am Ende als Wegbereiter des Naziterrors am Pranger steht! »Folgerichtig« werfen sie uns heutigen Freiwirten vor, braunes Gedankengut zu verbreiten und von Antisemitismus nicht ganz frei zu sein. Dabei war Gesell nachweislich der erste Ökonom des 20. Jahrhunderts, der die Juden vor unqualifizierten Angriffen ausdrücklich in Schutz nahm, was wohlweislich verschwiegen wird, obwohl natürlich auch die sich als besonders edel empfindenden »Antifaschisten« bei der mühsamen

Suche nach Haaren in der Suppe auf genau diese Textstellen in den Werken Silvio Gesells gestoßen sein müssen!

Wie schon gesagt, die ideologischen Nachlassverwalter der gescheiterten »Diktatur des Proletariats« ertragen einfach nicht, dass Karl Marx von Silvio Gesell schlicht und ergreifend bis auf die Knochen entzaubert worden ist; und sie hoffen noch immer, für ihre aufpolierten Alternativen zum Kapitalismus genügend Leichtgläubige, vor allem aber Vergessliche und natürlich immer wieder reichlich Dumme zu finden. Nichts stört den ruhigen Schlaf der Ausbeuter und Absahner im kapitalistischen System, solange sie als lachende Dritte dem kräftezehrenden und zeitverschwenderischen (!) Schlagabtausch zwischen Ultralinken und Freiwirten mehr oder weniger gelangweilt zusehen können.

Die anhaltende und eigentlich schon traditionelle Erfolglosigkeit hat die Anhänger Silvio Gesells darüber hinaus auch noch bescheiden werden lassen. Ihn selbst übrigens auch. Gesell hat uns mit der Erkenntnis zu trösten versucht, dass wir von den Nilkrokodilen zu lernen haben, die – träge und faul im Schlamm liegend – auf den richtigen Moment des Zuschnappens warten können. Diesen »Moment« halte ich jetzt schon deshalb für gekommen, weil uns das Warten im Schlamm der Zinswirtschaft eben doch nicht so gut bekommt wie den Nilkrokodilen – und dem Großkapital, das sich angesichts unserer Geduld natürlich die Hände reibt. Also schlage ich vor: Während andere sich streiten oder sich auf das kraftschonende Dauerdiskutieren und Abwarten verlegen, fangen wir schon mal an! Aber bitte nicht schon wieder mit abgedroschenen Sprüchen (*»man könnte und man müsste und man sollte ...«*), die in der NWO-Bewegung schon immer Aktivität vorgetäuscht haben, sondern durch das Eingehen von Verpflichtungen, die sich um das stolze Wort *»ich werde«* ranken! Wer den gewaltigen Unterschied zwischen den beliebten Worthülsen *»man sollte und man müsste und man könnte«* und dem verpflichtenden *»ich werde«* in seine freiwirtschaftlich geprägte Lebenskunst einbaut, bewegt sich damit auch schon auf die Tür einer Schatzkammer zu, in der sich die Kostbarkeiten und Verheißungen der NWO bis zur Decke stapeln. Diese warten doch nur darauf, von uns entdeckt, abgeräumt und genutzt zu werden! Ich werde ein paar dieser Schätze auftischen (sonst hätte dieses Buch doch überhaupt keinen Sinn) und darüber hinaus versuchen, eine *»Schatzanweisung«* zu geben, die uns das Aktivwerden erleichtert und sich wie ein Trüffelschwein durch den Garten Ihrer eigenen Möglichkeiten buddelt. Da diese auf Arbeit, Geschicklichkeit und Ausdauer hinauslaufende Zuspitzung des vorliegenden Buches schlimmstenfalls auch als unerträgliche Zumutung empfunden werden kann, ist jetzt der Augenblick des Abschiednehmens gekommen. Der Eine oder die Andere hatte vielleicht nur ein Buch lesen wollen und vermag jetzt möglicherweise gar nicht einzusehen, weshalb der entspannenden Lektüre (noch dazu ohne Vorwarnung im Klappentext!) ein dickes Ende folgen sollte. Für diesen Teil der Leserschaft heißt es jetzt: *Letzte Wendemöglichkeit vor der Autobahn!* Es droht mit anderen Worten ein »Point of no return«.

Indem ich also davon ausgehe, dass sich gleich, also schon in wenigen Minuten, die Spreu vom Weizen trennt (Buch wutschnaubend in die Ecke knallen oder vorsichtiges Weiterlesen), sei mir klopfenden Herzens gestattet, erstmalig eine (nicht von mir aufgestellte) Regel außer Kraft zu setzen, derer sich Verlage und Autoren gern bedienen, um eine Leserschaft um jeden Preis bei der Stange zu halten. Damit sollte an dieser Stelle jetzt ausnahmsweise einmal Schluss sein dürfen, denn wie Sie vielleicht auch schon bemerkt haben werden, nähern wir uns bereits dem Ende meines Buches, und ich habe doch das Wichtigste noch gar nicht gesagt. Zur Aufrechterhaltung meiner eigenen Motivation, dieses Buch zum Abschluss zu bringen, vor allem aber im Interesse jener Leser/innen, auf die es letztlich ankommt, sehe ich mich jetzt leider gezwungen, so deutlich wie noch nie zu werden.

Im Klartext: Meine Geduld mit jenen Leser/innen, die in diesem Moment erstaunlicherweise schon ganz genau wissen, dass sie nach der Lektüre dieser *Einführung in die Freiwirtschaft* ohne nennenswerte Konsequenzen zur Tagesordnung übergehen werden, ist hiermit beendet. Es hat mich übrigens selbst überrascht, noch im Laufe dieses Buches an die Grenze meiner eigenen

Geduld gestoßen zu sein, denn bei den ersten drei Auflagen habe ich ja nachweislich immer schön brav bis zum Schluss durchgehalten. Den entbehrlichen Teil der Leserschaft (Verzeihung, aber das musste jetzt doch mal so gesagt werden) über eine Strecke von immerhin 16 Kapiteln mitgeschleppt zu haben, war Zumutung und Strafe genug. Lassen wir es also damit gut sein. Es musste doch auch mal gezeigt werden, dass eine Leserschaft gegenüber Verlag und Autor nicht in jedem Falle am längeren Hebel sitzt. Sicher, sie entscheidet sich für oder gegen den Kauf eines Buches; und sie entscheidet meinetwegen auch noch »eigenmächtig« darüber, ob das Buch nach der Lektüre einen Ehrenplatz im Bücherschrank ergattern darf oder mit einem Aschenputteldasein in der Ramschkiste auf dem Flohmarkt abgestraft wird.

Neu ist (mir ist jedenfalls kein vergleichbarer Fall bekannt), dass ein Autor das noch ganz junge Recht für sich in Anspruch nimmt, auf der Zielgeraden seines Buches zumindest von einem Teil seiner Leserschaft verschont zu bleiben. Der Rubikon ist hiermit also erreicht, und wer ihn allen Warnungen zum Trotz dennoch lesend überschreiten will, der tue es dann aber bitte auch auf eigene Gefahr. Die tatsächlich vorhandene Gefahr liegt darin (natürlich nur für die entbehrlichen Leser/innen), sich bis an das Ende seiner Tage mit einem schlechten Gewissen herumschlagen zu müssen, weil das zum Greifen Nahe, das Mögliche und das als notwendig Erkannte mit den üblichen Ausreden der eigenen Charakterschwäche geopfert wurde. Von jetzt an sind wir also nur noch unter uns. Versuchen Sie sich vorzustellen, wie schön das ist, unter diesen Umständen voranschreiten und weiterschreiben zu können!

Im Mai 2001 konnte ich den Tübinger Steuerrechtsexperten Prof. Dr. Johannes Jenetzky und den Hamburger Universitätsprofessor Dr. Eckhard Grimmel für das Projekt gewinnen, Silvio Gesell posthum für den Wirtschafts-Nobelpreis vorzuschlagen. Mit der Projektausführung wurde der *Arbeitskreis Geldreform* beauftragt, der am 31. Mai 2003 im *DEUTSCHEN FREIWIRTSCHAFTS-*

273

BUND e.V. aufgegangen ist. Das Problem bestand zunächst darin, die überragende Bedeutung Silvio Gesells für die ganze Menschheit dem Nobelpreiskomitee in Stockholm in einem kurzen und extrem sachlichen Text vorzutragen. Meine eigenen Versuche, dieser Aufgabe gerecht zu werden, sind nicht an der geforderten Kürze gescheitert, sondern daran, dass mir offenbar die Fähigkeit fehlt, bis auf die Knochen sachlich zu bleiben. Der Hamburger Freiwirt und Gesell-Experte Prof. Grimmel hatte damit keine Probleme. Seine ausgezeichnete Würdigung der Verdienste Gesells ist inzwischen zum festen Bestandteil des Argumentationsarsenals der ganzen Freiwirtschaftsbewegung geworden und wurde aus diesem Grunde zur freien Verfügbarkeit in die Schatzkammer der NWO aufgenommen. Sie wird im Anschluss an diese Projektbeschreibung noch in diesem Kapitel in vollem Wortlaut abgedruckt.

Ein weiteres Problem bestand darin, dass wir damit zu rechnen hatten, von den Presseagenturen ignoriert zu werden (wie vorhergesehen, haben 25 Agenturen dem Brief von Prof. Grimmel an das Nobelpreiskomitee der Schwedischen Akademie der Wissenschaften sowie den Brief an die Schwedische Reichsbank, die diesen Preis finanziert, keine Beachtung geschenkt). Aus diesem Grunde haben wir zusätzlich und vorsorglich 1.200 (!) deutschen Zeitungs-, Rundfunk- und Fernsehredaktionen mit einer aufwändigen Presseinformation (einschließlich Nobelpreisbegründung und Kurzbiographien der drei Unterzeichner) direkt, d.h. postalisch informiert. Die Aktion konnte in abgestuften Intervallen von Anfang Juni bis Ende Juli 2001 im Rahmen einer speziellen Apfel-Brief-Aktion »Nobelpreis für Silvio Gesell« vom *Arbeitskreis Geldreform* planmäßig durchgezogen werden. Die von Prof. Grimmel verfasste und von ihm selbst auch ins Englische übersetzte Nobelpreis-Begründung wurde zunächst von unserer schwedischen Mitstreiterin Bodil Frey ins Schwedische übersetzt und stand dem *Arbeitskreis Geldreform* schon nach sechs Wochen auch in den Sprachen Russisch, Polnisch, Französisch, Spanisch und Chinesisch (!) zur Verfügung. Nach 1.200 × 6 = 7.200 Kopien brach bei meinem Fotohändler in Darmstadt das neue Kopier-

Die geprimelte Hoffnung – oder Spaß muss sein
Das Bedürfnis der Arbeitslosen, endlich einer sinnvollen Tätigkeit nachzugehen, wird vom Bundeskanzler inzwischen als äußerst bedrohlich empfunden, hat er doch längst zu spüren bekommen, dass die Arbeitslosigkeit (in der Zinswirtschaft) auch von einer rot/grünen Regierung nicht einfach wegregiert werden kann. Doch es gibt Hoffnung für den Kanzler: Die Opposition hat bei diesem Thema auch nur fußkranke Primeln auf ihrer Fensterbank stehen. Unter derart günstigen Umständen macht das Regieren (im Gegensatz zum Regiertwerden) natürlich immer noch Spaß.

gerät zusammen! Wir waren tagelang mit dem Unterzeichnen, Falzen, Eintüten und Frankieren beschäftigt.

Unser Internetspezialist und Schatzmeister im *DEUTSCHEN FREIWIRTSCHAFTSBUND e.V.*, Michael Musil aus Montabaur in Hessen, stellte die Nobelpreis-Aktion komplett, also inklusive der achtsprachigen Begründung ins Internet. Probieren Sie es aus: Einfach nur die Flagge des gewünschten Landes anklicken, und schon springt der Text wie von Zauberhand in der jeweiligen Landessprache auf den Bildschirm. Sieben Flaggen stehen auf dem Bildschirm still, nur die Fahne von Russland bewegt sich (fragen Sie mich bitte nicht, weshalb ausgerechnet die russische unaufhörlich im Winde flattert!). Dem kleinen – und hier im Dorf bei seiner Gründung zuerst noch belächelten – *Arbeitskreis Geldreform* war es also gelungen, ein jederzeit wiederholbares Experiment in den Dienst einer bundesweiten Information über Silvio Gesell zu stellen – und das bei weltweiter Zugriffsmöglichkeit über das Internet! Eine Spendenaktion schützte uns vor der zunächst noch drohenden Gefahr, auf den nicht unerheblichen Kosten der Nobelpreis-Aktion sitzen zu bleiben. Zum Retter in der Not wurde die Kartei meiner »guten« Kunden. Das sind Leser/innen, die bereits sechs oder mehr Exemplare des vorliegenden Buches verbreitet haben oder sich durch Faltblattaktionen (vor Bahnhöfen, Fabriken, Banken und Arbeitsämtern), Leserbriefe und andere Aktivitäten hervorgetan haben. Ein Spendenaufruf stellte das drohende Minus in wenigen Tagen wieder glatt! Dieser treuen Leserschaft haben wir übrigens zu verdanken, dass im Laufe von 10 Jahren immerhin 17.000 Exemplare der ersten sechs Auflagen dieses Buches und weit über 100.000 Faltblätter im ganzen deutschsprachigen Europa und darüber hinaus verbreitet werden konnten.

Es folgt nun die von Prof. Dr. Eckhard Grimmel formulierte Begründung für den Vorschlag, Silvio Gesell posthum mit dem Wirtschafts-Nobelpreis auszuzeichnen.

An die
Königlich-Schwedische Akademie der Wissenschaften
Nobelpreis-Komitee
Stockholm
Schweden

Die Unterzeichner dieses Schreibens schlagen vor,
den »Preis für Ökonomische Wissenschaften in Erinnerung an
Alfred Nobel« im Jahre 2001 an SILVIO GESELL (1862–1930)
posthum zu verleihen.

Begründung:

Wie kaum ein anderer Wissenschaftsbereich sind die ökonomischen Wissenschaften auf den gesellschaftlichen Bedarf orien-
tiert. Folglich tragen Wirtschaftswissenschaftler eine hohe Verantwortung gegenüber der Gesellschaft. Mit dem Nobelpreis für
ökonomische Wissenschaften sollten nur solche Wirtschaftswissenschaftler ausgezeichnet werden, deren Arbeiten ein hohes
gesellschaftliches Verantwortungsbewusstsein aufweisen.

Die Arbeiten von Gesell erfüllen diese Anforderungen in her-
vorragendem Maße: Den Gesammelten Werken von Gesell
(18 Bände, herausgegeben vom Fachverlag für Sozialökonomie
in Lütjenburg/Deutschland) ist zu entnehmen, dass das Haupt-
anliegen Gesells darin bestand, die wirtschaftswissenschaftlichen
Grundlagen für soziale Gerechtigkeit und somit für Bürger- und
Völkerfrieden zu liefern.

Insbesondere in seinem erstmals im Jahre 1916 veröffentlich-
ten Buch »Die Natürliche Wirtschaftsordnung durch Freiland
und Freigeld« (Ges. Werke, Bd. 9) hat Gesell überzeugend nach-
gewiesen, dass jeder Mensch freien Zugang zu Land (»Freiland«) und Geld (»Freigeld«) braucht, um sich frei entfalten und
in Zusammenarbeit mit den anderen Menschen eine freie und
soziale Marktwirtschaft (»Freiwirtschaft«) etablieren zu können.

Gesell hat als erster Ökonom erkannt, dass die Freiwirtschaft nur dann verwirklicht werden kann, wenn Land und Geld in Gemeineigentum überführt und vom Staat verwaltet werden.

Durch diese Maßnahmen wird ungerechtes leistungsloses privates Zinseinkommen aus privater Landverpachtung und privatem Geldverleih unmöglich gemacht. Dafür eröffnet der Staat allen arbeitswilligen Menschen freien Zugang zu Land und Geld und ermöglicht ihnen eine menschenwürdige Teilnahme am Gemeinschaftsleben, entsprechend ihren persönlichen Vorstellungen, Fähigkeiten und Leistungen.

Wesentlicher Bestandteil der von Gesell geforderten Landrechtsreform ist die Umwandlung des privaten Eigentumsrechts in ein privates Nutzungsrecht. Die aus der staatlichen Verpachtung von Grundflächen und Rohstoffquellen erzielten Geldeinnahmen gehen in die Staatskasse. Sie sollen nach der Vorstellung von Gesell für die Erziehung der Kinder eingesetzt werden.

Wesentlicher Bestandteil der von Gesell geforderten Geldrechtsreform ist, dass das öffentliche Tauschmittel Geld nur von einem staatlichen Währungsamt geschöpft und über ein Finanzministerium schuld- und zinsfrei in den Geldkreislauf eingespeist wird. Die Geldmenge wird auf der Basis von Preisindizes so dosiert und der Geldumlauf durch Erhebung von Geldhortungsgebühren so gesichert, dass langfristige Preisstabilität herrscht.

Außerdem hat Gesell klar erkannt und hervorgehoben, dass zur Sicherung der Freiwirtschaft alle auf menschlicher Arbeit basierenden Güter grundsätzlich Privateigentum sein sollen.

Hätte man die Gesell'schen Reformen durchgeführt, wäre das ungerechte leistungslose private Zinseinkommen aus Geld, Grundflächen und Rohstoffquellen ausgeschlossen und die verhängnisvolle exponentiell sich beschleunigende Umverteilung des Geldes von der Arbeit zum Kapital durch den Zinseszinseffekt beendet worden. Denn durch diesen Prozess hat sich in allen Ländern der Erde die Gesellschaft in eine schmale, immer reicher werdende Oberschicht und eine breite, immer ärmer werdende Unterschicht polarisiert. Dieser Prozess hat im vorigen Jahrhundert wesentlich zur Entstehung zweier Weltkriege sowie zahlreicher weiterer Bürger- und Völkerkriege beigetragen, und er ist bis heute ein permanenter Störfaktor für den Bürger- und Völkerfrieden geblieben.

Sowohl die theoretischen Grundlagen als auch die praktischen Maßnahmen für die Überwindung dieser menschenunwürdigen Wirtschafts- und Gesellschaftsordnung erstmalig entwickelt zu haben, ist das herausragende wirtschafts- und sozialwissenschaftliche Verdienst von Gesell.

Prof. Dr. Eckhard Grimmel
Prof. Dr. Johannes Jenetzky
Hermann Benjes

Bereits am 14. Juni 2001 teilte die Nobelstiftung in Stockholm Herrn Prof. Grimmel mit, dass der Nobelpreis posthum nur an Personen verliehen werden kann, die noch zu Lebzeiten vorgeschlagen wurden. In der hundertjährigen Geschichte des Nobelpreises ist eine posthume Verleihung übrigens schon zweimal vorgekommen: 1931 an Erik Axel Karlfeldt (Literatur/Schweden) und 1961 an Dag Hammarskjöld (Frieden/Schweden). In beiden Fällen waren die Preisträger noch zu Lebzeiten für den Nobelpreis vorgeschlagen worden, was bei Silvio Gesell leider nicht der Fall war. Wir konnten uns also nicht auf einen Präzedenzfall berufen. Davon einmal abgesehen waren unsere Erfolgschancen natürlich sowieso von vornherein gleich Null, denn die Nobelpreise werden zu 100 % aus Zinsen finanziert. Eher würden die Bauern in Schweden ihre Milchkühe abschaffen und sich dafür Elche in den Stall stellen, als dass die Schwedische Reichsbank dazu gebracht werden könnte, ausgerechnet Gesell – und mit ihm die ganze NWO-Bewegung – in das Blickfeld der Weltöffentlichkeit zu rücken! Hat sich der enorme Aufwand dennoch gelohnt? Ich meine schon, denn wir sind auf unserem Weg zum großen Etappenziel »Silvio Gesell in aller Munde« ein schönes Stück vorangekommen. Dieses Anliegen in nicht weniger als acht Sprachen weltweit über das Internet verbreitet zu haben, lässt uns mit einer gewissen Zuversicht und Vorfreude den noch folgenden Apfel-Brief-Aktion entgegensehen.

Noch ein Wort zu den Medien, die glaubten, auch dieser Nobelpreis-Aktion wieder keine Beachtung schenken zu müssen: Es wird sicher einmal der Tag kommen, an dem die Verantwortlichen (Redakteure, Herausgeber) zur Rechenschaft gezogen werden. Nicht erst im Jenseits, sondern vorschlagsweise hier und zwar in Augenhöhe mit über 5 Millionen Arbeitslosen. Wer nach jahrelanger Arbeitslosigkeit und darauf basierender Altersarmut um sein Recht auf einen Lebensabend in Würde betrogen wurde und vielleicht nur noch wenige Jahre zu leben hat, der sollte zumindest noch die gerechte und harte Bestrafung der Schreibtischtäter erleben dürfen. Wer dieses Stück Gerechtigkeit für eine überzogene Forderung hält, der besuche doch mal ein ganz normales Altersheim mit pflegebedürftigen Menschen und anschließend eine »Seniorenresidenz« für Betuchte. Da zu befürchten ist, dass eine Entschädigung für viele ältere Arbeitslose zu spät kommen wird, muss der Rechtsanspruch auf Wiedergutmachung selbstverständlich auch die Hinterbliebenen mit einbeziehen, haben doch gerade sie unter der Dauerarbeitslosigkeit des Ehepartners, der Mutter oder des Vaters erst zu Lebzeiten und anschließend noch weit über deren Tod hinaus zu leiden. Sollte die Zahlungsbereitschaft und die Zahlungsmoral der damit befassten Politiker und Regierungsstellen jedoch zu wünschen übrig lassen, sollten wir nicht zögern, uns vom Zentralrat der Juden beraten lassen, der in Deutschland über die besten Erfahrungen im Umgang mit Staatsorganen verfügt und Resultate vorweisen kann, die sich sehen lassen können.

Wir kommen nun zu der Frage, ob wir der gelenkten Presse, beispielsweise dem Nachrichtenmagazin DER SPIEGEL oder der Frankfurter Allgemeinen auch weiterhin so hilflos wie bisher ausgeliefert sind. Wir können die Spiegel-Redakteure natürlich nicht zwingen, angemessen auf die NWO Silvio Gesells einzugehen, denn diese Leute haben schließlich auch Familie und können sich ihren Arbeitsplatz heute nur noch durch die Beachtung strengster Tabu-Regeln erhalten. Sind die Abonnenten des SPIEGELs und anderer Zeitungen diesem Tabu auch unterworfen? Natürlich nicht! Also schlage ich vor, den jeweiligen Redaktionen einen netten Brief zu schreiben. Wir machen den Redakteuren also den Vorschlag, das Versäumte nachzuholen, andernfalls mit einer Abo-Kündigung zu rechnen sei. Wer das für einen lächerlichen Sturm im Wasserglas hält, über den sich die Redakteure in der Kaffeepause schlapp lachen, der kennt sie nicht, die verzweifelten Versuche der Zeitungs- und Zeitschriftenverlage, neue Abonnenten zu gewinnen und die alten bei der Stange zu halten. Konnten früher neue Abonnenten noch mit Bratpfannen geködert werden, müssen es heute schon kleine Stereoanlagen sein und demnächst wohl auch Urlaubsreisen nach Alaska. Jede Abo-Kündigung lässt also in den Redaktionen die Alarmglocken schrillen, denn der einzige Mangel, gegen den Zeitungen und Zeitschriften pausenlos anzukämpfen haben, ist der Mangel an Abonnenten, während Fotografen, Journalisten, Grafiker, Sekretärinnen, Drucker, Hausmeister und Elektriker reichlich vorhanden sind. Da man ein Zeitungs- oder Zeitschriftenabonnement jedoch nur einmal kündigen kann, sollte der Vorgang in seiner erzieherischen Wirkung zumindest »gestreckt« werden. Der eigentlichen Kündigung gehe also zunächst nur eine Ankündigung voraus! Was sich daraus entwickeln kann, zeigt das folgende Beispiel: Mein Leser und Mitstreiter Jörg Mamet aus München, der die Unterschlagung freiwirtschaftlicher Lösungsvorschläge in der Münchner Abendzeitung nicht länger hinnehmen wollte, musste zur Kenntnis nehmen, dass *Kündigungen aus Protest* vom Chefredakteur sogar persönlich bearbeitet werden!

Als Initiator dieser Aktion nicht ganz unschuldig an seiner Abo-Kündigung, habe ich mich studienhalber und ungebeten in die interessante Auseinandersetzung zwischen Chefredakteur und abtrünnigem Leser mit eingeschaltet, um – falls möglich – aus dem großen Uhl wenigstens noch eine kleine Nachtigal zu schnitzen. Zu meiner großen Überraschung erklärte sich der (inzwischen abgelöste) Chefredakteur der Münchner Abendzeitung, Dr. Uwe Zimmer, bereit, seiner Leserschaft Silvio Gesell in einem großen Artikel mit Foto vorzustellen! Der besondere Anlass war 1999 ein immer näher rückendes Jubiläum, das ich ihm schmackhaft machen konnte und das von den Redakteuren der Abendzeitung selbstverständlich »übersehen« worden war: »*Vor 80 Jahren: Silvio Gesell in München!*« 1919 ist Silvio Gesell tatsächlich als Finanzminister (!) einer revolutionären Räteregierung in München aktiv geworden. Er wurde aber schon eine Woche darauf bei einem Putsch von links wieder abgesetzt, nach einem weiteren Putsch von rechts sogar des Hochverrats angeklagt, und er wäre wohl auch hingerichtet worden, wenn er seine Verteidigung nicht in die eigenen Hände genommen hätte. Heute mag man sich darüber streiten, ob Gesell gut beraten war, sich Anarchisten ohne Wenn und Aber zur Verfügung zu stellen, um das Deutsche Reich nach dem verlorenen ersten Weltkrieg wieder in ein ruhiges Fahrwasser zu bringen; aber damals kam es wirklich darauf an, die Kriegsgewinnler daran zu hindern, ihre Bankkonten zu räumen und in »Sicherheit« zu bringen. Der Chefredakteur der Münchner Abendzeitung schien von meinem Vorschlag begeistert zu sein, diese dramatischen Tage im April 1919 der Münchner Bevölkerung in Erinnerung zu rufen. Er stellte mir ein Honorar von DM 300 in Aussicht und versprach, meinen Artikel Anfang April 1999, also jubiläumsgerecht, zu veröffentlichen. Hat er sein Wort gehalten: Nein! Seine Sekretärin versuchte mich später telefonisch zu trösten: »*Selbstverständlich überweisen wir Ihnen das vereinbarte Honorar.*« Als ob es mir um das Geld gegangen wäre! Der Artikel war für die auf Anzeigen angewiesene Münchner Abendzeitung offenbar doch ein zu starker Tobak. Vor lauter Vorfreude auf die Reaktionen der Münchener Zeitungsleser hatte ich bei der Niederschrift des Artikels verdrängt, dass wir in Deutschland auch 60 Jahre nach Beendigung des 2. Weltkrieges noch immer keine freie Presse haben und der Chefredakteur bei einem Abdruck möglicherweise seinen Arbeitsplatz riskieren würde. Es schien mir daher angebracht zu sein, zumindest der Leserschaft dieses Buches den Artikel zu zeigen, der in der Münchner Abendzeitung aus den oben geschilderten Gründen leider nicht erscheinen konnte.

Silvio Gesell in München
Wer war dieser Mann, der 1919 alles für sein Land gegeben hat, aber tragischerweise auf taube Ohren stieß?

Im Fahrwasser der Novemberrevolution von 1918 kam es am 7. April 1919 zur Proklamation der ersten anarchistischen Räterepublik in München. Für den deutsch-argentinischen Geldreformer Silvio Gesell hätte dieses Ereignis zu einer Sternstunde seines Lebens werden können, doch statt dessen wurde ihm diese Revolution beinahe zum Verhängnis. Er war als erfolgreicher Unternehmer in Argentinien zu Wohlstand gekommen und lebte seit einigen Jahren auf seinem Landsitz in der Schweiz, um seiner Wirtschafts-, Geld- und Zinstheorie den letzten Schliff zu geben (1916 erschien sein Hauptwerk, »Die Natürliche Wirtschaftsordnung durch Freiland und Freigeld«). In Berlin, wo er gerade bei Freunden weilte, erreichte ihn Anfang April 1919 ein Telegramm, in dem ihm der SPD-Politiker Ernst Niekisch das ihn völlig überraschende Angebot machte, in der Sozialisierungskommission der bayerischen SPD-Regierung Hoffmann mitzuwirken.

Gesell, der schon 1889 einen vorher nicht bekannten Kardinalfehler im kapitalistischen Geldsystem entdeckt hatte und seit 20 Jahren darauf brannte, seine bahnbrechenden Erkenntnisse endlich in die Praxis umsetzen zu können, sagte sofort zu und nahm den nächsten Zug nach München. Bei seiner Ankunft in München war die Regierung Hoffmann gerade gestürzt und eine Bayerische Räterepublik ausgerufen worden! Dem völlig unpolitischen Land- und Geldreformer Silvio Gesell war das auch recht, wurde ihm doch jetzt sogar der Posten eines Volksbeauftragten für das Finanzwesen angeboten. Vorgeschlagen hatte ihn der Anarchist Gustav Landauer, der das Amt des Kultusministers übernahm. Landauer ahnte, was an finanziellen Problemen auf die Räteregierung zukommen würde, und es bleibt vor der Geschichte sein Verdienst, die überragenden Fähigkeiten und Kenntnisse Silvio Gesells erkannt zu haben. Ungeachtet der bürgerkriegsähnlichen Lage in München machte sich Gesell sofort an die Arbeit, um zunächst einmal denen zu helfen, die als die eigentlichen Verlierer des 1. Weltkrieges hoffnungslos zwischen die Fronten geraten waren: Die Witwen und Waisen, die Kriegsversehrten, Kranken und Arbeitslosen. Zu seiner Unterstützung hatte Gesell seinen Freund, den Arzt und Mathematiker Dr. Theophil Christen aus der Schweiz und den Rechtsprofessor Dr. Karl Polenske aus Greifswald kommen lassen. Gesell scheint geahnt zu haben, dass ihm nur wenig Zeit blieb, denn was dieser Finanzminister in nur einer Woche auf den Weg zu bringen versucht hat, ist unglaublich und bewunderungswürdig. Dr. Christen schrieb in seinen Erinnerungen: »*Wir wussten, warum wir mit Volldampf vorangingen. Wir standen auf schwankendem Boden und konnten schon morgen durch einen Putsch von rechts oder links abgesetzt werden.*« Gesell war sich darüber im Klaren, dass die ungestörte Fortführung der Produktion und die Sicherstellung des Absatzes auf den Märkten nur mit Hilfe einer stabilen Währung – frei von Deflation und Inflation – zu erreichen sein würden und traf entsprechende Vorkehrungen. Seine sieben Punkte umfassende Volksaufklärung, die von der *Niederbaeyrischen Volksstimme* am 12. April 1919 veröffentlicht wurde, war – auch aus heutiger Sicht – eine ausgezeichnete Kurzdarstellung der von ihm entwickelten Natürlichen Wirtschaftsordnung (NWO). In seinem Buch »*Silvio Gesell in München 1919*« schreibt Rolf Engert dazu: »*Aus diesen Ausführungen geht mit aller Deutlichkeit hervor, dass Gesell von Anfang an das deutsche Volk gleicherweise vor der Szylla der Inflation wie vor der Charybdis der Deflation warnte und bewahren wollte. Das deutsche Volk, das seine Warnungen in den Wind schlug, hat in dem folgenden Menschenalter alle Schrecken der Inflation wie der Deflation bis auf die Neige zu kosten bekommen.*« Nicht weniger beachtlich ist das von Gesell an die Reichsbank in Berlin gerichtete Telegramm. Rolf Engert empörte sich: »*Dieses Telegramm ist fast in der gesamten deutschen Presse gefälscht worden*« und er vergleicht diese Ungeheuerlichkeit mit der Fälschung der »*Emser Depesche*« durch Bismarck, die 1870 zum Krieg mit Frankreich geführt haben soll. Nicht weniger verheerend wirkte sich eine bewusste Falschmeldung der *Vossischen Zeitung* vom 12. April 1919 aus. Unter der Überschrift »*Abschaffung des Bargeldes in Bayern*« wurde das in sich schlüssige Konzept Silvio Gesells auf den Kopf gestellt und verhöhnt. Konservative Kreise und die ganze Unternehmerschaft in München standen der bisher unblutig verlaufenden Revolution natürlich ablehnend gegenüber. Hinzu kam die Gefahr von links. Von allen Seiten formierte sich Widerstand gegen die »weiße« Räteregierung. München wurde zu einem Hexenkessel der Gerüchte, Falschmeldungen und Zwecklügen. Am 13. April 1919 wurden Gesell und seine Mitstreiter von regulären Truppen verhaftet, doch noch in derselben Nacht von Kommunisten, die den Bahnhof gestürmt hatten, befreit. Ungeachtet dieser dramatischen Zuspitzung kehrte Silvio Gesell sofort an seinen Schreibtisch zurück und verfasste einen Aufruf an die bayerische Bevölkerung, in dem es u. a. heißt: »*Wir bitten aber auf das dringlichste, uns in unserer Arbeit nicht mehr zu stören.*« Diesen Aufruf schließt Gesell mit der Zusage, sich wieder zurückzuziehen, »*sobald unser Ziel erreicht ist*«. Er schafft es noch, den Betriebsräten sein Aktionsprogramm zu präsentieren. Mit einer »Allgemeinen großen Vermögensabgabe« wollte Gesell den Kriegsgewinnlern zuvorkommen. Diese waren gerade dabei, ihre Konten zu räumen, um sich ihrer sozialen Verantwortung entziehen zu können. Diese Vermögen gerade noch rechtzeitig gesperrt zu haben, gehört zu den letzten Amtshandlungen des Finanzministers Silvio Gesell. Inzwischen rückten Regierungstruppen gegen München und gegen die Räteregierung vor. An allen Enden und Ecken wurde geschossen. Gesell wurde am 2. Mai 1919 erneut verhaftet, gegen Auflagen wieder auf freien Fuß gesetzt, um am 4. Mai endgültig und unter bürgerkriegsähnlichen Umständen erneut inhaftiert zu werden. Von unberechenbaren Soldaten wie Schwerverbrecher durch München geführt, von einer standrechtlichen Erschießung bedroht und den Gaffern auf der Straße höhnisch präsentiert: *»Schauts euch nur die sauberen Brüder an! Der rechts mit dem Schlapphut ist der Finanzminister Silvio Gesell!«* Rolf Engert, dem wir diese längst vergessenen Informationen verdanken, kam Gesell im Polizeigefängnis besuchen. Es gehe, tröstete er Gesell, das Gerücht um, die wieder eingesetzte Regierung Hoffmann habe ihn als Finanzminister vorgesehen. Es blieb bei Gerüchten, denen Gesell in seiner verzweifelten Lage sogar Glauben schenkte. Eine Anklage wegen Hochverrats machte allen Träumereien ein Ende. Freunde, die ihm die Haft zu erleichtern versuchten, organisierten rasch eine Verteidigung, die von Rechtsanwalt Gundelwein übernommen wurde, der auch schon den Fall Dr. Christen übernommen hatte. In aller Hast wurde das Entlastungsmaterial zusammengetragen. Mit großem Geschick diktierte Rolf Engert seiner Frau eine vorläufige Verteidigungsschrift, die sich auf den frappierenden Hinweis konzentrierte, Gesell habe nicht nur in seinen Büchern, sondern auch als Finanzminister der Räteregierung eine Position vertreten, die denen der Kommunisten völlig zuwiderlaufe. In der Tat: Kein Mensch hat in diesem Jahrhundert Karl Marx so unwiderlegbar entzaubert wie Silvio Gesell. Aus dieser Tatsache erklärt sich übrigens auch bis auf den heutigen Tag die unversöhnliche Ablehnung, ja Feindschaft der Kommunisten, der Linken und der sogenannten Antifaschisten gegen die Freiwirtschaftstheorie Gesells, eine vom Kapital stets stillschweigend begrüßte, gepflegte und belohnte Haltung der Linken. Es verdient in diesem Zusammenhang auch erwähnt zu werden, dass Gesell in der Schweiz versucht hat, Lenin zu beraten, dieser es aber vorzog, sich seine revolutionären Pläne vom Großkapital vergolden zu lassen. Gesell wusste, dass am Ende der Hochverratsprozesse die Todesstrafe stehen konnte und wuchs noch einmal über sich hinaus. In dieser Lage hätte er auch keinen besseren Verteidiger finden können als sich selbst. Seine Verteidigungsrede offenbarte nicht nur die einsame Größe dieses Helfers der Menschheit; sie wurde für seine Mitstreiter zu einem

Vermächtnis, dem sich die Freiwirtschaftsbewegung bis auf den heutigen Tag nicht entziehen kann. Sein kluger Verteidiger Gundelwein riet ihm, die lange Rede vor Gericht nicht zu halten, sondern dem Richter in schriftlicher Form zu überreichen. Was zum Anhören zu anstrengend gewesen wäre, konnte nun in Ruhe studiert und in seiner ganzen Bedeutung und Wahrhaftigkeit erkannt werden. Die Richter erkannten auf Freispruch, und Gesell konnte die Zelle Nr. 169 im Untersuchungsgefängnis Stadelheim als freie Mann verlassen! In den folgenden drei Jahren machte die Reichsbank in Berlin alle Deutschen – vom Säugling bis zum Greis – erst zu Multimillionären und anschließend zu Milliardären. Nur Silvio Gesell hatte die Gefahr der Hyperinflation schon 1919 erkannt und war damals in Deutschland auch der Einzige, dem eine rettende Lösung dieses Problems zur Verfügung stand. Weil aber die Zeitungsredakteure, Politiker und Wirtschaftswissenschaftler den Reichsbankdirektoren mehr Glauben schenkten als Silvio Gesell, dessen Appelle nicht abgedruckt oder sogar verhöhnt wurden, konnte dieser größte Inflationsbetrug in der Geschichte der Menschheit ein ganzes Volk unnötigerweise (!) ausplündern und ruinieren. In einem Aufruf an die *Berliner Zeitung* (die den Abdruck natürlich ablehnte) sagte Gesell bereits 1919 (!) den Ausbruch des Zweiten Weltkrieges voraus und zwar für den Fall, dass die Zinswirtschaft nicht abgeschafft würde. In einer von Massenarbeitslosigkeit, Verzweiflung und Not geschüttelten Zeit wurden Anfang der dreißiger Jahre die Lehren Silvio Gesells endlich in die Tat umgesetzt. Im bayerischen Schwanenkirchen und im österreichischen Wörgl verliefen die Freigeldexperimente der »Gesellianer« derart erfolgreich, dass es weltweit an ca. 500 verschiedenen Orten zu Nachahmungen kam, die zu den größten Hoffnungen Anlass gaben. Sie wurden jedoch im Keim erstickt, weil das nach wie vor herrschende Kapital die Gefahr sofort erkannte: Die Zinsen sackten auf 0 %, und mit dem Kassieren leistungsloser Einkommen wäre es für immer aus und vorbei gewesen! Der weltberühmte Ökonomieprofessor Irving Fisher sagte damals: »*Freigeld, richtig angewendet, würde Amerika in drei Wochen aus der Krise herausführen.*« Doch die USA fanden einen anderen Weg der Krisenbewältigung: Die Kriegsproduktion! Auch Albert Einstein und John Maynard Keynes erkannten die Bedeutung Gesells. Heute scheint die Arbeitslosigkeit in Deutschland noch nicht hoch genug zu sein, um die peinliche und tragische Rat- und Hilflosigkeit der Politiker und Wirtschaftswissenschaftler als das erkennen zu lassen, was sie in Wirklichkeit ist: Strafe für das Totschweigen eines der größten Helfers der Menschheit! Und schon wieder werden jene bestraft, die unter dieser Hilflosigkeit zu leiden haben, während sich die Verantwortlichen mit unüberbietbar dummen Sprüchen, hohen Gehältern und fürstlichen Pensionen auf die Sonnenseite des Lebens schlagen.

Fassen wir das 16. Kapitel noch mal zusammen:

a) Der erfolgversprechendste Weg zum Ziel ist in der Regel »krumm«, d. h. er führt uns zunächst zur Ausgangslage zurück, wendet und entwickelt sich dann vom schnurgeraden Graben zum mäandrierenden Bach! Die Arbeit an der NWO ist also eine »Augenweide« und damit auch Ausdruck der Lebenskunst.

b) Die Zeit ist das wertvollste Rohmaterial des Menschen. Sorgen wir also dafür, dass wir künftig für die NWO auch die entsprechende Zeit aufbringen können.

c) »Lebenskunst ist Pflicht« (J. Hirt). Erfolge werden verursacht, Misserfolge natürlich auch.

d) Unverbindliche Worthülsen wie z. B. »*man sollte und man müsste*« sind durch ein verbindliches »*ich werde*« zu ersetzen.

e) Marxisten haben erkannt, dass die Gesell'sche Kapitalismuskritik der von Marx überlegen ist. Da sie dennoch am Marxismus festhalten wollen, wird die Freiwirtschaft mit der stalinistischen Kontaktkettenmethode bekämpft, vor allem im Internet.

288

f) Linksradikale »Antifaschisten« konstruieren mit Hilfe der Kontaktkettenmethode eine angebliche Vorreiterrolle Gesells für den Antisemitismus in Deutschland. In Wahrheit war es genau umgekehrt: Gesell war der erste Ökonom, der die Juden ausdrücklich in Schutz nahm.

g) *Die ungenutzten Möglichkeiten der Freiwirtschaft* sind mit Arbeit verbunden. Daher geht von diesen Möglichkeiten traditionell eine abschreckende Wirkung aus.

h) Bei den Apfel-Brief-Aktionen muss jedoch vor zu hohen Erwartungen gewarnt werden, denn in den Griesbrei des Lebens wurden nicht all zu viele Rosinen gerührt. Sowohl bei der SPD als auch bei der Kirche sind wir auf Personen gestoßen, die sich zu sagen scheinen:»Was kümmert mich der Dreck am Stecken, solange mir die Leute die Kacke am Bein durchgehen lassen.«

i) Spitzenpolitiker der großen Parteien lassen ihren Sprüchen zur Überwindung der Arbeitslosigkeit nicht nur keine wirksamen Taten folgen, sie verschweigen ihren Wählern auch den von Gesell gefundenen Weg zur Vollbeschäftigung.

j) Am 1. Juni 2001 wurde Silvio Gesell posthum für den Nobelpreis vorgeschlagen. Die Vorschlagsbegründung konnte über das Internet in acht Sprachen verbreitet werden. Im Rahmen einer speziellen Apfel-Brief-Aktion *»Nobelpreis für Silvio Gesell«* wurden in Deutschland 1.200 Presse-, Rundfunk- und Fernsehredaktionen sowie 25 weltweit operierende Presseagenturen informiert.

l) Die Redaktionen der kapitalgelenkten Medien und Presseorgane sind angehalten, die NWO und damit zusammenhängende Aktionen zu verschweigen oder ins Lächerliche zu ziehen. Im Hinblick auf die ca. 20 Millionen Arbeitslosen allein in Europa sollte das nicht länger hingenommen werden. Ein bewährtes Gegenmittel sind Abo-Kündigungen von Zeitungen und Zeitschriften. Diese werden zunächst nur angekündigt und dann so spektakulär wie möglich vollzogen (siehe Offener Brief an den ehemaligen SPIEGEL-Herausgeber Rudolf Augstein im folgenden Kapitel).

10.000 Blickkontakte

und ein paar »gute Gespräche« sind ein lohnendes Ziel für den Großstadtbummel am Samstag. Aber niemand zwinge sich dazu, denn der angestrebte Erfolg ist natürlich auch eine Frage der inneren Einstellung, der Reife und Übung! In einer belebten Fußgängerzone ziehe man die Demonstrationskarre am besten hinter sich her und zwar in einem Tempo, das unterhalb der normalen Fußgängergeschwindigkeit liegt. Vorteil: Wir werden so langsam überholt, dass den Passanten reichlich Zeit bleibt, den Text in aller Ruhe und ohne störenden Blickkontakt zu lesen (und den Sinn der Aktion zu erraten!). Schiebt man die Schilderkarre statt dessen vor sich her, sind Blickkontakte unausweichlich. Die Folge: Etliche wenden sich demonstrativ ab, als wollten sie sagen: »Bilde Dir nur nicht ein, dass ich mir eben noch schnell die Mühe gemacht habe, Deinen Text zu lesen!« Je kleiner der Ort, desto mehr Mut gehört übrigens dazu, sich den Blicken der etwas verunsicherten Dorfbewohner zu stellen. Die Schilder lässt man sich am günstigsten auf dem Jahrmarkt prägen. Die zusammenklappbare Karre ist treppentauglich und für die Anreise per Bahn, Bus oder Auto bestens geeignet.

Der vom Zins befreite Dollar

Bei einem kritischen Rückblick auf das vorliegende Buch ist mir eben aufgefallen (und Ihnen vielleicht auch), dass ich den Eindruck zu vermitteln versucht habe, der Natürlichen Wirtschaftsordnung (NWO) fehle jetzt nur noch die letzte Phase vor dem endgültigen Durchbruch: Haben wir die Medien also erst einmal dazu gebracht, seriös über die NWO Silvio Gesells zu berichten, wird sich der Fluch des Geldes unaufhaltsam in einen Segen verwandeln. An dieser optimistischen Einschätzung halte ich selbstverständlich fest (und Sie hoffentlich auch!), aber, und jetzt muss ich doch noch ein ganz dickes »Aber« hinten dranhängen:

Wie ich anhand mehrerer Beispiele aufzeigen konnte, haben auch die spektakulärsten Erfolge eines dienenden Geldes nicht verhindern können, dass z.B. die Brakteatenzeit nach drei Jahrhunderten, das Mirakel von Guernsey nach zwei Jahrzehnten und das Wunder von Wörgl sogar schon nach 13 Monaten dem Fluch des zinserzwingenden Geldes wieder zum Opfer gefallen sind. Die Geschichte des dienenden Geldes lehrt uns also, dass es mit einer Geldreform allein – und sei sie noch so erfolgreich gewesen – nicht getan ist. Die Bürger müssen das Erreichte auch zu schätzen und zu verteidigen wissen! Vorbereitung der NWO, Einführung der NWO und Aufrechterhaltung der NWO sind somit von vornherein als Dreiklang zu planen, damit nicht eines Tages doch wieder alles für die Katz gewesen ist! Die mächtigen Gegner einer Land- und Geldreform werden nur dann »erfolgreich« bleiben, wenn sie auch künftig davon ausgehen können, dass die Menschen a) »das Geld an sich« nicht hinterfragen und wenn den Finanzgewaltigen b) die Presse auch weiterhin sklavisch und abwürgend zur Verfügung steht.

Zwei amerikanische Präsidenten haben ihren Versuch, die USA mit einer Geldreform zu retten, sogar mit ihrem Leben bezahlt. Diesen Opfern der Zinswirtschaft sei der Schluss meines Buches gewidmet, denn der Gedanke, daß feiger Mord an zwei Helfern der Menschheit umgedeutet werden könnte, ist so unerträglich wie das ungerührte Fortbestehen der leider immer noch als völlig normal empfundenen Zinswirtschaft. Schon Thomas Jefferson, 3. Präsident der USA, war der Meinung, den Privatbanken gehöre das Recht genommen, Geld zu schöpfen, weil er die Abhängigkeit des Staates von einer Handvoll Privatbankiers als noch gefährlicher empfand als ein an der Staatsgrenze stehendes feindliches Heer. Doch erst Abraham Lincoln, 16. Präsident der USA, machte in dieser Hinsicht wirklich einmal Nägel mit Köpfen und bekam dafür allerdings auch die Macht der Banken zu spüren, die eine noch größere Macht hinter sich wussten, auf die ich zu einem späteren Zeitpunkt noch eingehen werde. Um den Bürgerkrieg gegen die Südstaaten zu finanzieren, erbat sich der Präsident von den Banken einen größeren Kredit, der ihm nach wohlwollender Prüfung auch in Aussicht gestellt wurde. Allerdings zu einem Zinssatz von 36 % ! Dieses Angebot lehnte Abraham Lincoln nicht nur entrüstet ab (er konnte rechnen!), sondern nahm die Unverschämtheit der Bankiers und ihrer Hintermänner zum Anlaß, sich die benötigten 300.000 Dollar einfach selbst zu drucken, eine für damalige Verhältnisse ungeheure Summe und eine unglaublich mutige Tat. Den fassungslosen Bankiers ließ er ins Stammbuch schreiben: *»Das Privileg, sein eigenes Geld zu schöpfen und in Umlauf zu bringen, ist das höchste Alleinrecht des Staates und seine größte kreative Möglichkeit. Die Menschen erhalten damit eine Währung, die so sicher ist wie die Macht des Staates. Anstatt die Menschen zu beherrschen, wird es zum Diener der Menschheit. Die Demokratie wird dadurch stärker als die Geldmacht.«* Mit dieser Aussage hat Präsident Abraham Lincoln eine der wichtigsten Forderungen Silvio Gesells, nämlich die Verstaatlichung des Geldes, vorweggenommen. Von diesem Augenblick an hätte er jedoch von Leibwächtern pausenlos geschützt werden müssen. Weil aber die Gefahr, in die er sich durch seine Geldreform persönlich gebracht hatte, offenbar nicht erkannt wurde, konnte er am 14. April 1865 (Silvio Gesell war zu dieser Zeit drei Jahre alt) in der Präsidentenloge des Theaters von Washington hinterrücks und aus nächster Nähe erschossen werden. Im Lexikon lesen wir: »Er starb am 15. April 1865 an den Folgen eines

Attentats, das der fanatische Südstaatler J.W. Booth verübte.«
Natürlich kein Wort über die Hintermänner der Tat und über das
erleichterte Aufatmen der Bankiers. Bis heute wird die äußerst
glaubhaft wirkende Erklärung präsentiert, aus Wut über den verlorenen Bürgerkrieg sei damals eben so mancher Südstaatler zu
allem entschlossen gewesen. Ein Zweckmärchen, wie wir heute
wissen.

98 Jahre später, am 22. November 1963, wurde John F. Kennedy,
35. Präsident der USA, von einem Heckenschützen in Dallas
(Texas) ermordet. Ich lebte damals in Schweden und habe das
aufwühlende Ereignis am Radio miterlebt. Die Betroffenheit war
seinerzeit fast so groß wie 38 Jahre später beim Terrorangriff auf
das World-Trade-Center in New York.

Der mutmaßliche Attentäter, Lee Harvey Oswald, wurde zwar
schnell gefasst, konnte aber zur Aufklärung der Hintergründe dieses Verbrechens nicht mehr beitragen, da er schon zwei Tage nach
seiner Festnahme bei der Überstellung in ein Gefängnis in Dallas – vor laufenden Kameras – von dem Nachtklubbesitzer Jack
Ruby aus ca. 80 cm Entfernung mit mehreren Bauchschüssen
regelrecht hingerichtet worden war. Zwei FBI-Beamte hatten
den mit Handschellen gefesselten Oswald in ihre Mitte genommen (umringt von zahlreichen Reportern) und waren doch nicht
in der Lage, diesen Akt der angeblichen »Selbstjustiz« zu verhindern. Robert Kennedy, Justizminister der USA, verlor durch das
Attentat auf seinen Bruder einen Monat später auch noch sein
Amt und damit seinen Einfluss auf die Zusammensetzung und
Kontrolle der Mordkommission, die von Anfang an eine geheim-
nisumwitterte war.

Es mag damals gute Gründe für eine besonders strenge
Geheimhaltung der Untersuchungsergebnisse gegeben haben,
denn einerseits trieb der Ost-West-Konflikt mit Kuba und Vietnam einem neuen Höhepunkt zu, und andererseits war der mutmaßliche Attentäter Lee Harvey Oswald immerhin gerade erst
aus der feindlichen UdSSR zurückgekehrt, die ihm zunächst Asyl
gewährt hatte, dann aber unter nie restlos geklärten Umständen
in die USA zurückkreisen ließ. Es überrascht daher nicht, dass

Verschwörungstheorien wie Pilze aus dem Boden schossen und in zahlreichen Untersuchungen, Büchern und Filmen ihren mehr oder weniger überzeugenden Niederschlag fanden. »Mit Rücksicht auf die Sicherheit der USA« verschwanden die wichtigsten Ermittlungsergebnisse in den Tresoren von FBI und CIA, die sich nach außen darauf beschränkten, die Presse auf die Fährte eines verrückten Einzeltäters zu lenken.

Einen vorläufigen Höhepunkt erreichte die Tragödie der Familie Kennedy, als Robert Kennedy, seit dem Tode seines Bruders nicht mehr Justizminister der USA, sondern Senator des Staates New York, am 5. Juni 1964 auf einer Wahlkampfveranstaltung der Demokraten in einer Hotelküche – ebenfalls aus nächster Nähe – niedergeschossen wurde. Auch dieser Täter sowie 42 Zeugen und Mitwisser der näheren Umstände beider Attentate sind zum Schweigen gebracht worden, »unbekannt verzogen« oder »früh verstorben«. Nichts scheinen die Ermittler damals (wie heute!) mehr gefürchtet zu haben, als die Aussagen der beiden gefassten Mörder, denn gerade diese Bereiche einer mehrere hundert Seiten umfassenden Studie wurden von Spezialisten des FBI aufgeteilt in Sektoren, die den Nachrichtenagenturen zugespielt werden konnten und in solche, die »für alle Zeiten« in den Tresoren der Geheimdienste zu verschwinden hatten.

Auch bei Ruby, dem Mörder des Präsidentenmörders Oswald, drohte die Geheimhaltung der Hintergründe seiner Tat verloren zu gehen. Reporter hatten ihn im Gefängnis besucht und herausgefunden, dass er hoch verschuldet war und kurz vor dem Konkurs gestanden hatte. Ein klassischer Fall also für die »humanitäre Hilfe« der CIA, der für derartige Fälle etliche Millionen Dollar zur Verfügung standen, mit denen normalerweise Agenten, Gewerkschaftler, Politiker und gelegentlich auch Auftragsmörder bezahlt wurden, um beispielsweise in Mittelamerika Unruhen auszulösen, Regierungen zu stürzen oder US-freundliche Politiker und Geschäftsleute an die Macht zu bringen. Ruby, der zunächst zum Tode verurteilt wurde, bekam – wie vor der Tat offenbar versprochen – »eine zweite Chance« und sah diesem Prozess zunächst mit Zuversicht und Geduld entgegen. Als dieser

Prozess jedoch immer wieder um Wochen, Monate und schließlich um Jahre hinausgezögert wurde, spielte Ruby nicht mehr mit und begann unter Wärtern und Mithäftlingen zu reden. Das FBI hatte sein Geltungsbedürfnis unter- und seine Geduld überschätzt. Er prahlte damit, dass ein Verlag für seine Memoiren eine halbe Millionen Dollar geboten habe. Für das FBI ein Signal, diesen nicht mehr beherrschbaren Fall schon aus Kostengründen »vorübergehend« auszulagern und dem Geheimdienst CIA zu überlassen. Das vorübergehende Problem Ruby war also zu einer unaufhörlichen Gefahr geworden.

Derartige Einschätzungen kommen normalerweise einem Todesurteil gleich, denn für FBI und CIA gilt gleichermaßen die Devise, das Ansehen der USA unter keinen Umständen zu beschädigen. Jede Panne bedroht oder beendet außerdem den beruflichen Aufstieg der mit dem jeweiligen Fall beauftragten Geheimdienstler. Während Robert Kennedy sein Leben hätte retten können, wenn er sofort nach dem Attentat auf den Präsidenten an die Öffentlichkeit getreten wäre, um das ihm und seinem Vater Joseph Kennedy bekannte Motiv für die brutale Ausschaltung des Präsidenten beim Namen zu nennen (wir kommen auf dieses Motiv gleich zu sprechen), war es bei Ruby genau umgekehrt: Er hätte in seiner komfortablen Zelle natürlich alles tun müssen, um den CIA davon zu überzeugen, dass er auch nach einer vorzeitigen Entlassung absolut dichthalten würde. Weil er dazu offenbar nicht in der Lage war und die tödliche Gefahr, in die er sich durch seine Geschwätzigkeit gebracht hatte, nicht erkannt haben dürfte, musste ein glaubwürdig aussehender – und auch von der Presse akzeptierter – Selbstmord inszeniert werden. Für solche und ähnlich gelagerte Fälle stehen dem CIA – im Gegensatz zum FBI – »Selbstmordspezialisten« zur Verfügung, die beispielsweise mit einer gezielten Durchfallerkrankungswelle in dem jeweiligen Gefängnis zunächst einmal für den erforderlichen Personalengpass sorgen. Gefängnisdirektoren sind in derartigen Notsituationen verständlicherweise außerordentlich dankbar für das unbürokratische Einspringen qualifizierter »Urlaubsvertreter«, die in einem Umfeld, in dem Selbstmorde aus Verzweiflung so ungewöhnlich nun auch wieder nicht sind, keinerlei Verdacht erregen und nach Beendigung ihrer kurzen »Dienstzeit« wieder geräuschlos in der Anonymität des CIA verschwinden. So geschah es auch nach dem »Selbstmord« von Jack Ruby! Die gelenkte Presse verlor schnell ihr Interesse an diesem Fall, und schon bald krähte kein Hahn mehr danach.

Über 40 Jahre sind seit dem vergangen, und es wird immer schwerer, für dieses scheinbar ausgelutschte Thema noch Interessenten und Leser zu finden. Aber – ein harter Kern ist nicht nur übrig, sondern auch am Ball und zwar am PC geblieben! Was 1963 nur dem Pentagon, der NASA und dem CIA vorbehalten war, ist heute fast jedem Computerspezialisten möglich: Bei einer Rasteranalyse aller zugänglichen Prozessakten und Presseartikel ist u.a. zum Vorschein gekommen, was jahrzehntelang unter einem Wust von Nebensächlichkeiten entweder übersehen oder bewusst ignoriert worden war: Die unauffällige Nebenrolle von Joseph Kennedy, dem Vater des ermordeten Präsidenten!

Er war in den Zwanziger Jahren des vorigen Jahrhunderts durch Alkoholschmuggel im großen Stil – fast so erfolgreich wie Al Capone – zum Multimillionär aufgestiegen. Darum hat Joseph Kennedy den Verdacht, wenigstens zeitweise mit der Mafia zusammengearbeitet zu haben, später nie wieder abschütteln können; andernfalls wäre er mit Sicherheit Präsident der USA geworden. Um so größer dann aber die Entschlossenheit dieses »großen« Amerikaners, wenigstens einen seiner Söhne mit blütenweißer Weste bis ins Weiße Haus zu bringen, was ihm ja schließlich auch gelang. Nur wenige Monate vor dem Attentat auf Präsident John F. Kennedy hat Joseph Kennedy seinen Sohn im Weißen Haus besucht. Eine Angestellte hat bei einer späteren Anhörung im Kongress unter Eid ausgesagt, dass sie die Unterhaltung des Präsidenten mit seinem Vater im Oval Office von einem Nebenraum aus teilweise mit angehört habe. Der Präsident sei von seinem Vater plötzlich laut angeschrien worden:»Wenn du das tust, dann bringen sie dich um!«

Hier muss ich etwas ausholen und daran erinnern, dass die beiden Amtsperioden des Kennedy-Vorgängers General Eisenhower in mehrfacher Hinsicht glücklos und wenig erfolgreich verlaufen waren. Der von diesem Amt überforderte »Held« des 2. Weltkrieges hatte die USA lustlos und phantasielos in eine gefährliche Stagnation hineinregiert. Gebeugt unter der verdrängten und vertuschten Last eines der ganz großen Kriegsverbrechen des 20. Jahrhunderts, ist General Eisenhower seinen Schuldgefühlen für den Rest seines Lebens nie mehr Herr geworden. Sein Hass auf die deutschen Truppen wurde 1945 ca. 750.000 jungen deutschen Soldaten zum Verhängnis (andere Quellen sprechen von bis zu einer Million Toten). Die deutsche Wehrmacht war bekanntlich im Dezember 1944 von Generalfeldmarschall Gerd von Rundstedt in den Ardennen in die letzte große Schlacht des 2. Weltkrieges geführt worden und hatte den von General Eisenhower leichtsinnig geführten und völlig überraschten amerikanischen Truppen furchtbare Verluste zugefügt: Über 40.000 Amerikanische Soldaten sind der »Rundstedt-Offensive«, diesem letzten großen Verzweiflungsschlag der deutschen Wehrmacht, zum Opfer gefallen. Man kann den Hass der amerikanischen Bevölkerung und die Wut General Eisenhowers über sein eigenes Versagen und die entsetzlich hohen Verluste an Menschenleben so kurz vor dem schon absehbaren Ende des 2. Weltkrieges sehr gut verstehen, aber seine Rache an völlig wehrlosen deutschen Kriegsgefangenen mit dem besten Willen nicht, denn diese Rache übertraf alles bisher Dagewesene. Die deutschen Kriegsgefangenen (zunächst noch froh, den Krieg heil überstanden zu haben) wurden auf den berüchtigten »Rheinwiesen« bei Remagen, Andernach und an zahlreichen anderen Orten zu Hunderttausenden zusammengetrieben, provisorisch mit Stacheldraht, Maschinengewehren und Wachtürmen umstellt und dann wochenlang (!) gnadenlos Wind und Wetter ohne ein Dach über dem Kopf schutzlos dem Regen ausgeliefert. Innerhalb kürzester Zeit wurden diese überwiegend erst 18–20 Jahre alten Frontsoldaten durch Seuchen, Hunger und Entkräftung, vor allem aber durch die von General Eisenhower persönlich angeordnete und geduldete *unterlassene Hilfeleistung* zu Hunderttausenden dahingerafft! Während in so gut wie allen Orten Deutschlands der Opfer des Krieges und des Naziregimes in Würde gedacht werden kann, erinnert z.B. in Remagen nur eine Kapelle an dieses unfassbare Kriegsverbrechen! Interessierte seien auf das Buch *Der geplante Tod* des kanadischen Kriegsveteranen und Augenzeugen James Bacque hingewiesen. Wer eine verharmlosende Darstellung dieses Verbrechens wünscht, dem kann auf der Internetseite des Vereins Friedensmuseum in Remagen geholfen werden!

John F. Kennedy hatte die Mängel der Eisenhower-Regierung und deren Überwindung im zunächst aussichtslos erscheinenden Wahlkampf gegen Richard Nixon so selbstsicher und überzeugend dargestellt, als ob ihm eine besondere Kraft oder Weisheit zur Verfügung gestanden hätte, über die Nixon offensichtlich nicht verfügte. Heute wissen wir, dass dieser Optimismus bei John F. Kennedy auch tatsächlich so begründet war wie ein Frühlingsversprechen am Ende des Winters! Hinzu kommt, dass Präsident Kennedy, der Volkswirtschaft studiert hatte, im Gegensatz zu seinen Vorgängern und Nachfolgern in der Lage war, in finanzwirtschaftlichen Fragen die Ratschläge seiner Berater zu durchschauen und zu beurteilen!

Nach mir vorliegenden Informationen kann jetzt kein Zweifel mehr daran bestehen, dass Präsident Kennedy, sein Bruder, der Justizminister Robert Kennedy und sein Vater Joseph Kennedy sich schon vor seiner Amtsübernahme mit der Rolle und den Möglichkeiten eines vom Zins befreiten Dollars befasst haben! Eine seiner bedeutendsten Amtshandlungen kam denn auch einem (und zwar seinem!) Todesurteil gleich: Präsident Kennedy unterzeichnete am 4. Juni 1963 ein präsidiales Dokument und zwar die »executive order number 11110«, mit dem er das frühere Dokument »executive order number 10289« außer Kraft setzte. Dieser präsidiale Beschluss ermächtigte den Präsidenten der USA, die Herstellung von Banknoten wieder in die Gewalt des Staates zurückzubringen! Um die Tragweite dieser Amtshandlung Präsident Kennedys ermessen zu können, sollte man sich zunächst einmal der Tatsache bewusst werden, wie ungeheuer frech die mächtigste Nation der Welt von einem Dutzend Privatbankiers – bis auf den heutigen Tag – zum Narren gehalten wird!

In den USA ermächtigt seit 1913 der Staat eine von Privatbankiers geführte Notenbank, wertloses Papier mit Hilfe einer Druckmaschine in Geld zu verwandeln. Anschließend kauft der souveräne (?) amerikanische Staat den Privatbankiers der Notenbank dieses bedruckte Papier – inzwischen mit der Bezeichnung Dollar aufgewertet – gegen hohe Zinsen wieder ab, um damit seine Beamten, das Militär, die Sozialsysteme, die Weltraumforschung und alle anderen Staatsaufgaben zu bezahlen! Was hier zunächst wie ein ganz schlechter Witz anmutet, ist 1910 durch eine lückenlos dokumentierte Bankiersverschwörung (siehe Literaturangaben) eingefädelt und 1913 nach einem beispiellosen Täuschungsmanöver und Betrug am amerikanischen Volk unter Leitung des deutsch-amerikanischen Bankiers Paul Warburg in einer Nacht- und Nebelaktion vom Kongress zum Gesetz erhoben worden. Der angesehene Kongressabgeordnete Charles A. Lindbergh Sr. (Vater des berühmten Atlantiküberquerers gleichen Namens) nannte diese Ungeheuerlichkeit das größte Verbrechen in der Geschichte der USA. Nach meiner Einschätzung war es sogar das schwerste Verbrechen aller Zeiten, denn die Folgen haben sich im Laufe der Zeit wie ein Pesthauch über den ganzen Globus gelegt: Auf unserem Planeten stehen heute über 6 Milliarden Menschen nur 345 Multimilliardären gegenüber, die sich 50 % aller Geldvermögen unter den Nagel gerissen haben. Auf dieses so genannte Federal Reserve Gesetz von 1913 hatte es Präsident Kennedy abgesehen. Er wollte dem US-Kongreß die selbstverständliche (!) Macht zurückgeben, das Staatsgeld wieder in eigener Regie zu drucken. Es hätte dann zum Wohle der ganzen Nation zinslos in den Geldkreislauf der USA eingebracht werden können. Die mächtigen Zinsschmarotzer wären somit leer ausgegangen. Eine Sternstunde der Menschheit – wenn man bedenkt, welche Signalwirkung von diesem präsidialen »Staatsstreich« auch international ausgegangen wäre! Kongressdokumente, die erst nach der Jahrtausendwende ans Tageslicht gekommen sind, beweisen, dass Präsident Kennedy sogar schon damit begonnen hatte, das neue Staatsgeld unter der Bezeichnung »United States Notes« drucken zu lassen und in Umlauf zu bringen. Immerhin vier Milliarden Dollar in 2-Dollar- und in 5-Dollar-Noten sind noch zu seinen Lebzeiten der Geldzirkulation zinslos zugeführt worden. Als Kennedy ermordet wurde, befanden sich die neuen 10- und 20-Dollar-Scheine noch in der Staatsdruckerei. Sie wurden unmittelbar nach dem Attentat von den zwölf Privatbanken, aus denen sich die amerikanische Notenbank zusammensetzt, klammheimlich und restlos vernichtet. Die bereits kursierenden »United States Notes« wurden in einer konzertierten Geheimaktion aller Privatbanken (andere Banken gibt es in den USA gar nicht!) unauffällig aus dem Verkehr gezogen, d. h. gegen normales Schuldgeld ausgetauscht. Das amerikanische Volk und die übrige Welt erfuhren nichts davon. Seit dieser Zeit (1963) hat es kein Präsident der USA mehr gewagt, sich der Macht des Großkapitals und der Geheimlogen zu widersetzen.

Die Meuchelmorde an den beiden besonders beliebten US-Präsidenten Lincoln und Kennedy haben scheinbar nur diese eine bedeutende Gemeinsamkeit: Beide Verbrechen beendeten mit brutaler Gewalt zwei von den Banken und ihren Hintermännern als überaus bedrohlich empfundene Geldreformen. Gibt es weitere Übereinstimungen? Es gibt sie, doch stellt sich die Frage, ob es ratsam ist, die Leserschaft am Ende meines Buches mit diesen Informationen zu belasten. Mein Verstand sagt mir: *»Lass es lieber sein!«* Mein Gefühl sagt mir: *»Tu es!«* Also habe ich es doch getan. Die nun folgende Gegenüberstellung von Merkwürdigkeiten enthält nur Tatsachen, die von der Leserschaft mit Hilfe eines guten Lexikons selbst überprüft werden können:

Abraham Lincoln wurde 1846 in den Kongress gewählt, John F. Kennedy 1946. Lincoln wurde 1860 Präsident, Kennedy 1960. Lincolns Nachfolger im Amt hieß Andrew Johnson, geboren 1808. Kennedys Nachfolger hieß Lyndon Johnson, geboren 1908. Booth, der Mörder von Lincoln, wurde 1839 geboren. Oswald, der Mörder Kennedys, wurde 1939 geboren. Beide Mörder kamen aus dem Süden der USA. Beide wurden noch vor ihrer Verurteilung erschossen. Booth beging die Tat in einem Theater und versteckte sich anschließend in einem Lagerhaus. Oswald erschoss Kennedy aus einem Lagerhaus heraus und versteckte sich anschlie-

»Denk ich an Deutschland in der Nacht,
bin ich um den Schlaf gebracht.« Ein paar Millionen (!)
Briefmarken zu Ehren des jüdischen Dichters Heinrich
Heine mussten 1997 wieder aus dem Verkehr gezogen werden, weil der Bogenrand dieser Briefmarke mit dem germa-
nischen Runenzeichen »R« (wie Rohkost) verziert worden
war, was empfindliche Gemüter (im Zentralrat der Juden?)
an die Nazizeit hätte erinnern können. Andere Länder sind
da nicht so zimperlich: Bis auf den heutigen Tag leuchtet uns
beispielsweise von jeder 1-Dollar-Note das Freimaurersym-
bol »Satansauge« entgegen. Die selbstbewussten Amerikaner gehen sogar noch einen Schritt weiter: Ohne sich groß
was dabei zu denken, vertilgen sie ausgerechnet die Leib-
speise Adolf Hitlers, den knackigen Kopfsalat, während sich
unsereins beim Verzehr dieser urgesunden Ungeheuerlichkeit doch immerhin mit einem schlechten Gewissen etwas
Luft zu verschaffen sucht.

ßend – in einem Theater! Beide Präsidenten wurden an einem Freitag und in Anwesenheit ihrer Ehefrauen durch Schüsse in den Hinterkopf ermordet. Es geht aber noch weiter: Lincoln wurde im *»Ford's Theater«* erschossen, Kennedy traf die Kugel in einem Ford *»Lincoln«*! Lincolns persönlicher Sekretär hieß Kennedy. Kennedys Chefsekretärin hieß – Lincoln! Kann man oder darf man angesichts einer derart merkwürdigen und extrem unwahrscheinlichen Häufung von Übereinstimungen noch von Zufällen ausgehen, oder haben hier wieder dunkle Mächte ihre Hand mit im Spiel gehabt? Dass derart passgenaue Daten und die Symbolik der Umstände die Zahl der Verschwörungstheorien nicht kleiner werden ließ, versteht sich von selbst. Es bleibe aber der Leserschaft überlassen, über diesen Teil der Geschichte des Geldes nun entweder Gras wachsen zu lassen oder der Sache endlich einmal tiefschürfend auf den Grund zu gehen.

Der nun folgende *»Offene Brief an Rudolf Augstein«* mag durch dessen Tod im Jahre 2002 nicht mehr so frisch sein wie in der 5. und 6. Auflage. Doch im Hinblick auf die Notwendigkeit, diesen Denkzettel der arroganten SPIEGEL-Mannschaft so lange zu präsentieren, bis die Hamburger Redaktionsräume endlich mal gelüftet werden, habe ich mich doch noch mal dafür entschieden, den Herausgebern und Redakteuren dieses angeblich so »unabhängigen« Nachrichtenmagazins die Möglichkeit zu bieten, im Beichtstuhl der deutschen Nachkriegsgeschichte aufhorchen zu lassen! Auch die inzwischen pensionierten SPIEGEL-Redakteure und jene Mitläufer Augsteins, die kurz vor der Rente stehen (also eigentlich nichts mehr zu verlieren haben!), sind hiermit herzlich eingeladen, den Redaktionen anderer Zeitungen und Zeitschriften sowie den deutschen Fernsehredaktionen mit gutem Beispiel voranzugehen!

Offener Brief an Rudolf Augstein

An den Herausgeber
und Geschäftsführer
des Nachrichten-Magazins
DER SPIEGEL

Herrn
Rudolf Augstein
Brandstwiete 19
D-20457 Hamburg

Bickenbach, Datum des Poststempels

Betr.: Abo-Kündigung aus Protest

Sehr geehrter Herr Augstein,

er wird mir fehlen, DER SPIEGEL, der seit 45 Jahren meine Montagslektüre gewesen ist. Aber damit ist jetzt endgültig Schluss: Ich kündige hiermit zum frühest möglichen Termin mein Spiegel-Abonnement! Das fällt mir nicht leicht, denn ich halte dieses Nachrichtenmagazin, Ihr Lebenswerk, nach wie vor für eines der besten.

Darum bin ich Ihnen gegenüber ja auch nie kleinlich gewesen; selbst damals nicht, als die italienische Polizei bei der Suche nach Rauschgift zu meiner großen Überraschung auch in Ihrem Urlaubsgepäck fündig wurde. Der SPIEGEL hat damals zu dieser Peinlichkeit ausführlich geschwiegen. Zwar sagte mir meine Lebenserfahrung, dass ein Publizist Ihres Schlages, der seine Leser/innen sogar über den krankhaften Telefonsex-Terror eines Berliner Politikers spiegelgenau zu informieren wusste, sicher auch selbst immer etwas Dreck am Stecken hat, aber so richtig für möglich gehalten habe ich das bei Ihnen eigentlich nie.

Vielmehr haben Sie mich von Skandal zu Skandal sogar noch in der Meinung bestärkt, nur mit dem SPIEGEL die Inkarnation der deutschen Pressefreiheit wahrhaftig erleben zu können. Jede Woche – und das immerhin 45 Jahre lang!

Meine Begeisterung über Ihre erstaunliche Fähigkeit, auch noch den leisesten Pupser deutscher Spitzenpolitiker erschnüffeln zu lassen, kannte keine Grenzen; also habe ich den SPIEGEL 1960 bei meiner Auswanderung wie ein Stück Presseheimat mit nach Schweden getragen. Wie hätte ich denn angesichts Ihrer Verdienste um die »*Bananenrepublik Deutschland*« (DER SPIEGEL) auch auf die Idee kommen können, dass Sie selbst, Herr Augstein, ja auch kein sauberes Mehl in der Tüte haben?

»*Eine Generation, die das Polareis von unten, den Mond von hinten und Jayne Mansfield von der Seite gesehen hat, wundert sich so schnell nicht mehr ...*« und ähnliche Kostproben Ihrer Redaktionsstuben-Literatur haben uns den Begriff »Spiegel-Deutsch« beschert. Nicht ungeschickt haben Sie mich und andere darüber hinweggetäuscht, dass eine unangefochtene Stellung auf dem deutschen Zeitschriftenmarkt und ein entsprechend hohes Ansehen sich auch ganz leicht und vor allem unauffällig missbrauchen lassen. Das hatte ich in meiner – zugegeben – etwas naiven SPIEGEL-Begeisterung glatt übersehen.

Heute wissen wir: Sie haben das Vertrauen Ihrer Leser/innen schamlos missbraucht und Ihre Leserschaft ein halbes Jahrhundert lang am rettenden Ausweg der Natürlichen Wirtschaftsordnung (NWO) Silvio Gesells »erfolgreich« vorbeigelogen, während Sie andererseits Ihre Redakteure anweisen konnten, den Zinsterror und die längst zugeschnappte Schuldenfalle des Staates durchaus zutreffend und süffisant zu beschreiben. Ist das nicht hinterhältig und geradezu pervers, um nicht zu sagen – kriminell?

Oder sollte Ihnen wirklich entgangen sein, dass sich mit der Überwindung der kapitalistischen Zinswirtschaft, d.h. mit der Einführung der Freiwirtschaft Silvio Gesells, das Menschenrecht »Arbeit und Wohlstand für alle« in eine kaum noch vermeidbare Selbstverständlichkeit verwandeln ließe?! Warum lassen Sie selbst extrem kurze Leserbriefe im SPIEGEL unterdrücken, die den Finger auf diese Wunde legen?

Ist es Ihre berechtigte Sorge, Herr Augstein, dem Heer der Arbeitslosen eines Tages doch noch Rede und Antwort stehen zu müssen für das, was Sie durch Ihre Taktik des Totschweigens zu einem vermeidbaren (!) Dauerskandal werden ließen?

Was wäre denn, Herr Augstein, wenn man Ihnen diese unterlassene Hilfeleistung, also den schändlichen Missbrauch Ihrer moralischen Informationspflicht gegenüber Millionen und Abermillionen Arbeitslosen und anderen Opfern der sozialen Erosion, eines Tages nicht länger als verzeihliches Kavaliersdelikt durchgehen ließe, sondern auf eine Stufe stellen würde mit den so genannten

»Verbrechen gegen die Menschlichkeit«?

Warum verschweigen Sie Ihrer Leserschaft eigentlich noch immer die berüchtigten Geheimkonferenzen der Bilderberger? Wer gebietet Ihnen, ein derart *»lichtscheues Gesindel«* (H. Scholl) unter den speziellen Schutz Ihrer persönlichen Medienmacht zu stellen? Herr Augstein, dass Sie 1947 bei der Gründung Ihres Verlages den alliierten Siegermächten noch tief in den Auspuff kriechen mussten, um anschließend nach deren Pfeife tanzen zu dürfen, das nimmt Ihnen doch heute keiner mehr übel! Aber dass Sie damit fortfahren, das heißt bis auf den heutigen Tag winseln und kriechen, wo einem Deutschen der aufrechte Gang doch längst wieder möglich wäre, ist das eines deutschen Herausgebers würdig?

Meinen Sie nicht auch, dass es langsam an der Zeit wäre, vor die Spiegel-Leserschaft zu treten, um ihr zu beichten, was in all den Jahren vom SPIEGEL ausgeblendet werden musste, um einer höheren Macht zu dienen, der Sie von Anfang an verpflichtet waren und der Sie offenbar immer noch ausgeliefert sind? Tun Sie das doch, Herr Augstein, solange Sie dazu gesundheitlich noch in der Lage sind! Bedenken Sie, wie peinlich und verlogen die Nachrufe »auf diesen großen Publizisten« einmal sein werden, falls Ihre Beichte nicht mehr rechtzeitig kommt. Wie gut stünde z. B. Herbert Wehner heute da, wenn er den Mut gehabt hätte, seinen Mangel an Mut (in den Moskauer Jahren) offen und ehrlich zuzugeben!

Beginnen Sie vorschlagsweise damit, die besten Spürhunde der SPIEGEL-Redaktion wie ausgehungerte Trüffelschweine auf jene Erfüllungsgehilfen des Großkapitals und der Logen anzusetzen, die sich im Kernschatten der deutschen und europäischen Parlamente frech und zufrieden häuslich eingerichtet haben und die Schonfrist der Medien (insbesondere die des SPIEGEL) seit Jahrzehnten dankbar zu nutzen und zu genießen wissen.

Oder stecken Sie da etwa auch ganz hochgradig mit drin?

Ich gehöre zur wachsenden Schar derer, die selbst darüber entscheiden möchten, ob wir es hier noch mit einer ehrenwerten Gesellschaft zu tun haben oder mit einer tödlichen Gefahr für die Demokratie. Aus diesem Grunde bin ich auf eine wahrhaftige und unabhängige Presse angewiesen, während ich auf ein Nachrichtenmagazin verzichten kann, das den weit entfernten Glasnost eines Michael Gorbatschow überschwänglich zu begrüßen und zu feiern wusste, den Glasnost im Mief der SPIEGEL-Redaktion jedoch mit ferngelenkten Tabus geräuschlos zu ersticken versteht.

Dieses Anliegen ist mir inzwischen doch zu wichtig geworden, als dass ich es noch einmal zulassen könnte, unbeachtet in einem Ihrer Papierkörbe zu landen. Haben Sie darum bitte Verständnis dafür, dass ich die bereits ausgesprochene Abo-Kündigung heute und hier in Form eines Offenen Briefes wiederhole, um sie ihrer Bedeutung entsprechend über das Internet verbreiten zu können.

Darüber hinaus habe ich meinen Entschluss, Ihnen und dem SPIEGEL mit diesem Offenen Brief die rote Karte zu zeigen, in mein Buch »Wer hat Angst vor Silvio Gesell?« aufgenommen und ihn damit der eigenen Leserschaft zur Nachahmung empfohlen.

Mit freiwirtschaftlichen Grüßen

Hermann Benjes

Fassen wir das 17. Kapitel noch mal zusammen:

a) Auch erfolgreiche Geldreformen scheitern, sobald die Menschen aufhören, das Erreichte zu schätzen und zu schützen, wie z.B. in Guernsey.

b) Thomas Jefferson, 3. Präsident der USA, erkannte bereits die Notwendigkeit, den Privatbanken das Recht auf die Geldschöpfung zu entziehen.

c) Doch erst Abraham Lincoln, 16. Präsident der USA, finanzierte den Amerikanischen Bürgerkrieg mit »greenbacks«, die er an den Banken vorbei drucken ließ und zinslos in Umlauf brachte. Seine Gegner ließen ihn ermorden und brachten damit die von Präsident Lincoln auf den Weg gebrachte Geldreform zu Fall.

d) John F. Kennedy, 35. Präsident der USA, ließ sich – trotz der Warnungen seines Vaters Joseph Kennedy – nicht davon abbringen, das Recht auf Geldschöpfung in die Zuständigkeit des Staates zurückzuholen. Ein Attentat beendete auch diese – bereits eingeleitete – Geldreform.

e) Seit dieser Zeit (1963) hat es kein amerikanischer Präsident mehr gewagt, das herrschende Geld durch ein dienendes Geld zu ersetzen. Eine Medienmafia sorgt seit dem dafür, dass jede Erinnerung an den Geldreformversuch Präsident Kennedys schon im Keim erstickt wird.

f) Extrem unwahrscheinliche Gemeinsamkeiten und symbolträchtige Begleitumstände der Morde an den beiden amerikanischen Präsidenten Abraham Lincoln und John F. Kennedy geben einen kleinen Vorgeschmack von der Weitsicht der Logen und der Macht des Geldes.

g) Rudolf Augstein, Herausgeber des Nachrichtenmagazins DER SPIEGEL, hat die Antwort auf meine Frage, welche Mächte ihn dazu zwingen, die Bilderberg-Konferenzen seiner eigenen Leserschaft zu verschweigen, mit ins Grab genommen.

Die Würde des Menschen
ist ein beliebtes Lippenbekenntnis, das auch deutsche Politiker gern im Munde führen, um über den Nachholbedarf
bei der sozialen Gerechtigkeit wählerwirksam hinwegzu-
trösten. Wer diese Spielwiese der schönen Worte verlässt,
um an die Stelle unverbindlicher Worthülsen notwendige
Taten treten zu lassen, muss schlimmstenfalls damit rechnen, in das Fadenkreuz gedungener Mörder zu geraten. Die
beiden äußerst beliebten US-Präsidenten Abraham Lincoln
(1809–1865) und John F. Kennedy (1917–1963) hätten in
Ruhe, nicht aber in Würde alt werden können, wenn sie
darauf verzichtet hätten, das herrschende Geldsystem und
die dahinter stehenden dunklen Mächte anzutasten. Da sie
sich von ihrem Vorhaben aber nicht abbringen ließen, trat
an die Stelle einer entwürdigenden Verbeugung vor den
Finanzgewaltigen ein würdevoller Tod, der sie ehrenvoll in
die Geschichte des Geldes eingehen ließ.
(Skulptur »Indianerkopf« von Carl Milles)

18 Wie sag ich's meinem Kinde?

Die Wahl zwischen Inflation und Deflation ist die Wahl zwischen Cholera und Pest. Das ist natürlich leichter dahingesagt, als mit überzeugenden Worten erklärt. Alle Leser/innen dieses Buches sollten jedoch in der Lage sein, sich selbst, Freunden und sogar Kindern (!) den Unterschied zwischen Inflation und Deflation zu erklären. Mit Hilfe von drei Varianten einer Zeichnung (nach Stadelmann) wird es Ihnen sicher möglich sein, dieses unerhört wichtige Wissen plausibel zu vermitteln. Wenn Sie Glück haben, provozieren Sie dabei sogar die Frage: *»Wo liegt die Lösung dieses Problems?«* Sollte Ihnen die Frage aber nicht gestellt werden (das kommt vor), müsste Ihrerseits etwas nachgeholfen werden, denn Ihre Antwort hätte es wirklich verdient, von Ihren Gesprächspartnern – ob jung oder alt – mit Spannung erwartet zu werden, es handelt sich schließlich um die geniale Lösung eines weltweit bestehenden Problems mit Hilfe der bahnbrechenden Erkenntnisse Silvio Gesells! Hier nun zunächst die beiden Probleme – und anschließend die frappierende Lösung:

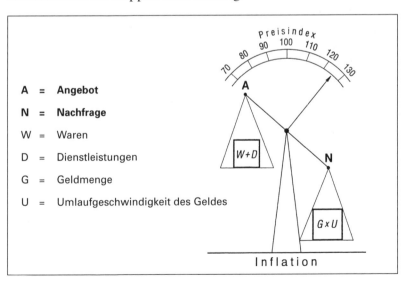

A = Angebot

N = Nachfrage

W = Waren

D = Dienstleistungen

G = Geldmenge

U = Umlaufgeschwindigkeit des Geldes

Inflation:

Befindet sich zuviel Geld im Wirtschaftskreislauf, steigt die Nachfrage; d.h. die Kunden kaufen den Händlern die Regale leer. Das veranlasst jeden tüchtigen Kaufmann dazu, die gute Gelegenheit für eine Preisanhebung zu nutzen. Auch Großhändler nutzen natürlich schnell die Gunst der Stunde zu Preiserhöhungen (ausgelöst durch ungewöhnlich hohe Nachbestellungen seitens der Geschäftsinhaber). Ständig steigende Preise lassen jetzt aber auch jene Kunden kaufend in Aktion treten, die damit eigentlich noch warten wollten, jetzt aber befürchten, dass es »nie wieder so günstig wie heute« sein wird. Da in der nun einsetzenden Kaufhektik auch die Umlaufgeschwindigkeit des Geldes steigt, die dann (multipliziert mit der »aktiven« Geldmenge!) die ohnehin schon zu große Geldmenge nicht nur anschwellen lässt, sondern vervielfacht, stehen schließlich unübersehbare Summen kaufenden Geldes einem zu geringen Warenangebot gegenüber. 1923 endete eine derartige Inflation erst beim Stand von 50 Milliarden Reichsmark für eine einzige Briefmarke! Die »galoppierende« Inflation wird daher auch als der größte denkbare Betrug bezeichnet, verlieren doch so gut wie alle unbescholtenen Bürger ihre Ersparnisse und müssen am Ende der Inflation wieder bei Null anfangen, während z.B. Besitzer von Mietshäusern nahezu ungeschoren davonkommen: Gleich nach dem »Währungsschnitt« sind sie beim Kassieren der Mieten wieder voll dabei! Mit Hilfe der Inflation können Regierungen einen Staatsbankrott so »gestalten«, dass 90 % der Bevölkerung eine Suppe auszulöffeln haben, die ihr durch »Wirtschaftsweise« und unbelehrbare Kanzlerberater eingebrockt worden ist.

Deflation:

Befindet sich dagegen zu wenig Geld im Umlauf, sinkt die Nachfrage nach Gütern und Dienstleistungen; d.h. die Modegeschäfte z.B. bleiben auf ihren neuen Klamotten sitzen. Das zwingt sie dazu, die Preise zu senken. Mehr noch: Das Modehaus reicht seine Probleme an den Großhändler (und der an die Textilfabriken) weiter, indem schlagartig deutlich weniger nachbestellt wird und auch das nur zu herabgesetzten Preisen. Der Großhändler storniert seine Bestellungen und die Textilfabriken gehen bestenfalls zu Kurzarbeit über. Inzwischen hat König Kunde gemerkt, dass es sich lohnt, mit dem Kaufen trotz günstiger Preise noch etwas zu warten: Die Preise gehen nämlich ständig weiter nach unten, das Geld in den Taschen der Konsumenten wird also von Tag zu Tag wertvoller. Ist aber ein bestimmter Punkt erreicht, geht alles plötzlich ganz schnell: Viele Geschäfte »geben auf«, und die Fabriken »machen dicht«. Der Kunde, eben noch König, wird selbst arbeitslos. Da mögen die Preise dann noch so günstig sein; jetzt fehlt ihm das Geld für die Schnäppchenjagd. Aus der Deflation (Unterversorgung des Marktes mit Geld) kann sich also ganz schnell eine Depression (Krisensituation) entwickeln, die bei anhaltender Tendenz zu Massenelend, Aufruhr, Terror und Krieg führen kann.

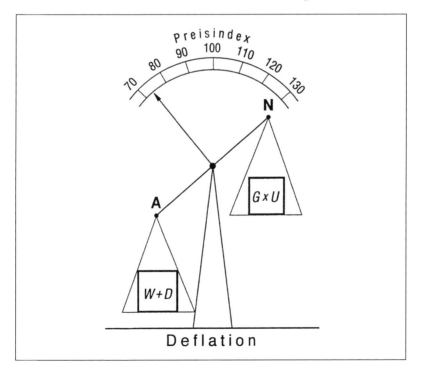

Stabile Währung:

Silvio Gesell erkannte, dass sich die Summe aller Waren (W) und Dienstleistungen (D) in der linken Waagschale der stabilen Währung exakt die Waage halten muss und zwar mit dem Produkt aus Geldmenge (G) mal Umlaufgeschwindigkeit (U) des Geldes in der rechten Waagschale. Unter diesen Umständen verharrt der unbestechliche Preisindex-Zeiger – ob man es glaubt oder nicht – bei 100 %, und das bedeutet nicht nur absolute Preisstabilität, sondern Vollbeschäftigung und Wohlstand für alle – ob man es glaubt oder nicht! Gesell hat dieses Konjunktur- und Preisideal nicht etwa nur gefordert, sondern der Menschheit auch ein überall gültiges Rezept dafür geliefert, mit dessen Hilfe schon kleinste Abweichungen vom Ideal erkannt und problemlos (noch rechtzeitig!) auf die unerhört wichtige 100 %-Linie wieder zurückgeführt werden können. Das inzwischen weltweit genutzte

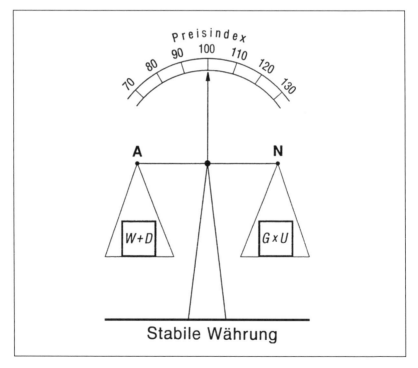

Rezept Silvio Gesells ist der so genannte »Warenkorb«, mit dessen Hilfe Preisvergleiche mit dem Monat des Vorjahres unüberbietbar exakt durchgeführt werden können. Das geschieht im Auftrag der Bundesbank Monat für Monat; und jedes Mal wird dabei die Urheberschaft Gesells an dieser genialen Preismessmethode verschwiegen! *(Das ist so als würde die Autoindustrie dazu übergehen, den Begriff Dieselmotor durch das Wort Mineralölmotor zu ersetzen, um von der Tatsache abzulenken, dass es ein Deutscher war, dem wir diese Erfindung verdanken.)* Verschwiegen wird aber auch, um wie viele Prozent das Geld wieder einmal entwertet wurde. Statt dessen ist beschönigend und ablenkend nur von

Preiserhöhungen die Rede, die der Bevölkerung zwar auch nicht schmecken, »die Analphabeten des Geldes« jedoch in dem Glauben lassen, mit dem Geld sei so weit alles in Ordnung. Das ist es natürlich nicht, denn den prozentualen Preiserhöhungen stehen selbstverständlich die monatlichen Geldentwertungen gegenüber! Dieses permanente Herumpfuschen an der Währung ist das Markenzeichen der Zinswirtschaft, die uns, d.h. 90 % der Bevölkerung in Deutschland (und 98 % der Weltbevölkerung!) schon heute durch die soziale Erosion teuer zu stehen kommt und mit mathematischer Gewissheit auf eine gesellschaftliche Katastrophe unübersehbaren Ausmaßes zusteuert.

Das Loch in der Mauer – Eine Schlussbetrachtung

Die Illusion des »unmöglichen« Dreiecks ist das Resultat einer optischen Täuschung. Das verblüffende Sichterlebnis kann allerdings nur innerhalb eines äußerst schmalen Winkels geboten werden. Weil die Besucher des Museums für optische Täuschung in Dinkelsbühl diesen extrem schmalen Beobachtungswinkel aber selbst gar nicht finden würden, hat die Museumsleitung etwas nachgeholfen und ein kleines Loch durch eine Mauer bohren lassen. Und tatsächlich: Beim Blick durch das genau platzierte Loch verwandelt sich die unscheinbare Eisenkonstruktion auf dem Rasen des Museums in ein magisches Dreieck. Ich habe es selbst ausprobiert und fotografiert: Die Illusion ist nicht nur in Wirklichkeit, sondern auch auf dem Foto absolut perfekt!

Aber: nur ein winziger Schritt zur Seite – und schon ist der ganze Spuk vorbei; siehe Foto!

 Die Gegenüberstellung dieser beiden Fotos (erst natürlich nur das verblüffende, dann überraschend das entlarvende) ließ in meinen Dia-Vorträgen über Silvio Gesell immer ein hörbares Raunen durch den Saal gehen (Aha-Effekt) und löste so ganz nebenbei auch noch das Problem, vor der Gefahr zu warnen, von Politik und Medien in ähnlicher Weise oder sogar noch etwas raffinierter getäuscht zu werden. *(Nachdem sich herausgestellt hat, dass ich die Besucher meiner Vorträge auch ohne Diabilder »an den Stuhl kleben« kann, verzichte ich nach über 20 Jahren und nahezu 1.200 Diavorträgen auf Diabilder und verlasse mich nur noch auf das gesprochene Wort und die kreislaufbelebende Auseinandersetzung mit dem Publikum.)* Die meisten Besucher/ innen sind allerdings der Meinung, über genügend Erfahrung und Intelligenz zu verfügen, um »auf so etwas« nicht hereinzufallen. Sie übersehen dabei aber, dass es im wirklichen Leben viel heimtückischer zugeht und das in der Regel auch ohne Vorwarnung! Oder warnt etwa DER SPIEGEL seine Leserschaft vor dem erneuten Verschweigen einer bevorstehenden Bilderberg-Konferenz? Während in Dinkelsbühl nur das kleine Guckloch mit seinem Blickwinkel von etwa einem Grad die perfekte Illusion eines magischen Dreiecks zu bieten vermag, zeigen uns die restlichen 359 Grad im Garten des Museums nur eine ganz unverdächtige Eisenkonstruktion. Die gelenkten Medien drehen den »Spieß von Dinkelsbühl« dagegen einfach um: Sie machen es also genau umgekehrt, ja sie stellen die Situation sozusagen auf den Kopf! So wird uns beispielsweise in einem 359-Grad-Panorama der Medien die Illusion suggeriert, es sei nicht nur wünschenswert und zulässig, sondern auch möglich (!) und vor allem notwendig, die Wirtschaft unaufhörlich wachsen zu lassen. Weil aber dann die mit dem exponentiellen Wachstum verbundenen verheerenden Folgen durch ein kleines Loch in der Mauer des Totschweigens immer noch anvisiert und als tödliche Gefahr erkannt wer-

den können, wurde das Loch mit freundlicher Unterstützung der Wirtschaftswissenschaft ganz unauffällig mit einem zähen Lügenkleister zugeschmiert. In diesem Panorama der Wachstumsillusionen darf es natürlich keine Studenten geben, die ihren Professor vielleicht doch einmal fragen könnten, seit wann denn ein Kreis nur noch aus 359 Grad bestehe und wo denn eigentlich der fehlende 1-Grad-Sektor abgeblieben sei! Da wir kaum damit rechnen können, dass unsere Studenten (die schon bald in Führungspositionen des Staates aufrücken werden!) noch rechtzeitig dieser »graduellen Unterschlagung« eines Winkels auf die Schliche kommen, habe ich mit dem vorliegenden Buch etwas nachgeholfen und das mit Lügen zugeschmierte Loch wieder freigelegt. Durchschauen muss natürlich jeder selbst, das kann ich stellvertretend für andere nicht auch noch übernehmen. Ob nun aber alle, die es bitter nötig hätten, einen Blick durch dieses Loch zu riskieren, das auch tun werden – freiwillig versteht sich, oder ob sie von uns am Kragen zu packen sind und mit Gewalt vor das Loch gezerrt werden sollten, das ist die Frage. Und was ist die Antwort? Die gebe sich am besten jeder selbst und leite sie vorschlagsweise ein mit den alles entscheidenden Worten: »Ich werde …!«

Literatur

Agee, Philip: »*CIA INTERN*«, Europäische Verlagsanstalt, 1993
Allen, Garry: »*Die Insider*«, VAP-Verlag, 1971
Bacque, James: »*Der geplante Tod*«, Ullstein, 1995
Bacque, James: »*Verschwiegene Schuld*«, Pour le Merite, 2002
Bartels, Fritz: »*Katastrophenpolitik der Reichsbank*«, FZ-Verlag, 1927
Bartsch, Günter: »*Die NWO-Bewegung Silvio Gesells*«, Gauke, 1994
Benedikt XIV, Papst: »*Über den Wucher und andere Ungerechtigkeiten*«, 1745
Benjes, Hermann: »*Armut ist heilbar*«, Vortrag, Silvio-Gesell-Tagungsstätte, 1995
Benjes, Hermann: »*Die Zeit-Faktor-Ökonomie*«, DER 3. WEG 10/1997
Benjes, Hermann: »*Die Vernetzung von Lebensräumen mit Benjeshecken*«,
    (5. Aufl. mit einer Einführung in die NWO Silvio Gesells), Natur&Umwelt, 1998
Benjes, Hermann: »*Wer hat Angst vor Silvio Gesell?*«, Festvortrag am 21.04.1998
    in Freiburg anlässlich des Jubiläums »*1000. Diavortrags seit 1981*«
Benjes, Hermann: »*Das Mirakel von Guernsey*«, DER 3. WEG 10/1998
Benjes, Hermann: »*Vor 80 Jahren: Silvio Gesell in München*«, DDW 5/99
Benjes, Hermann u. a.: »*Apfel-Brief-Aktion – SPD*«, 1999–2001 (5.600 Briefe!)
Benjes, Hermann: »*Pfarrer erkennen die Bedeutung Silvio Gesells*«, DDW 2/2000
Benjes, Hermann: »*Wem gehört das Wasser der Erde?*«, DER 3. WEG 3/2000
Benjes, Hermann u. a.: »*Apfel-Brief-Aktion – Nobelpreis für Silvio Gesell*«, 2001
Benjes, Hermann: »*Silvio Gesell und die NWO*«, Essay in »*Impfen …*«, Pirol, 2001
Benjes, Hermann u. a.: »*Apfel-Brief-Aktion – Kirche*«, 2002 (4.500 Briefe!)
Benjes, Hermann: »*Die Bremer Stadtmusikanten*«, 2003 (Illustrator gesucht!)
Binn, Felix G.: »*Silvio Gesell – Der verkannte Prophet*«, Gauke, 1978
Binn, Felix G.: »*Verfassungsanspruch und Wirklichkeit*«, Selbstverlag, 1981
Binswanger, Hans: »*Geld und Magie*«, Edition Weitbrecht, Stuttgart 1985
Bischoff, Reiner: »*Umweltzerstörung durch Geld- und Bodenwucher*«, Adem. Verlag
Bischoff, Reiner: »*Unser Geldsystem*«, Selbstverlag, Täferrot, 1991
Bischoff, Reiner: »*Entmachtung der Hochfinanz*«, Freiland, 2002
Blüher, Hans: »*Silvio Gesell: Zeitgenössische Stimmen zum Werk …*« Zitzmann, 1960
Blüher, Hans: »*Gustav Landauer und Silvio Gesell*«, Paul List, 1953
Blumenthal, Georg: »*Die wirtschaftlichen Ursachen des Weltkrieges*«, Berlin, 1919
Blumenthal, Georg: »*Die Befreiung von der Geld- u. Zins-Herrschaft*«, Leipzig, 1919
Boettcher, Horst: »*Mühlsteine Staatsschulden, Zinslasten*«, Selbstverlag, 1996
Bohner, Frank: »*Geld(un)ordnung und soziales Chaos*«, Novalis 11/12 2001
Bohner, Frank: »*… Armut per Gesetz*«, Zeitschrift r-evolution Nr. 24, 2004
Bökermann, Gregor: »*Protest vor der Deutschen Bank*« DER 3. WEG 9/1998
Börger, Renate: »*Reif statt reich*«, DER 3. WEG 3/2000
Brandberg, Åsa: »*Miraklet från Guernsey*«, Manuskript, 1999
Brandt, Willy u. a.: »*Hilfe in der Weltkrise*«, Rowohlt, 1983
Bruker, Max Otto: »*Unsere Nahrung – unser Schicksal*«, emu, 1986

Bultmann, Antje u.a.: »*Käufliche Wissenschaft*«, Knaur, 1994

Campester, Peter: »*Die Bodenfrage in der Volkswirtschaft*«, DDW 10/1999

Christen, Theophil: »*Die Quantitätstheorie des Geldes*«, Freiwirtsch. Verlag, 1920

Colemann, John: »*Das Komitee der 300*« Edition LibLit, 2001

Cornelius, Brigitte: »*Die Zinsfreie Wirtschaftsordnung*«, Selbstverlag, 1984

Cornelius, Brigitte: »*Das Geldwesen gestalten im Dienste des Lebens*«, Vortrag, 1994

Cornelius, Reiner: »*Es schien ein Wunder zu sein*« (Schauspiel), Selbstverlag, 1999

Courtois, Stephane, u.a.: »*Das Schwarzbuch des Kommunismus*«, Piper, 1998

Creutz, Helmut: »*Das Geldsyndrom*«, Ullstein, 1994

Creutz, Helmut: »*Die 29 Irrtümer rund ums Geld*« Signum, 2004

Ditfurth, Hoimar v.: »*So lasst uns denn ein Apfelbäumchen pflanzen*«, R & R, 1985

Dohnanyi, Klaus von, u.a.: »*Notenbankkredit an den Staat?*«, Nomos, 1986

Dönhoff, Marion Gräfin: »*Zivilisiert den Kapitalismus*«, DVA, 1997

Drewermann, Eugen: »*Jesus von Nazareth*«, Walter-Verlag, 1996

Engert, Rolf: »*Silvio Gesell in München 1919*«, Gauke, 1986

Eppler, Erhard: »*Wege aus der Gefahr*«, Rowohlt, 1981

Faber, Eberhard von: »*Die Zeit verstehen, Zukunft meistern*«, N&U, 1998

Fengler, Heinz: »*Silvio Gesell und das Tauschgeld*«, DDW 6/1995

Finkelstein, Norman G.: »*Die Holocaust-Industrie*«, Piper, 2000

Finkelstein, Norman G.: »*Der Konflikt zwischen Israelis und Palästinensern*«, 2002

Forrester, Viviane: »*Der Terror der Ökonomie*«, P. Zslonay, 1997

Fragen der Freiheit, Heft 144: »*In Memoriam Silvio Gesell*«, 1980

Frankfurth, Ernst; Gesell, Silvio: »*Aktive Währungspolitik*«, Berlin, 1909

Frey, Jörg: »*Das Schulddrama*«, Essay, 2001

Freytag, Gustav: »*Soll und Haben*«, Droemersche Verlagsanstalt, 1962

Führer, Hans-Joachim u.a.: »*Erinnerungen an Silvio Gesell*«, Zitzmann, 1960

Führer, Hans-Joachim: »*Friedensfalken*«, Gauke, 1985

Geitmann, Roland: »*Geldreform per Verfassungsklage?*«, r-evolution, 2004

Gesell, Silvio: »*Die Reformation im Münzwesen …*«, Selbstvlg. Buenos Aires, 1891

Gesell, Silvio: »*Die Verstaatlichung des Geldes*«, Selbstvlg., Buenos Aires, 1892

Gesell, Silvio: »*Zinsfreie Darlehen*«, Verlag K.J. Wyss, Bern, 1904

Gesell, Silvio: »*Die Natürliche Wirtschaftsordnung*«, 1916

Gesell, Silvio: »*Freiland, die eherne Forderung des Friedens*«, Vortrag, Zürich, 1917

Gesell, Silvio: »*Der Aufstieg des Abendlandes*«, Vorlesung, Basel, Pfingsten 1923

Gesell, Silvio: »*Kannte Moses das Pulver?*«, Nachdruck, Telos, 1968

Gesell, Silvio: »*Die Wunderinsel Barataria*« Nachdruck, Telos, 1969

Gesell, Silvio: »*Gesammelte Werke*« in 19 Bänden, Gauke, 1994

Giono, Jean: »*Der Mann mit den Bäumen*«, Theologischer Verlag Zürich, 1981

Göbel, Dora: »*Frauen heraus aus wirtschaftlicher Not*«, Mitter & Kinkel, 1932

Grass, Günter: »*Rede über den Standort*«, gehalten am 23.02.1997 in Dresden

Grimmel, Eckhard: »*Kreisläufe und Kreislaufstörungen der Erde*«, Rowohlt, 1993

Grimmel, Eckhard: »*Forderung an den Gesetzgeber …*«, DER 3.WEG 12/1999

Grimmel, Eckhard: »*Das Geldspiel*«, DER 3. WEG, Heft 4, 2000
Grimmel, Eckhard: »*Das Geld muss verstaatlicht werden*«, DDW 5/ 2000
Grimmel, Eckhard: »*Posthumer Nobelpreis für Silvio Gesell*«, 2001
Grissemann, Luis: »*Arbeitsdienstpflicht für das Geld*«, Imst-Tirol, 1934
Groschupp, Hans: »*Mit Freigeld zum Freiland*«, Märkische Allgemeine, 7.7.2001
Grossmann, Günther: »*Von Versailles bis Maastricht*«, Druffel, 1998
Grossmann, Gustav: »*Sich selbst rationalisieren*«, Ratio, 1957
Gruhl, Herbert: »*Ein Planet wird geplündert*«, Fischer, 1978
Gustafson, Karl: »*Tidsfaktorekonomie*«, N.O.R.G., 1995
Hannich, Günter: »*Sprengstoff Geld*«, Selbstverlag, 1998
Hannich, Günter: »*Börsenkrach und Weltwirtschaftskrise*«, KOPP, 2000
Heinrich, Johannes: »*Sprung aus dem Teufelskreis*«, Vita Nuova, 1997
Heimberg, Bertha: »*Mahnende Briefe zum 100. Geburtstag von Silvio Gesell*«, 1962
Hercksen, Bernd: »*Die unsichtbare Hand*« DER 3. WEG, 1994/1995
Hess, Willy: »*Silvio Gesell und die Freiwirtschaft*«, Selbstverlag Winterthur, 1985
Hill, Julia Butterfly: »*Die Botschaft der Baumfrau*«, Riemann, 2000
Hirt, Josef: »*Der Mensch und das Gesetz von Lust und Unlust*« Manuskript, 1990
Hoffmann, Hans: »*Stabilität bei fixierten oder freien Wechselkursen*«, Vortrag, 1971
Hoffmann, Richard; Gesell, S.: »*Die Freiwirtschaft vor Gericht*«, Erfurt, 1920
Höhne, Heinz: »*Der Krieg im Dunkeln*«, Bertelsmann, 1985
Huber, Joseph: »*Vollgeld*«, Duncker & Humbold, 1998
Hüwe, Josef: »*Zur Kritik an der Marxschen Kapitalanalyse*«, Hackbarth
Ibs, Carl: »*Freiwirtschaft – wie würde sie unser Leben verändern?*«, DDW 12/95
INWO: »*125. Geburtstag von Silvio Gesell*« Vortrag in St. Vieth, 1987
Issing, Otmar: »*Der Zins und sein moralischer Schatten*« FAZ vom 20.11.1993
Kontra Issing aus freiwirtschaftl. Sicht: » *Sonderdruck Nr. 3*«, DER 3.WEG, 1994
Jenetzky, Johannes: »*Abgaben als Instrument ökologischer Zielsetzungen*«, 1989
Jenetzky, Johannes: »*Steuerrecht und Reform der Geldordnung*«, ZfÖ, 1989
Jenetzky, Johannes: »*Die Knappheit des Kapitals …*«, ZfÖ, 1991
Jenetzky, Johannes: »*Geldumlaufsicherung: Gebühr oder Steuer?*«, ZfÖ, 1992
Jenetzky, Johannes: »*Was ist das Besondere am Geld?*« DER 3. WEG 1/1993
Jenetzky, Johannes: »*Zielrichtung Dt. FREIWIRTSCHAFTSBUND e.V.*«, 2005
Jönsson, Leif: »*Ekonomisk olydnad en väg till moralisk ekonomi*«, 1993
Kafka, Peter: »*Gegen den Untergang*«, Hanser, 1994
Kennedy, Margrit: »*Geld ohne Zinsen und Inflation*«, Goldmann, 1990
Kern, Erich: »*Verheimlichte Dokumente*«, FZ-Verlag, 1999
Keynes, John Maynard: »*Allgem. Theorie …*« Duncker & Humblot, Berlin, 1936
Kieselbach, T./Klink, Frauke: »*Arbeitslosigkeit und soziale Gerechtigkeit*«, 1991
Kleinhans, Bernd: »*Alle Macht der Ökonomie?*«, DER 3. WEG 12/1999
Klingholz, Reiner: »*Wahnsinn Wachstum*«, Gruner + Jahr, 1994
Klüpfel, Paulus u.a.: »*Erinnerungen an Silvio Gesell*«, Zitzmann, 1960
Knütter, Hans Helmuth: »*Die Faschismuskeule*«, Ullstein, 1994

Korn, David: *»Das Netz – Israels Lobby in Deutschland«*, FZ-Verlag, 2004
Kornfeld, Heinz: *»Das Wasser der Reichen fließt bergauf«*, Basler Zeitung, 1995
Krafeld, Karl/Lanka, Stefan u.a.: *»Impfen – Völkermord im dritten Jahrtausend?«*
Kreuger, Torsten: *»Die Wahrheit über Ivar Kreuger«*, Ullstein, 1968
Kreutzer, Egon W.: *»Vom Mindestlohn zum Staats-Harakiri«*, Newsletter, 4/2005
Kühn, Hans: *»Der Einfluß des Geldes auf die Geschichte der Menschheit«*, 1967
Kühn, Hans: *»5000 Jahre Kapitalismus«*, Selbstverlag, Osterode, 1977
Kühn, Hans: *»Alternative Volkswirtschaft von A–Z«*, PRO-VITA, 1992
Lakotta, Beate: *»Die Maus dankt – Hermann Benjes …«*, SPIEGELspezial 2/1995
Leuchtenberg, Max: *»Woran Weimar scheiterte«*, FSU, 1971
Lieckfeld, Claus-Peter/Reinartz, Dirk: *»Hermann Benjes«*, natur 10/1994
Lietaer, Bernard A.: *»Das Geld der Zukunft«*, Riemann, 1999
Lincoln, Evelyn: *»12 Jahre mit John F. Kennedy«* Lorch, Frankfurt, 1966
Lindenthal, Gustav: *»Geldsystem und Weltwährung«*, W. Engelmann, 1923
Löhr, Dirk/Jenetzky, Johannes: *»Neutrale Liquidität«*, P. Lang, 1996
Löhr, Dirk: *»Zins und Wirtschaftswachstum«*, ZfS Nr. 79/1988
Löw, Konrad: *»Der Mythos Marx u. seine Macher«*, Langen, 2000
Margreiter, Gerhard: *»Umweltschutz – Sündenbock für Wirtschaftskollaps«*,
    DDW 11/1995
Margreiter, Gerhard: *»Der EURO – ein Vorhaben gegen alle Vernunft«*, DDW 9/1997
Margreiter, G.: *»Arbeitslosigkeit: Blutleere der Wirtschaft«*,
    Zeitung der Nächstenliebe, 3/98
Marx, Karl: *»Das Kapital«*, Dietz, Berlin, 1986
Moore, Michael: *»Stupid white men«*, Piper, 2003
Müller, Klaus: *»Frieden durch Gerechtigkeit«*, Selbstverlag, 2001
Mullins, Eustace /Bohlinger, Roland: *»Die Bankierverschwörung«*, VfgF, 1980
Musil, Michael: *»Energie, Wirtschaft, Kapital«*, DER 3. WEG 1/1995
Musil, Michael: *»Posthumer Nobelpreis für Silvio Gesell«* Internetpräsentation, 2001
Nicoll, Peter H.: *»Englands Krieg gegen Deutschland«*, Grabert, 2000
Onken, Werner: *»Karl Marx und Silvio Gesell«*, Selbstverlag, 1975
Ostrovsky, Victor: *»Geheimakte Mossad«*, (Tagebuch) Goldmann, 1996
Otani, Yoshito: *»Untergang eines Mythos«*, Arrow, 1977
Peter, Karl Heinrich: *»Briefe zur Weltgeschichte«*, Vollmer, 1988
Pfannschmidt, Martin: *»Vergessener Faktor Boden«*, Gauke, 1990
Polenske, Karl: *»Finanz- und Wirtschafts-Programm Silvio Gesells«*, Berlin, 1919
Poleschner, Alexandra/ Klink, Gudrun: *»Aufruf für Frieden …«*, Ingelfingen, 2001
Popp, Klaus: *»Zinswahnsinn«*, Selbstverlag, 1998
Probst, Jürgen: *»Fehlentwicklungen einer Zinswirtschaft«*, Selbstverlag, 1998
Proske, Rüdiger: *»Wider den Missbrauch der Geschichte …«*, v. H&K, 1996
Proudhon, P.J.: *»Was ist das Eigentum?«* Monte Verita, 1896
Radecke, Wilhelm: Nachwort zu *»Wirtschaft als Drangsal«*, Zitzmann, 1950
Rapp-Blumenthal, Maria M.: *»Erinnerungen an Silvio Gesell …«* INWO, 1990

Reiger, Sabine: *»Wirre Gedanken von ›links‹«*, DER 3. WEG 11/1998
Richter, Annette: *»Das Wirtschaftswunder von Wörgl«*, Hackbarth, 1983
Rohrbach, Klaus: *»Freigeld – Michael Unterguggenberger u.d. Währungswunder …«*
Rosenberg, Werner: *»Boden im Eigentum der Öffentlichkeit«*, DDW 6/1993
Rothkranz, Johannes: *»Der Vertrag von Maastricht«* Anton A. Schmid, 1993
Salzmann, Friedrich: *»Verwirklichung der Freiwirtschaft«*, Bern, 1954
Sammons, Jeffry L.: *»Die Protokolle der Weisen von Zion«*, Wallstein, 1998
Schad, Dieter: *»Bibel und Zins«*, DER 3. WEG 1–4/1998
Schenk, Fritz: *»Der Fall Hohmann«*, Universitas, 2004
Schleisiek, Klaus-Peter: *»Übliche Einwände gegen die Freiwirtschaft«*, 1999
Schmid, Werner: *»Fritz Schwarz: Lebensbild eines Volksfreundes«*, LSP, 1973
Schmidt, Maria: http://www.rheinwiesenlager.de/Rheinwiesen.htm, April 2005
Schmitt, Klaus: *»Entspannen Sie sich, Frau Ditfurth«*, DER 3. WEG, 1998
Schmitt, Klaus: *»Silvio Gesell, ›Marx‹ der Anarchisten?«*, K. Kramer, 1989
Scholl, Heinz: *»Bilderberg: Das Konzil der Plutokraten und Bonzen«*, VZD, 76
Scholl, Heinz: *»Von der Wallstreet gekauft«* VZD, Vaduz, 1981
Scholl-Latour, Peter: *»Lügen im Heiligen Land«*, Goldmann, 2000
Schröcke, Helmut: *»Kriegsursachen – Kriegsschuld«*, VfgF, 2000
Schröder, Hannelore: *»Die ökonomische Verelendung von Müttern«*, 1987
Schumann, Johannes: *»Gegen den Strom«*, Gauke, 1986
Schumann, Johannes: *»Auseinandersetzung mit dem Marxismus«*, FSU, 1975
Schwarz, Fritz: *»Marxismus gegen Freiwirtschaft«*, Erfurt/Bern, 1921
Schwarz, Fritz: *»Segen und Fluch des Geldes in der Geschichte der Völker«*, 1931
Schwarz, Fritz: *»Morgan, der ungekrönte König der Welt«*, 1932
Schwarz, Fritz: *»100 Einwände gegen die NWO und ihre Widerlegung«*, 1939
Schwarz, Fritz: *»Das Experiment von Wörgl«*, INWO-Nachdruck, 1990
Senf, Bernd: *»Der Nebel um das Geld«*, Gauke, 1996
Senft, Gerhard: *»Weder Kapitalismus noch Sozialismus«* Libertad, Berlin, 1990
Sickler, Melvin: *»Amerikas größtes Problem: das Schuldgeld«*, DDW 11/1999
Solschenizyn, Alexander: *»Der Archipel Gulag«*, Scherz, 1974
Solschenizyn, Alexander: *»Die Juden in der Sowjetunion«* Herbig, 2003
Sonderegger, Hans Konrad: *»Die Rettung Österreichs«*, Burgstaller, 1933
Spielbichler, Veronika: *»Das Freigeldexperiment von Wörgl«*, DDW 1/2000
Stadelmann, Ludwig: *»Blutkreislauf der Wirtschaft …«*, Neues Leben, 1975
Stadelmann, Ludwig: *»100 Fragen u. Antworten …«*, 1978
Steinbach, Manfred/Rinke, Dietlind: *»Aufruf zum Widerstand gegen Verfassungs-
    bruch und Kulturverbrechen«*, Institut für soziale Ökologie – Bremen, 23.11.2001
Steinbach, Manfred: *»Wege zur Entschuldung der Gemeinde Worpswede«*, 2001
Steindorf, Wieland von: *»Geld ist Macht – macht nichts«*, Jahn & Ernst, 1997
Steiner, Rudolf: *»Nationalökonomisches Seminar«*, Dornach, 1973
Stirner, Max: *»Der Einzige und sein Eigentum«*, Leipzig, 1845
Suhr, Dieter: *»Geld ohne Mehrwert«*, Knapp, Frankfurt, 1983

Suhr, Dieter: »*Gerechtes Geld*«, Archiv für Rechts- u. Sozialphilosophie, 1983
Suhr, Dieter: »*Auf Arbeitslosigkeit programmierte Wirtschaft*«, 1983
Suhr, Dieter: »*Alterndes Geld. Das Konzept Rudolf Steiners*«, Novalis, 1988
Suhr, Dieter: »*Der Kapitalismus als monetäres Syndrom*«, Campus, 1988
Svitak, Vladimir u. a.: »*Strukturen des Aufbruchs*«, Hirzel, 2001
Thauberger, J.A.: »*Zum Beispiel Canada*«, übers. von Brigitte Cornelius, 1995
Typke, Juergen: »*Menschl. Konflikte u. Umweltzerst. als Folge der Geldordnung*«
Typke, Juergen: »*Zur Organisation einer gerechten Wirtschaftsordnung*«
Typke, Juergen: »*Haben wir eine soziale Marktwirtschaft?*«, Manuskript
Typke, Juergen: »*Überlegungen zur Quantitätsgleichung*«, DDW 7/8-1998
Uhlemayr, Benedikt: »*Silvio Gesell*«, Zitzmann, 1931
Theseus: »*Vom Unsinn und den Verbrechen des Zinses*«, Winkelried, 1946
Timm, Uwe: »*Befreiung von den Fesseln der Armut ...*«, DER 3. WEG, 10/1995
Valentin, Otto: »*Überwindung des Totalitarismus*«, H. Mayer Verlag, 1952
Vickers, Vincent C.: »*Wirtschaft als Drangsal*«, Zitzmann, 1950
Vogler, Franz: »*Offener Brief an Bundeskanzler Gerhard Schröder*«, v. 11.09.2001
Wacker, Ali: »*Arbeitslosigkeit – soziale und psychische Folgen*«, EV, 1983
Walker, Karl: »*Das Geld in der Geschichte*«, Zitzmann, 1959
Walker, Karl: »*Ausgewählte Werke*«, Gauke, 1995
Weder, Hansjürg: »*Freiwirtschaft – was ist das?*«, Basler Zeitung v. 11.03.1995
Weitkamp, Hans: »*Das Hochmittelalter – ein Geschenk des Geldwesens*«, 1986
Wendnagel, Wera: »*Frauen leisten die wichtigste Arbeit*«, Gauke, 1969
Werner, Hans-Joachim: »*Geschichte der Freiwirtschaftsbewegung*«, 1989
Winkler, Ernst: »*John Maynard Keynes und Silvio Gesell*«, Vita 1951
Winkler, Ernst: »*Theorie der Natürlichen Wirtschaftsordnung*«, Vita, 1952
Witt, Armin: »*Unterdrückte Entdeckungen und Erfindungen*«, Ullstein, 1993
Wolf, Siegbert: »*Silvio Gesell*«, Gauke, 1983
Wurmbrand, Richard: »*Das andere Gesicht von Karl Marx*«, 1987
Ziemer, Gerhard: »*Inflation und Deflation zerstören die Demokratie*«, 1971
Zimmermann, Werner: »*Geld und Boden: Schicksalsfragen aller Völker*«, 1966

Vorträge · Lesungen
mit Autorenbefragung und Diskussion

Der Autor steht Veranstaltern (Privatleuten, Kirchen, Vereinen, Firmen und Parteien im deutschsprachigen Europa und in Schweden) mit einem Vortrag zur Verfügung, der die Frage aufwirft (und selbstverständlich auch beantwortet), weshalb die Erkenntnisse Gesells noch immer straflos unterdrückt werden, obwohl die Lage auf dem Arbeitsmarkt geradezu nach Lösungen schreit. *Arbeit, Wohlstand und Frieden für alle,* diese angeblich »unrealistische Maximalforderung« verwandelt sich im Laufe dieses Vortrags in ein selbstverständliches Menschenrecht, für das es sich zu kämpfen lohnt. Das Publikum staunt, schweigt, stimmt zu oder es widerspricht. Seine Erfahrung im Umgang mit Gleichgesinnten, Skeptikern und Gegnern lässt nahezu jede Referentenbefragung und Diskussion zu einem spannenden Erlebnis werden; und da sich Benjes an jeder beliebigen Stelle seines Vortrags durch Fragen unterbrechen lässt, durchzieht ein Wechselbad der Gefühle den ganzen Vortrag von Anfang an. Kreislaufbelebung pur!

Um den Kontakt mit Besuchern der Vorträge und den Lesern des vorliegenden Buches nicht abreißen zu lassen und gleichzeitig einen Anreiz für das notwendige Aktivwerden zu bieten, gibt der Autor seit 2001 den freiwirtschaftlichen Rundbrief *DER INNERE KREIS* heraus, der anlässlich der Gründung des gemeinnützigen Vereins *DEUTSCHER FREIWIRTSCHAFTSBUND e. V.* (am 31. Mai 2003 in Kassel) in *FREIWIRTSCHAFT* umbenannt wurde.

Kein Geringerer als Silvio Gesell hat vor 80 Jahren in Kassel den FREIWIRTSCHAFTSBUND aus der Taufe gehoben, dem seinerzeit Tausende beigetreten sind. Damit gibt es jetzt auch in Deutschland wieder eine Bewegung, die sich gegen die lähmende Verwässerung und Verfälschung der Erkenntnisse Gesells zur Wehr setzt und konsequent für eine *Konzentration auf das uns heute schon Mögliche* eintritt. Eine Klarstellung und Warnung von Prof. Dr. Eckhard Grimmel – abgedruckt im Rundbrief

»FREIWIRTSCHAFT« Juli/August 2003 – macht das ganze Ausmaß dieser Verfälschung deutlich:

»Den heute existierenden freiwirtschaftlichen Organisationen (Vereine, Parteien etc.) sind im Laufe der vergangenen Jahrzehnte unverständlicherweise die wesentlichen Grundlagen der Freiwirtschaftslehre Gesells abhanden gekommen.

Erstens ignorieren diese Organisationen die Forderung Gesells, das Geld zu verstaatlichen. Stattdessen fordern sie nur noch die »umlaufgesicherte Indexwährung« Gesells, aber in Händen des existierenden staatsunabhängigen Bankensystems, anstatt in Händen eines staatlichen Währungsamtes.

Zweitens ignorieren diese Organisationen die Forderung Gesells, das Land (»Boden«) zu verstaatlichen. Stattdessen fordern sie nur eine »Abschöpfung des Bodenwertzuwachses« des weiter privates Eigentum bleibenden Landes bzw. Bodens.

Durch diese Verzichtspolitik der genannten Organisationen ist die Freiwirtschaftslehre Gesells bis zur Sinnlosigkeit und Wirkungslosigkeit ausgehöhlt worden. Der »Deutsche Freiwirtschaftsbund e.V.« dagegen tritt für einen konsequenten freiwirtschaftlichen Kurs nach Gesell ein und lehnt eine leichtfertige Reduzierung oder vielleicht sogar bösartige Verfälschung der Freiwirtschaftslehre Gesells ab.

Mitglied des »Deutschen Freiwirtschaftsbundes e.V.« kann jede Person werden, welche die Essenzia der Freiwirtschaftslehre Gesells, nämlich die Verstaatlichung von Land und Geld, vertritt und die Anforderungen der Satzung des Vereins erfüllt.

Der »Deutsche Freiwirtschaftsbund e.V.« appelliert an alle aufgeschlossenen und aufrechten Bürger, Mitglied des Vereins zu werden, um so einen wirkungsvollen Beitrag zur wirtschaftlichen, sozialen und politischen Zukunftssicherung zu leisten.«

Die Mitgliedschaft im **DEUTSCHEN FREIWIRTSCHAFTS-BUND e.V.** kann beantragt werden beim Schatzmeister des Vereins, Michael Musil, Kopernikusstraße 8, D-56410 Montabaur. Internet: www.freiwirte.de

Am Rundbrief FREIWIRTSCHAFT Interessierte können zwei Ansichtsexemplare per E-Mail unverbindlich anfordern bei: Hermann.Benjes@t-online.de (Jahresabonnement 10,– Euro).

Bezugsquellen für die 7. Auflage des Buches
»Wer hat Angst vor Silvio Gesell?«:

a) Buch- und Versandbuchhandel bei Angabe der ISBN und der Adresse des Autors
b) Bei Vortragsveranstaltungen am Büchertisch des Autors
c) Direkt beim Autor (auf Wunsch signierte Exemplare)

Das Buch kostet (beim Autor) bei Abnahme von:
 1 Expl. insg. Euro   20,60 (Einzelpreis 18,90 + Frachtkosten)
 2 Expl. insg. Euro   40,00 (6 % Rabatt + Frachtkosten)
 6 Expl. insg. Euro 102,00 (10 % Rabatt und frachtkostenfrei)
10 Expl. insg. Euro 160,00 (15 % Rabatt und frachtkostenfrei)

Preise für größere Mengen auf Anfrage.

Selbstverlag Hermann Benjes
Hohenmoorer Straße 61
D-27330 Asendorf (ca. 30 km südlich von Bremen)
Tel.: (0 42 53) 80 06 43 · Fax: (0 42 53) 80 06 44
E-Mail: Hermann.Benjes@t-online.de
Internet: http://www.muslix.de/HB oder www.hermann-benjes.de

Die folgenden Texte sind in Form eines aufwändig produzierten Leporellos beim Autor zum Selbstkostenpreis (15 Cent pro Expl. + Porto) erhältlich:

Die **Massenarbeitslosigkeit**

in Deutschland und in Europa, ja weltweit, hätte schon längst von einer naturverträglichen

Vollbeschäftigung
ohne Wachstumszwang

abgelöst werden können. Statt dessen geschieht das Gegenteil: Junge Arbeitslose werden um ihre Zukunft gebracht und die älteren mit Minirenten um ihren Lebensabend betrogen.

Und so ganz nebenbei wird dann auch noch die Umwelt zerstört.

Wer oder was steckt hinter diesem Wahnsinn?

Haben Sie gewusst,
dass die Arbeitslosen in dieser Wirtschaftsordnung eine ziemlich wichtige Rolle übernehmen müssen? Man sollte es nicht für möglich halten, aber Tatsache ist, dass sich erst mit Hilfe der Massenarbeitslosigkeit die Lohnforderungen der abhängig Beschäftigten nach unten fahren lassen.

Hohe Arbeitslosigkeit sorgt also dafür, dass alle, die im Moment noch Arbeit haben, nicht mehr aufmucken können! Wer es dennoch wagt, riskiert, bei erstbester Gelegenheit seinen Arbeitsplatz zu verlieren.

Kein Wunder also, dass dem traurigen Los der Arbeitslosen (bei reduziertem Einkommen der Arbeitnehmer) satte
Konzerngewinne gegenüberstehen.

Heute braucht doch ein Konzern die Vernichtung von
– sagen wir mal – 3.000 Arbeitsplätzen nur anzukündigen,
schon steigen die Aktien – und wie durch ein Wunder auch
die Gehälter der Vorstandsvorsitzenden!

Wie der Börsen-Zeitschrift »Cash« Nr. 2/96 zu entnehmen war, haben amerikanische Notenbanker für dieses
Wunder eine wunderbare Regel gefunden:

*Demnach ist eine Arbeitslosigkeit von 6 % grundsätzlich
wünschenswert. Die Traumnote »Ideal fürs Kapital« wird
allerdings erst bei 10 % Arbeitslosigkeit erreicht.*

Mit anderen Worten: Arbeitslose werden als Steigbügelhalter für die Ausbeutung der Arbeitnehmer missbraucht und
für die Gewinnmaximierung der Spekulanten und Absahner dringend benötigt.

Ein rettender Ausweg
aus dieser beschämenden Situation steht der Bundesregierung offenbar nicht zur Verfügung, denn sonst wäre die
Arbeitslosigkeit doch längst überwunden worden. Geben
denn Regierung (und Opposition!) wenigstens zu, dass sie
ratlos und völlig hilflos sind? Nein, das geben sie nicht zu!

Aber die Gewerkschaften, die treten doch im Fernsehen
immer so selbstbewusst auf, haben die denn etwa auch keine
Lösung vorzuweisen? Richtig, die auch nicht!

Gewerkschaften mögen ja in Zeiten der Vollbeschäftigung für die Arbeiterschaft viel erreicht haben. Heute
jedoch gleichen sie zahnlosen Tigern, die sich von der
Arbeitgeberseite regelrecht vorführen lassen. Den Arbeitslosen haben sie in dieser Situation noch nicht einmal Solidarität zu bieten!

Überlegen Sie mal: *Arbeit ist in Hülle und Fülle vorhanden.* Millionen Hausdächer z.B. warten auf Solaranlagen! Allein der ökologische Umbau unserer Gesellschaft würde zwei bis drei Millionen neue Arbeitsplätze schaffen. *Das dazu benötigte Geld stünde auch reichlich zur Verfügung, würde es nicht in unvorstellbaren Mengen in die Tresore der Zinsschmarotzer geschaufelt!*

Da sich diese schamlose Umverteilung von unten nach oben leicht vermeiden ließe, (dies aber absichtlich unterbleibt!) hat sich die Katastrophe Massenarbeitslosigkeit längst in einen Skandal verwandelt.

Lesen Sie auf den folgenden Seiten, wie übel uns allen, und nicht etwa nur den Arbeitslosen, mitgespielt wird.

Ein intelligenter Kaufmann,

Silvio Gesell (1862–1930), fand schon vor über 100 Jahren einen Kardinalfehler in der Struktur des Geldes.

Seine bahnbrechenden Erkenntnisse und die daraus hervorgegangene Natürliche Wirtschaftsordnung (NWO) liefern der Menschheit den Schlüssel für das erreichbare Ziel:
Arbeit, Wohlstand und Frieden für alle!

Gesell erkannte, dass Krisen und Kriege hauptsächlich durch Störungen im Geld-Kreislauf verursacht werden: Die private Hortbarkeit des öffentlichen Tauschmittels »Geld« ermöglicht es, durch Geldverleih Zinsen und Zinseszinsen zu erpressen. So kommt es zu einer sich fortlaufend beschleunigenden (!) Umverteilung des Geldes von den Arbeitenden zu den Geldbesitzenden; eine geradezu teuflische Ungerechtigkeit!

Durch *eine geniale Umlaufsicherung* (!) des Geldes schuf Silvio Gesell die Voraussetzung für ein Geld, das sich auch ohne Zinsgeschenke dem Markt anbietet. Ein erster Großversuch konnte 1932 in Wörgl (Tirol) die Überlegenheit der

Theorien Gesells auch in der Praxis so spektakulär unter Beweis stellen, dass es weltweit zu Nachahmungen kam, die jedoch vom aufgeschreckten (und herrschenden!) Kapital brutal erstickt wurden.

In seinem Buch *Wer hat Angst vor Silvio Gesell?* beschreibt Hermann Benjes diesen empörenden »Erfolg« der Finanzgewaltigen, die es bis auf den heutigen Tag gewagt und geschafft haben, den rettenden Ausweg Silvio Gesells in Schulen, an Universitäten, im Fernsehen und in der Presse konsequent totschweigen zu lassen.

Ist das wirklich wahr?

Wer sich heute ein Haus kauft, muss am Ende zwei oder drei Häuser bezahlen, je nachdem wie hoch die Eigenmittel sind bzw. wie stark der Rest »finanziert« werden muss. Bei einer Monatsmiete von 600 Euro werfen Sie den Zinskassierern Monat für Monat ca. 420 Euro (= 70 %) in den Rachen. Sie wohnen in einem Neubau zur Miete? Dann beträgt der Zinskostenanteil sogar unfassbare 80 %!

Aber es kommt noch schlimmer: Beim Einkauf (egal was Sie kaufen) zahlen Sie immer 35–50 % »drauf«. Das sind die in den Preisen sorgfältig versteckten Zinskosten, die jeder Produzent unfreiwillig seinen Preisen draufsatteln muss. Und das ist noch nicht alles: Weil sich Vater Staat bei den Zinskassierern so hoch verschuldet hat, sieht er in seiner Not keinen anderen Ausweg mehr, als diese »Kapitalkosten« (Zinsen!!) auf die Steuerzahler abzuwälzen. Darum – und nur darum – sind die Steuern und Abgaben so hoch.

Die von fast allen Seiten bejubelte »soziale« Marktwirtschaft ist also in Wirklichkeit längst zu einer brutalen Zinsknechtschaft verkommen, in der die Reichen immer reicher und die Armen immer zahlreicher werden!

Gemeinden, Städte, die Bundesländer und der Staat sitzen in der Schuldenfalle und stehen am Rande ihrer Handlungsunfähigkeit! Die Folgen sind verheerend: Über ein Drittel unseres Lebens müssen wir schon heute für den fragwürdigen *Anspruch auf Zins* jener Kreise arbeiten, die mit Geld Geld verdienen. Schon bald werden wir unser halbes Leben dieser vermeidbaren (!) Verrücktheit zu opfern haben. Hätten Sie das für möglich gehalten?

Das Ende der Zinswirtschaft
bringt Arbeit, Wohlstand und Frieden für alle!
Frieden kommt von Zufriedenheit.

Darum war und ist eine nicht enden wollende Unzufriedenheit von Millionen (z.B. in Nahost) geradezu naturgesetzlich die Vorstufe von Krisen, Elend, Unruhen, Terror und Krieg.

Anstatt sich schon im Vorfeld einer drohenden Katastrophe mit den monetären (!) Ursachen vermeidbarer Katastrophen zu befassen, greifen Regierungen, Hilfsorganisationen und Kirchen – vom Wesentlichen ablenkend – noch immer gern auf die Opferbereitschaft der Bevölkerung und auf die Schafsgeduld der Steuerzahler zurück. Wir wollen das unverantwortliche Totschweigen der rettenden Erkenntnisse Silvio Gesells nicht länger tatenlos hinnehmen und haben aus diesem Grunde am 31. Mai 2003 in Kassel den DEUTSCHEN FREIWIRTSCHAFTSBUND E.V. gegründet, der inzwischen als gemeinnützig anerkannt wurde.
(siehe www.deutscher-freiwirtschaftsbund.de)

»Der Deutsche Freiwirtschaftsbund e.V. appelliert an alle aufgeschlossenen und aufrechten Bürger Mitglied des Vereins zu werden, um so einen wirkungsvollen Beitrag zur wirtschaftlichen, sozialen und politischen Zukunftssicherung zu leisten.« (Prof. Dr. E. Grimmel)

Für den inneren Zusammenhalt und die Information der Mitglieder über das weitere Vorgehen des Vereins sorgt der von Hermann Benjes und Michael Musil redigierte Rundbrief FREIWIRTSCHAFT, der auch Nichtmitgliedern offen steht (Abonnement 10,– Euro für 6 Ausgaben jährlich).

Hermann Benjes: **Wer hat Angst vor Silvio Gesell?**

Das Ende der Zinswirtschaft bringt
Arbeit, Wohlstand und Frieden für alle!

Haben alle Menschen ein Recht auf Wohlstand?
Ja.

Ist das denn auch möglich; ich meine – wäre das überhaupt finanzierbar?
Ja.

Und das ließe sich in ein paar Jahren herbeiführen?
Ja.

Sozusagen – soziale Gerechtigkeit für alle?
Ja.

Aber ich bitte Sie! Das ist doch nur ein frommer Wunsch!
Nein.

Sie meinen im Ernst, dieser Wunschtraum ließe sich in absehbarer Zeit verwirklichen?
Ja.

Und wie stellen Sie sich das vor?
Steht alles in meinem Buch »Wer hat Angst vor Silvio Gesell?«

Klingt ziemlich anmaßend.
Das ist es ja auch.

Sie geben zu, ein anmaßendes Buch geschrieben zu haben?
Ja.

Und worin besteht diese Anmaßung?
Nun, ich habe Maß genommen und zwar an denen, die einer sozialen Gerechtigkeit im Wege stehen.

Wie hat man sich das vorzustellen?
Die wirklich Schuldigen an der sozialen Erosion werden in meinem Buch beim Namen genannt.

Und wer sind – »die wirklich Schuldigen«?
Es handelt sich um drei Haupttäter:
1. Die gelenkte Presse, die der Bevölkerung den rettenden Ausweg Silvio Gesells verschweigt.
2. Politiker, die sich als Hampelmann der Globalisierer missbrauchen lassen.
3. Wirtschaftswissenschaftler, die traditionell als verlässliche Steigbügelhalter des Kapitals in Erscheinung treten, indem sie ihre Studenten zielsicher an Silvio Gesell vorbeistudieren lassen.

Das sind ja schlimme Vorwürfe, die Sie da erheben!
Ja sicher, aber es gibt Schlimmeres.

Was könnte denn noch schlimmer sein?
Zum Beispiel das Schicksal von 4–5 Millionen Arbeitslosen, die ohne eigenes Verschulden (!) um ihr Lebensglück betrogen werden, obwohl Arbeit und Geld reichlich vorhanden sind.

Aber der Bundeskanzler tut doch sicher alles in seiner Macht Stehende …
Nein, genau das tut er eben nicht!

Sie meinen, er würde etwas ausklammern?
Und ob er das tut!

Wollen Sie damit sagen, dass die Arbeitslosigkeit eine gewollte ist und durchaus zu vermeiden wäre?
Genau das meine ich: Arbeitslosigkeit könnte ganz leicht durch Vollbeschäftigung ersetzt werden.

Halten Sie das allen Ernstes für möglich?
Das ist möglich!

Schwer zu glauben …
Nach der Lektüre von »Wer hat Angst vor Silvio Gesell?« werden auch Sie es glauben.

Dieser Silvio Gesell, auf den Sie sich berufen, wann hat der eigentlich gelebt?
Von 1862–1930. Seine bahnbrechenden Erkenntnisse legte er bereits 1916 der Menschheit zu Füßen. Und die trat sie – leider – mit Füßen!

Nun, das wird schon seine Gründe gehabt haben!
Ja – natürlich, sehr handfeste Gründe sogar.

Was waren das denn für Gründe?
Er konnte es nicht allen Menschen recht machen. »Nur« etwa 90 % der Bevölkerung würden nach Einführung seiner Natürlichen Wirtschaftsordnung wesentlich besser dastehen als heute. »Nur« die ca. 10 % der Reichen und Superreichen würden ein paar Federn lassen müssen.

Daher also die Angst vor Silvio Gesell?
Ja.

Und diese Angstgegner haben so viel Macht?
Ja, aber wohl nicht mehr lange. Noch führen sie die Medien am Gängelband und haben es bisher geschafft, die Lösung der sozialen Frage auf dem Presse-Altar des Totschweigens zu opfern.

Hermann Benjes

Heckenexperte, Naturfotograf, Geld-reformer und Schriftsteller; geboren am 27. April 1937 in Drakenburg an der Weser, ist Naturschützern vor allem durch seine humorvollen und sarkastischen Diavorträge bekannt, die er im deutsch-sprachigen Europa und in Schweden seit 1981 nahezu 1.200 Mal gehalten hat, *»um eine Spur zu hinterlassen, die sich nie wieder ausradieren lässt.«*

Aus einer originellen Idee seines Bruders Heinrich Benjes entwickelte er die in Fachkreisen weltbekannte Benjeshecke, laut SPIEGEL-special 2/95 *»das erfolgreichste Flurbelebungs-konzept der Naturschutzgeschichte«*. Für die Entwicklung der Benjeshecke erhielt er 1989 den Umweltpreis der U.a.N. Sein Buch *»Die Vernetzung von Lebensräumen mit Benjeshecken«* (ISBN 3-9247449-15-9) wurde zum Fachbuch der Flurbelebung schlechthin und hat bisher allein in Deutschland zur Anlage von ca. 1.150 km Benjeshecken geführt. 1990 wurde Hermann Benjes von der Tatsache überrascht und geschockt, von deutschen Presse-organen ein halbes Jahrhundert lang an Silvio Gesell gezielt vor-beigelogen worden zu sein. Seit 1992 schlägt Benjes zurück. Er verlegte den Schwerpunkt seines Wirkens von der Ökologie (Rettung der Artenvielfalt) zur Ökonomie (Herbeiführung der sozialen Gerechtigkeit mit Hilfe der Freiwirtschaft Silvio Gesells). In nunmehr 7. Auflage hat sich das vorliegende Buch *»Wer hat Angst vor Silvio Gesell?«* zu einem Klassiker der Freiwirtschaftsbewe-gung entwickelt. Schonungslos legt Benjes die Gründe für das Tot-schweigen der rettenden Erkenntnisse des Land- und Geldrefor-mers Silvio Gesell auf den Tisch. Was der Autor hier aufdeckt, ist bis an die Grenze der Unerträglichkeit empörend. Und doch gibt sein Buch zu den größten Hoffnungen Anlass, weil er den Weg aufzeigen kann, der das Menschenrecht auf Arbeit, Wohlstand und Frieden (für alle Menschen auf der Erde!) auf die Stufe der Erreichbarkeit stellt.